教員
採用試験

小学校全科

新ランナー

東京教友会

TAC出版
TAC PUBLISHING Group

は じ め に

　この度，ランナーシリーズ刊行の出版社が，いわば，第1期の一ツ橋書店（1987年初版－2022年度版）から，時宜と縁とを得て，第2期のTAC出版（2023年度版（過渡期版で2022年度版とほぼ同じ），2024年度版～）にかわった。

　2024年度版において，TAC出版編集部の英断で「キーワードに絞り込んだ」大改訂がなされ，「簡潔」化が企図され結果的に直読直解が工夫され見やすくなった。そもそもランナーシリーズ誕生の背景は，直近の2023年度版の「まえがき」に詳しいが，今版が初見だという読者のために少し解説する。

　教師を目指し，明日を見つめて今をひたすらに勉学するひたむきな学生のつぶやきがあった駒澤大学の筆者の研究室で（1987年当時），教育職員免許法等に定める教職課程等の正規の授業科目履修上での学びの内容（理想・理論）と，地方教育行政等が実施する教員採用候補者選考試験内容（現実・実践）とのギャップを埋め架橋する演習課題・問題作成・解答・解説プレゼンの演習ノート蓄積がなされ，それを基盤として刊行が実現した。

　演習課題は，例えば，次である。すなわち「教育で重要用語の「目的」と「目標」との意味の構造と，それをうける動詞の用法構造とが，「法は風土の産物」（モンテスキュー『法の精神』）といわれる法規定文脈でいかに語られているかを検索し整理して用語の目的・目標を集約整理するサブノートを作成しなさい」との筆者提示のプリント作成課題にチャレンジする。これは資料自身の文脈・構文等により資料自身自らを語らしめて定義を得るという意味論的手法である。浮上するのは，目的は「最終到達点」，動詞は「実現」でうける。目標は，目的に到達するためにクリアすべき通過条件を意味し，動詞は達成でうけることが文脈上に浮上することが判明する。同じく，例えば課題では，教育観（スズメの学校の教師像―メダカの学校の教師像，注入主義―開発主義，伝達観―助成観，教師中心―学習者中心），また，一般教養では，鉄道唱歌で全国を綴る地理教育・歴史教育，郵便番号で綴る47都道府県庁所在地に関する整理等の演習ノート等も提示されてきたが，本版では割愛した。出版編集業務・書店業務に詳しく，明日を見つめて今をひたすらに勉学に勤しむゼミ有縁の人材の機を得て刊行が発起され，刊行後も「ランナー」への愛顧が継続されてきた。

　ランナーシリーズには，大きい版のランナー（以下 親ラン）と，親ランを要約した小さい版のポケットランナー（以下ポケラン。ただし幼稚園は除く）とがあるのは周知事であろう。今般,名称変更があり，例えば，親ランでは，教職教養新ランナーの如く「新」が加筆された。

　朱熹作と伝わる漢詩『偶成』「少年易老學難成　一寸光陰不可輕　未覺池塘春草夢　階前梧葉已秋聲」は周知事である。換言すれば「只今日今時ばかりと思ふて時光をうしなはず，学道に心をいるべきなり。」（正法眼蔵随聞記）という「今でしょう！」である。いつでも，どこでも，寸暇を惜しんでポケットから取り出して，脳に忘れる暇を与えないように要点を注入・擦り込んでいくことの便を図ったのが要点確認用の新ポケランである。新ポケットランナーで要点・概要を把握する。新ランナーで内容確認をするという道程である。ポケランの記が親ランを補填する例もある。新ランナーと新ポケットランナーとの相互活用便で是非合格を！

東京教友会代表　責任編集

小 山 一 乘

本書の活用法

▶本書は教員採用試験「小学校全科」で問われる主要分野とその要点について，書き込みとシート消しによる暗記の二重学習ができる対策本です。

▶テーマごとに1 chapter 見開き2ページにすっきりまとめ，効率的な学習が可能でありながら，書き込み学習によりさらなる知識の定着が図れます。

書き込んで
覚える！
シートで消して
読んで
覚える！

chapter の学習をするにあたってのポイントや，その知識が実際の教育現場にどうつながるのかといった多角的な視点などについて，導入センテンスを付記しています。

分野分けの表示

穴埋め箇所は1 chapter 最大
25箇所。穴埋め箇所以外にも，
漢字の chapter や，chapter
によっては，図や表中におい
て，**消える色字**を設定してい
ます。シートで消しつつ本文
を何度も読み込むことで，知
識の定着が図れます。

穴埋め以外の留意したい語句
について**強調色字**で表記して
います。

---

chapter 60
[図画工作]
版画の制作過程は基本事項

材料や用具の取扱いについては，安全面から十分な理解が必要である。適切な使い方を指導することで，児童たちのより効果的な表現につなげることができる。

絵画—②（凸版，孔版・平版）

▶彫刻刀

形	名称	用途	版木
	1. 切り出し 版木刀	輪かくや細かい線，文字などを彫るのに用いる。右きき用，左きき用がある。	⑦
	2. 平刀 あいすき	ゴツゴツした線や不要なデコボコをすきとる。板ぼかしの表現にも用いる。	④
	3. 丸刀 こますき	太い線や広い面を彫ったり掘り下げるのに用いる。	⑨
	三角刀	鋭い線などを一気に彫るのに用いる。	㊤

（版木）

⑦　　④　　⑨　　㊤

▶バレン
　下の図の中で，バレンの正しい使い方をしているものは ⑨ である。

　⑦　　④　　⑨　　㊤

［凹版］
　○エッチング……凹版の代表的な技法で**間接法**と呼ばれる。
　①銅板・亜鉛板の表裏に 4. グランド（腐蝕を防ぐ薬品）を塗り，ろうそくなどで黒くいぶしておく（線をわかりやすくするため）。
　②版に下絵を 5. ニードル で，ひっかくように描く。
　③ 6. 希硝酸 に浸し描いた部分を腐蝕させ水で洗う。
　④グランドを揮発油でふきとり，**タンポ**でインクをつめ平面をふきとる。
　⑤湿らせた刷り紙を版面に置き，7. フェルト をかぶせてプレス機で印刷する（プレス機はゆっくり回す）。

ニードル

ゆとりのマス目メモ欄

chapter1 ～ 26 には，教採試験対策にもなる，教育に関わる偉人たちの名言を掲載。続く空白箇所を活用し，自身のテーマを決めた書き込みスペースなどに活用ください。

書いて覚える解答スペース。穴埋め設問の解答について，first try と second try の2回分，書き残して比較確認もできます。学習した日時や，天候，検温，その日の気分といった自身の生活要因も一緒に記録でき，様々な対策の基礎情報として活用できます。

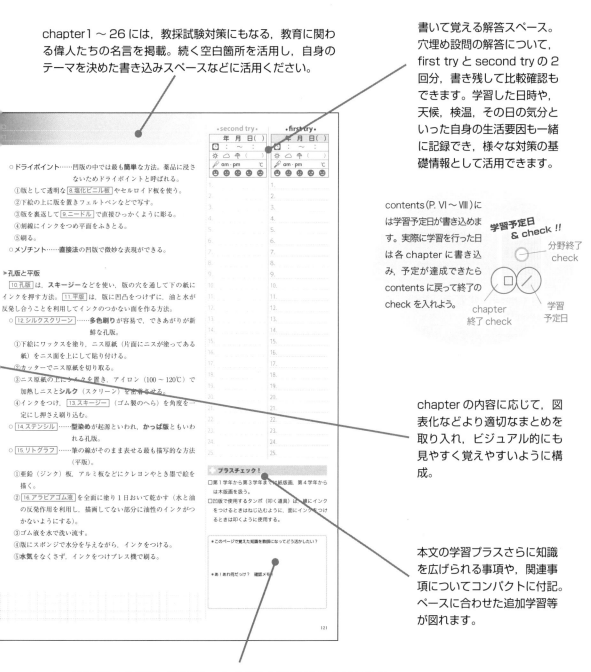

○ドライポイント……凹版の中では最も簡単な方法。薬品に浸さないためドライポイントと呼ばれる。
①版として透明な 8.塩化ビニル板 やセルロイド板を使う。
②下絵の上に版を置きフェルトペンなどで写す。
③版を裏返して 9.ニードル で直接ひっかくように彫る。
④刻線にインクをつめ平面をふきとる。
⑤刷る。
○メゾチント……直接法の凹版で微妙な表現ができる。

▶孔版と平版
10.孔版 は，スキージー などを使い，版の穴を通して下の紙にインクを押す方法。11.平版 は，版に凹凸をつけずに，油と水が反発し合うことを利用してインクのつかない面を作る方法。
○12.シルクスクリーン……多色刷り が容易で，できあがりが新鮮な孔版。
①下絵にワックスを塗り，ニス原紙（片面にニスが塗ってある紙）をニス面を上にして貼り付ける。
②カッターでニス原紙を切り取る。
③ニス原紙の上にシルクを置き，アイロン（100 ～ 120℃）で加熱しニスとシルク（スクリーン）を密着させる。
④インクをつけ，13.スキージー （ゴム製のへら）を角度を一定にし押さえ刷り込む。
○14.ステンシル……型染め が起源といわれ，かっぱ版ともいわれる孔版。
○15.リトグラフ……筆の線がそのまま表せる最も描写的な方法（平版）。
①亜鉛（ジンク）板，アルミ板などにクレヨンやとき墨で絵を描く。
②16.アラビアゴム液 を全面に塗り1日おいて乾かす（水と油の反発作用を利用し，描画してない部分に油性のインクがつかないようにする）。
③ゴム液を水で洗い流す。
④版にスポンジで水分を与えながら，インクをつける。
⑤水気をなくさず，インクをつけプレス機で刷る。

contents（P. Ⅵ ～ Ⅷ）には学習予定日が書き込めます。実際に学習を行った日は各 chapter に書き込み，予定が達成できたら contents に戻って終了の check を入れよう。

学習予定日 & check !!
分野終了 check
chapter 終了 check
学習予定日

chapter の内容に応じて，図表化などより適切なまとめを取り入れ，ビジュアル的にも見やすく覚えやすいように構成。

本文の学習プラスさらに知識を広げられる事項や，関連事項についてコンパクトに付記。ペースに合わせた追加学習等が図れます。

chapter で学習した内容を，教師になったらどのように活かしたいかなど，考えや気持ちのメモ書きスペース。二次試験対策へのヒントや，教師を目指すモチベーションアップに！ 学習関係の備忘録にも利用できます。

小学校全科 新ランナー
contents + my study schedule

学習予定日
& check !!

小学校全科 新ランナー
contents + my study schedule

教　採　試　験　対　策 年 間 ひ と こ と ス ケ ジ ュ ー ル	
7月	
8月	
9月	
10月	
11月	
12月	
1月	
2月	
3月	
4月	
5月	
6月	

わたしは，＿＿＿＿＿＿＿＿＿県・市・（＿＿＿＿＿＿）の，

学校種＿＿＿＿＿＿＿＿＿＿＿，専門教科（科目）＿＿＿＿＿＿＿＿（＿＿＿＿＿＿＿＿）の

　　　教員採用試験合格を目指します。　　　＿＿＿＿年＿＿＿月＿＿＿日

わたしが教師を
目指す理由はこれです！

わたしの良さは
教師になったらこう活かせます！

こんな教師に
なりたい！

わたしはクラスの目標として
こんなことを掲げたい！（理由は…）

わたしの「小学校全科」の習得，
学習到達目標は？

Chapter
1~84

国語科―学習指導要領

【目標】

　　言葉による見方・考え方を働かせ，言語活動を通して，国語で 1.正確 に理解し 2.適切 に表現する資質・能力を次のとおり育成することを目指す。

(1)　日常生活に必要な国語について，その 3.特質 を理解し適切に使うことができるようにする。

(2)　日常生活における人との関わりの中で 4.伝え合う力 を高め，思考力や想像力を養う。

(3)　言葉がもつよさを認識するとともに， 5.言語感覚 を養い，国語の大切さを自覚し，国語を尊重してその能力の向上を図る態度を養う。

【各学年の目標】

		第1学年及び第2学年	第3学年及び第4学年	第5学年及び第6学年
知識及び技能		(1)　日常生活に必要な国語の知識や技能を身に付けるとともに，我が国の 6.言語文化 に親しんだり理解したりすることができるようにする。		
思考力，判断力，表現力等		(2)　7.順序立てて考える力 や感じたり想像したりする力を養い，	(2)　10.筋道立てて考える力 や豊かに感じたり想像したりする力を養い，	
		日常生活における人との関わりの中で 8.伝え合う力 を高め，		
		自分の思いや 9.考えをもつこと ができるようにする。	自分の思いや 11.考えをまとめること ができるようにする。	自分の思いや 12.考えを広げること ができるようにする。
学びに向かう力，人間性等		(3)　言葉がもつよさを 13.感じる とともに，	(3)　言葉がもつよさに 15.気付く とともに，	(3)　言葉がもつよさを 17.認識する とともに，
		14.楽しんで読書 をし，国語を大切にして，	16.幅広く読書 をし，国語を大切にして，	18.進んで読書 をし，国語の大切さを自覚して，
		思いや考えを伝え合おうとする態度を養う。		

【指導計画作成上の配慮事項】

➤主体的・対話的で深い学び……単元など内容や時間のまとまりを見通して，その中で育む資質・能力の育成に向けて，児童の主体的・対話的で深い学びの実現を図るようにすること。その際，19. 言葉 による見方・考え方を働かせ，言語活動を通して，言葉の特徴や使い方などを理解し自分の思いや考えを深める学習の充実を図ること。

➤「C 読むこと」に関する指導については，20. 読書意欲 を高め，日常生活において読書活動を活発に行うようにするとともに，他教科等の学習における読書の指導や 21. 学校図書館 における指導との関連を考えて行うこと。

➤低学年においては，他教科等との関連を積極的に図り，指導の効果を高めるようにするとともに，幼稚園教育要領等に示す幼児期の終わりまでに育ってほしい姿との関連を考慮すること。特に，22. 小学校入学当初 においては，生活科を中心とした合科的・関連的な指導や，弾力的な時間割の設定を行うなどの工夫をすること。

➤言語能力の向上を図る観点から，外国語活動及び外国語科など他教科等との関連を積極的に図り，指導の効果を高めるようにすること。

〔知識及び技能〕に関する事項の取扱い

➤日常の言語活動を振り返ることなどを通して，児童が，実際に話したり聞いたり書いたり読んだりする場面を意識できるよう指導を工夫すること。

➤理解したり表現したりするために必要な文字や語句については，辞書や辞典を利用して調べる活動を取り入れるなど，調べる習慣が身に付くようにすること。

➤第3学年における 23. ローマ字 の指導に当たっては，総合的な学習の時間に示す，コンピュータで文字を入力するなどの学習の基盤として必要となる 24. 情報手段 の基本的な操作を習得し，児童が情報や情報手段を主体的に選択し活用できるよう配慮することとの関連が図られるようにすること。

➕ プラスチェック！

[書写に関する事項]
□毛筆を実施するのは第3学年以上の各学年。
□各学年で年間30単位時間程度を配当する。
□毛筆を使用する書写の指導は，硬筆による書写の能力の基礎を養うようにする。

＊このページで覚えた知識を教師になってどう活かしたい？

＊あ！あれ何だっけ？　確認メモ！

3

漢字を正しく板書できることが小学校で重要

整った文字を書くには筆順も大切である。右，必，成，飛など，誤りやすいものについては確認しておこう。部首や画数の主なものも確認しておくようにしよう。

漢字―①（読み・書き取り）

1. けう 希有	かっとう 葛藤	2. あんのん 安穏	うかつ 迂闊	3. ちょうこう 兆候
あいにく 生憎	ゆえん 所以	4. しょうすい 憔悴	5. しさ 示唆	もほう 模倣
しんらつ 辛辣	6. とうや 陶冶	しっこく 桎梏	7. じゅんしゅ 遵守	きがい 気概
ぞうけい 造詣	あっせん 斡旋	がしゅう 我執	けなげ 健気	こんりゅう 建立
ささい 些細	8. そうさい 相殺	ちょうらく 凋落	じょうせい 醸成	9. たいしゃく 貸借
こくう 虚空	こんしん 渾身	せりふ 科白	しょさ 所作	れいこう 励行
えしゃく 会釈	ぼんのう 煩悩	しんし 真摯	こんとん 渾沌	きっすい 生粋
あくび 欠伸	せっちゅう 折衷	10. しんちょく 進捗	すいび 衰微	へきえき 辟易
けいだい 境内	11. ずさん 杜撰	ちみつ 緻密	12. けんちょ 顕著	13. れんか 廉価
ごんぎょう 勤行	せきりょう 寂寥	ひつじょう 必定	かんきゅう 緩急	たいぜん 泰然
14. ばってき 抜擢	きゅうせい 急逝	15. ぜんぞう 漸増	ぎぜん 偽善	きょうじゅ 享受

16. あなど
侮る

まかな
賄う

21. むく
酬いる

ゆる
緩む

ふ
臥す

おお
蓋う

よろこ
欣ぶ

さら
浚う

うれ
愁える

あが
崇める

お
逐う

おのの
戦く

おご
奢る

19. そそのか
唆す

22. いと
厭う

こうむ
被る

な
哭く

たた
敲く

ひるがえ
翻す

20. くじ
挫く

かな
敵う

いたわ
労る

あ
倦きる

23. あげつら
論う

17. しいた
虐げる

かさ
累ねる

24. あざけ
嘲る

18. さげす
蔑む

わめ
喚く

おもんぱか
慮る

のこ
遺す

また
跨ぐ

えぐ
抉る

しりぞ
斥ける

す
統べる

そな
具える

• second try •

年 月 日（ ）
🕐 ： ～ ：
☀ ☁ ☂ （ ）
✏ am・pm ℃
😀 😐 😣 😫 😤

1.
2.
3.
4.
5.
6.
7.
8.
9.
10.
11.
12.
13.
14.
15.
16.
17.
18.
19.
20.
21.
22.
23.
24.
25.

• first try •

年 月 日（ ）
🕐 ： ～ ：
☀ ☁ ☂ （ ）
✏ am・pm ℃
😀 😐 😣 😫 😤

1.
2.
3.
4.
5.
6.
7.
8.
9.
10.
11.
12.
13.
14.
15.
16.
17.
18.
19.
20.
21.
22.
23.
24.
25.

➕ プラスチェック！

□筆順の大原則…①上から下へ ②左から右へ ③横画が先。

□画数を誤りやすい漢字…級（９画），子（３画）乙（１画），弓（３画），己（３画），慣（１４画），防（７画）

＊このページで覚えた知識を教師になってどう活かしたい？

＊あ！あれ何だっけ？ 確認メモ！

chapter 3 — 漢字の誤記は保護者や同僚の信頼を損なうことにも

同音や同訓で意味の異なる漢字は最頻出。教師になったら保護者向け文書などでも適切に使用できることが必須である。日常で迷った漢字は確認していくようにしたい。

漢字—②(同訓異字)

アう
- 計算が，意見が合う
- 客と会う
- 交通事故に，雨に遭う

ウつ
- 終止符を，胸を打つ
- あだを [1. 討] つ
- 銃を撃つ

サす
- 傘を差す
- 目的地を，名を指す
- 虫が刺す

アける
- 夜が，梅雨が明ける
- 席を，時間を空ける
- 店を，窓を開ける

オカす
- 法を，罪を [2. 犯] す
- 権利を [3. 侵] す
- 危険を [4. 冒] す

シズま(め)る
- 心が，嵐が静まる
- 内乱が [5. 鎮] まる
- 身を沈める

アげる
- 値を，腕前を上げる
- 国旗を揚げる
- 手を，全力を挙げる

ツトめる
- サービスに [6. 努] める
- 会社に [7. 勤] める
- 市長を [8. 務] める

シめる
- 帯を，ネジを締める
- 首を絞める
- 戸を，店を閉める

アツい
- 夏は暑い
- 湯は熱い
- 紙が，情が厚い

オろす・オロす
- 貯金を下ろす
- 荷物を降ろす
- 小売りに卸す

ススめる
- 交渉を，時計を進める
- 入会を勧める
- 適切な書籍を [9. 薦] める

アラワす
- 図で，言葉で表す
- 姿を，正体を現す
- 書物を著す

カタい
- 仕事が [10. 堅] い
- 決心が，頭が [11. 固] い
- 表情が，表現が [12. 硬] い

タつ
- 食を，退路を断つ
- 命を，消息を絶つ
- 布を，紙を裁つ

イタむ
- 心が，怪我が痛む
- 家が傷む
- 故人を [13. 悼] む

キワめ(ま)る
- 栄華を極める
- 学問を，真相を究める
- 進退が [14. 窮] まる

ツぐ
- 相次ぐ
- 布を，息を継ぐ
- 骨を，木を接ぐ

□「子供を不幸にする一番確実な方法は，いつでも，なんでも手に入れられるようにしてやることである」ルソー

トまる
- 水が，息が**止**まる
- 目に，心に**留**まる
- 宿に，港に**泊**まる

ツく
- 利息が，力が**付**く
- 手紙が，電車が**着**く
- 床に，職に**就**く

ふるう・フルう
- 腕を**振**るう
- 勇気を 15.**奮** う
- 声を，体を**震**わせる

カえる
- 形を，位置を 16.**変** える
- 挨拶に 17.**代** える
- 物を金に 18.**換** える
- 頭を切り 19.**替** える

オサめる
- 税金を 20.**納** める
- 成功を 21.**収** める
- 国を 22.**治** める
- 学問を 23.**修** める

トる
- メモを**取**る
- 血を，決を**採**る
- 虫を，ねずみを**捕**る
- 写真を，映画を**撮**る

カける
- 号令を**掛**ける
- 命を，賞金を**懸**ける
- 橋を，電線を**架**ける
- 常識に，人数が**欠**ける

ノボる
- 川を，話題に**上**る
- 山に，木に**登**る
- 日が，天に**昇**る

ハカる
- 目方を，升で**量**る
- 解決を，便宜を**図**る
- 将来を，時間を**計**る
- 面積を，高さを**測**る
- 暗殺を，悪事を 24.**謀** る
- 審議会に 25.**諮** る

• second try •	• first try •
年 月 日( )	年 月 日( )
🕐 : ～ :	🕐 : ～ :
☀ ☁ ☂ ( )	☀ ☁ ☂ ( )
✏ am・pm ℃	✏ am・pm ℃
😀 🙂 😐 😣 😫	😀 🙂 😐 😣 😫

1. 〜 25.（両欄）

➕ **プラスチェック！**

□同音異義語に関する指導：漢字の持つ意味や読みをより理解させるために，偏や旁などが表す意味や読みについて合わせて指導する。

□特別な読みの漢字／植物…土筆（つくし），山葵（わさび），蒲公英（たんぽぽ），女郎花（おみなえし），向日葵（ひまわり）

＊このページで覚えた知識を教師になってどう活かしたい？

＊あ！あれ何だっけ？ 確認メモ！

7

誤りやすい漢字など，読みと書き取りと双方向わかるように押さえておこう。また，漢字に関する知識として，その成り立ちや用い方による分類なども確認しておこう。

漢字—③

その事の 経緯（けいい） を知りたい。	国旗を 1. 掲揚（けいよう） する。	模擬（もぎ） テストの結果。
2. 渦中（かちゅう） に身を投じる。	動作が 緩慢（かんまん） になる。	責任を 3. 糾明（きゅうめい） する。
禍福（かふく） はあざなえる縄の如し。	弾劾（だんがい） 裁判にかけられる。	錯覚（さっかく） を利用した手品。
概況（がいきょう） を聞く。	自分の 殻（から） から抜け出す。	胃液は胃で 分泌（ぶんぴつ） される。
桃が 収穫（しゅうかく） される。	4. 侮辱（ぶじょく） を受けて立腹する。	文部科学省の 外郭（がいかく） 団体。
証人を 5. 召喚（しょうかん） した。	6. 謙譲（けんじょう） 語を使う。	新人の 歓迎（かんげい） 会を開く。
円高差益を 還元（かんげん） する。	政策の 7. 大綱（たいこう） を発表する。	勧善（かんぜん） 懲悪の物語。
骨盤を 8. 矯正（きょうせい） する。	殊勝（しゅしょう） な態度をとる。	9. 抑揚（よくよう） をつけて話す。
良い 10. 待遇（たいぐう） を受ける。	肖像（しょうぞう） 画を飾る。	憎悪（ぞうお） を抱く。
犯人の 嫌疑（けんぎ） をかけられた。	洋酒を 醸造（じょうぞう） する。	11. 潔癖（けっぺき） すぎる人。
火山の 噴火（ふんか） 被害は大きい。	祖国（そこく） に帰る。	12. 専門（せんもん） 家の意見をきく。
年俸（ねんぽう） 制の就業契約。	デモ行進を 13. 阻止（そし） する。	謝恩会に 招待（しょうたい） する。
全治１週間の 打撲（だぼく） 傷を負う。	14. 煩雑（はんざつ） な文章。	ここは 15. 危険（きけん） な場所。
安眠を 16. 妨害（ぼうがい） される。	車に 搭載（とうさい） 用のステレオ。	典型（てんけい） 的な努力家。
慢性（まんせい） 中耳炎にかかる。	商品の 17. 搬入（はんにゅう） の出入口。	貿易 18. 摩擦（まさつ） 。
19. 推薦（すいせん） 理由を加える。	受験要項を 20. 頒布（はんぷ） する。	繊細（せんさい） な神経の持ち主。
ペスタロッチ『隠者（いんじゃ） の夕暮』。	会議が 21. 紛糾（ふんきゅう） する。	22. 畏敬（いけい） の念を抱く。

□「子供たちを教育することで，人間を罰する必要はなくなっていく」ピタゴラス
□

たいしょう
左右 23.対称
研究の対象
比較対照

ほしょう
損害の補償
保証付きの商品
安全 24.保障

かいほう
傷が快方に向かう
親を介抱する
開放的なスペース

きかん
夏休み期間
体を構成する器官
気管支炎

こうせい
公正な裁判
全体を構成する
後世に名を残す
厚生労働省

きげん
締め切りの期限
人類の起源
紀元前3世紀
25.機嫌 が悪い

◇部首名

冫（にすい）
忄（りっしんべん）
广（まだれ）
疒（やまいだれ）
穴（あなかんむり）
尸（しかばね）
厂（がんだれ）

◇動物などを表す漢字

かたつむり 蝸牛　　とかげ 蜥蜴
さんま 秋刀魚　　ふぐ 河豚
くらげ 海月　　かまきり 蟷螂
いるか 海豚　　たこ 蛸
さわら 鰆　　たら 鱈
いわし 鰯　　きじ 雉子
さぎ 鷺　　あひる 家鴨
うずら 鶉　　しゃも 軍鶏
きつつき 啄木鳥　　ほととぎす 不如帰

• second try •　• first try •

年 月 日（　）　年 月 日（　）
: ～ :　: ～ :
☀☁☂（　）　☀☁☂（　）
am・pm ℃　am・pm ℃
😀😐😟😣😫　😀😐😟😣😫

1. / 1.
2. / 2.
3. / 3.
4. / 4.
5. / 5.
6. / 6.
7. / 7.
8. / 8.
9. / 9.
10. / 10.
11. / 11.
12. / 12.
13. / 13.
14. / 14.
15. / 15.
16. / 16.
17. / 17.
18. / 18.
19. / 19.
20. / 20.
21. / 21.
22. / 22.
23. / 23.
24. / 24.
25. / 25.

＋ プラスチェック！

□漢字は成り立ちから，①象形文字，②指事文字，③会意文字，④形声文字，に分類される。
□転注文字……漢字本来の意味を別の意味で用いた文字。
□仮借文字……意味に関係なく音で当てはめ用いた文字。
□重箱読み（音・訓）…役場，仕業など。
□湯桶読み（訓・音）…合図，消印など。

＊このページで覚えた知識を教師になってどう活かしたい？

＊あ！あれ何だっけ？　確認メモ！

9

故事成語，ことわざは基礎知識として身につけよう

故事成語やことわざは，文章問題の小設問としてもみられる。実際の授業では言葉の知識として取り扱う場面もある。一般常識としても身につけておこう。

故事成語・ことわざ，日本文学史

【故事成語（四字熟語）―①】

いちごいちえ 一期一会
生涯一度の機会として悔いのないようにすること。

ういてんぺん 有為転変
はげしく移り変わる無常のはかなさを表す。

かんぜんちょうあく 勧善懲悪
善をすすめて，悪をこらしめること。

ききいっぱつ 1. 危機一髪
わずかな差で助かるかどうかの危ない状態。

きょうみしんしん 興味津津
心がたえずひきつけられ離れないこと。

こうげんれいしょく 巧言令色
言葉巧みに，うわべ優しい表情をすること。

ごりむちゅう 2. 五里霧中
迷って思案がまとまらないさま。

ごんごどうだん 言語道断
言い表せないほどもってのほかであること。

じごうじとく 自業自得
自分の（悪い）行いが，自分に返ってくること。

しめんそか 3. 四面楚歌
まわりがすべて敵となり助けを求められないこと。

じゅんぷうまんぱん 順風満帆
物事がとても順調にいっているようす。

ちょうさんぼし 朝三暮四
目先のことにこだわること。

ぜったいぜつめい 4. 絶体絶命
のがれようのないどうしようもない事態のこと。

ぜんだいみもん 前代未聞
通常と違いすぎる，今まで聞いたことのないこと。

たんとうちょくにゅう 単刀直入
文章・言論などで，すぐに本題に入ること。

にっしんげっぽ 日進月歩
絶えることなく目ざましく進歩するようす。

ふんこつさいしん 粉骨砕身
力の限りつくし，骨折りすること。

むがむちゅう 無我夢中
われを忘れてひたすら動き回ること。

りんきおうへん 5. 臨機応変
変化に応じすみやかに適切な方法をとること。

ふわらいどう 付和雷同
主張がなく他人の意見にすぐ同調すること。

【故事成語（四字熟語）―②】

暗中模索	換骨奪胎	岡目八目
異口同音	呉越同舟	不倶戴天
以心伝心	自画自賛	一騎当千
一網打尽	心機一転	信賞必罰
我田引水	神出鬼没	疑心暗鬼
画竜点睛	晴耕雨読	同工異曲
夏炉冬扇	大器晩成	東奔西走

【意味の似ていることわざ】

あぶはちとらず … 二兎を追うものは一兎をも得ず
紺屋の白袴 … 6. 医者の不養生
三つ子の魂百まで … 雀百まで踊り忘れず
まかぬ種は生えぬ … 火の無い所に煙は立たぬ
長い物には巻かれよ … 7. 寄らば大樹の蔭
良薬は口に苦し … 忠言耳にさからう
月とすっぽん … ちょうちんにつりがね

【日本文学史】

	人　名	作品名	備　考
奈良	太安万侶(麻呂)（筆録）	『古事記』	
	舎人親王	『 8. 日本書紀 』	日本最古の歴史書
	大伴家持 （撰者）	『 9. 万葉集 』	日本最古の和歌集
平安	10. 紀貫之 （撰者）	『古今和歌集』	日本初の勅撰和歌集
	紫式部	『 11. 源氏物語 』	長編小説
	12. 清少納言	『枕草子』	随筆
	菅原孝標女	『更級日記』	平安女流日記文学
鎌倉	13. 藤原定家 （撰者）	『新古今和歌集』	伝統主義
	西行	『 14. 山家集 』	
	源実朝	『 15. 金槐和歌集 』	
	16. 鴨長明	『方丈記』	
	17. 兼好法師	『徒然草』	（吉田兼好）
	阿仏尼	『十六夜日記』	紀行文
	作者不詳	『平家物語』	中世戦記文学
	慈円	『 18. 愚管抄 』	史論書
室町〜戦国	北畠親房	『神皇正統記』	歴史哲学書
	二条良基	『菟玖波集』	連歌の勅撰集
	飯尾宗祇	『新撰菟玖波集』	正風連歌の確立
	山崎宗鑑	『犬筑波集』	俳諧連歌の祖
	19. 世阿弥元清	『風姿花伝』	能楽の理論を著す
江戸	20. 井原西鶴	『好色一代男』	浮世草子のはじめ
	近松門左衛門	『曽根崎心中』	人形浄瑠璃の脚本
	松尾芭蕉	『おくのほそ道』	紀行文
	与謝蕪村	『蕪村七部集』	写実的俳諧
	21. 小林一茶	『おらが春』	身近な生活を表現
明治〜昭和	二葉亭四迷	『浮雲』	22. 言文一致 運動の先駆
	尾崎紅葉	『金色夜叉』	擬古典派
	田山花袋	『田舎教師』	自然主義
	23. 夏目漱石	『心』『道草』	反自然主義
	谷崎潤一郎	『細雪』『刺青』	新ロマン主義
	24. 志賀直哉	『暗夜行路』	白樺派
	芥川龍之介	『羅生門』『鼻』	新思潮派
	小林多喜二	『 25. 蟹工船 』	プロレタリア文学
	堀　辰雄	『風立ちぬ』	新興芸術派
	川端康成	『伊豆の踊子』	新感覚派

• second try •

年　月　日（　）
🕐　：　〜　：
☀ ☁ ☂（　　）
✏ am・pm　　℃
😀 😐 😟 😣 😫

• first try •

年　月　日（　）
🕐　：　〜　：
☀ ☁ ☂（　　）
✏ am・pm　　℃
😀 😐 😟 😣 😫

second try:
1.
2.
3.
4.
5.
6.
7.
8.
9.
10.
11.
12.
13.
14.
15.
16.
17.
18.
19.
20.
21.
22.
23.
24.
25.

first try:
1.
2.
3.
4.
5.
6.
7.
8.
9.
10.
11.
12.
13.
14.
15.
16.
17.
18.
19.
20.
21.
22.
23.
24.
25.

✚ プラスチェック！

[古典の鑑賞]

□鴨長明『方丈記』／「ゆく河の流れは絶えずして…」、兼好法師『徒然草』／「つれづれなるままに、日暮らし、硯に向かひて…」、松尾芭蕉『奥の細道』／「月日は百代の過客にして…」、紀貫之『土佐日記』／「男もすなる日記といふものを…」

＊このページで覚えた知識を教師になってどう活かしたい？

＊あ！あれ何だっけ？　確認メモ！

公民としての資質・能力の基礎を育成

教科の目標，各学年の目標を中心に押さえよう。各学年で使用されている文言を比較しながら確認していくことで系統性も把握できる。

社会科—学習指導要領①

【目標】

　1.社会的な見方・考え方 を働かせ，課題を追究したり解決したりする活動を通して，グローバル化する国際社会に主体的に生きる 2.平和 で民主的な国家及び社会の形成者に必要な 3.公民 としての資質・能力の基礎を次のとおり育成することを目指す。

(1)　地域や我が国の国土の地理的環境，現代社会の仕組みや働き，地域や我が国の歴史や伝統と文化を通して社会生活について理解するとともに，様々な資料や 4.調査活動 を通して情報を適切に調べまとめる 5.技能 を身に付けるようにする。

(2)　社会的事象の特色や相互の関連，意味を 6.多角的 に考えたり，社会に見られる課題を把握して，その解決に向けて 7.社会への関わり方 を選択・判断したりする力，考えたことや 8.選択 ・ 9.判断 したことを適切に表現する力を養う。

(3)　社会的事象について，よりよい社会を考え 10.主体的 に問題解決しようとする態度を養うとともに，多角的な思考や理解を通して，地域社会に対する誇りと愛情，11.地域社会の一員 としての自覚，我が国の国土と歴史に対する愛情，我が国の将来を担う 12.国民 としての自覚，世界の国々の人々と共に生きていくことの大切さについての自覚などを養う。

【各学年の目標】(その1)

〔知識及び技能に関する目標〕

	知識	技能
第3学年	(1)　身近な地域や 13.市区町村 の地理的環境，地域の安全を守るための諸活動や地域の産業と消費生活の様子，地域の様子の移り変わりについて，人々の生活との関連を踏まえて理解するとともに，	14.調査活動 ，地図帳や各種の具体的資料を通して，必要な情報を調べまとめる技能を身に付けるようにする。
第4学年	(1)　自分たちの 15.都道府県 の地理的環境の特色，地域の人々の健康と生活環境を支える働きや 16.自然災害 から地域の安全を守るための諸活動，地域の伝統と文化や地域の発展に尽くした先人の働きなどについて，人々の生活との関連を踏まえて理解するとともに，	
第5学年	(1)　我が国の 17.国土 の地理的環境の特色や産業の現状，18.社会の情報化 と産業の関わりについて，国民生活との関連を踏まえて理解するとともに，	地図帳や地球儀，19.統計 などの各種の基礎的資料を通して，情報を適切に調べまとめる技能を身に付けるようにする。
第6学年	(1)　我が国の 20.政治 の考え方と仕組みや働き，国家及び社会の発展に大きな働きをした先人の業績や優れた文化遺産，我が国と関係の深い国の生活やグローバル化する 21.国際社会 における我が国の役割について理解するとともに，	地図帳や地球儀，統計や 22.年表 などの各種の基礎的資料を通して，情報を適切に調べまとめる技能を身に付けるようにする。

【指導計画の作成】

▶単元など内容や時間のまとまりを見通して，その中で育む資質・能力の育成に向けて，児童の主体的・対話的で深い学びの実現を図るようにすること。その際，23.問題解決への見通し をもつこと，24.社会的事象の見方・考え方 を働かせ，事象の特色や意味などを考え 25.概念 などに関する知識を獲得すること，学習の過程や成果を振り返り学んだことを活用することなど，学習の問題を追究・解決する活動の充実を図ること。

▶各学年の目標や内容を踏まえて，事例の取り上げ方を工夫して，内容の配列や授業時数の配分などに留意して効果的な年間指導計画を作成すること。

▶我が国の**47都道府県**の名称と位置，世界の大陸と主な**海洋**の名称と位置については，学習内容と関連付けながら，その都度，**地図帳**や**地球儀**などを使って確認するなどして，小学校卒業までに身に付け活用できるように工夫して指導すること。

▶**障害**のある児童などについては，学習活動を行う場合に生じる困難さに応じた指導内容や指導方法の工夫を計画的，組織的に行うこと（道徳科を除く各教科等において共通事項）。

▶第１章総則の第１の２の(2)に示す道徳教育の目標（→P.166参照）に基づき，道徳科などとの関連を考慮しながら，第３章特別の教科道徳の第２に示す内容について（→P.223参照），社会科の特質に応じて適切な指導をすること（道徳科を除く各教科等において共通事項。第１章，第３章は「小学校学習指導要領」における章を指しています。以下同じ）。

• second try •

	年　月　日（　）
🕐	：　～　：
☀☁☂（　）	
✏ am・pm	℃
😊 😐 😟 😫 😴	

1.
2.
3.
4.
5.
6.
7.
8.
9.
10.
11.
12.
13.
14.
15.
16.
17.
18.
19.
20.
21.
22.
23.
24.
25.

• first try •

	年　月　日（　）
🕐	：　～　：
☀☁☂（　）	
✏ am・pm	℃
😊 😐 😟 😫 😴	

1.
2.
3.
4.
5.
6.
7.
8.
9.
10.
11.
12.
13.
14.
15.
16.
17.
18.
19.
20.
21.
22.
23.
24.
25.

➕**プラスチェック！**

□「社会的な見方・考え方」は，社会的事象を位置や空間的な広がり，時期や時間の経過，事象や人々の相互関係などに着目して捉えるとよい。

□比較・分類したり統合したり，地域の人々や国民の生活と関連付けたりすることがあげられる。

＊このページで覚えた知識を教師になってどう活かしたい？

＊あ！あれ何だっけ？　確認メモ！

社会科―学習指導要領②

【各学年の目標】(その2)

〔思考力，判断力，表現力等に関する目標〕

	思考力・判断力	表現力
第3・4学年	(2) 社会的事象の特色や相互の関連， 1.意味 を考える力，社会に見られる課題を把握して，その解決に向けて社会への関わり方を選択・判断する力，	考えたことや選択・判断したことを 2.表現 する力を養う。
第5・6学年	(2) 社会的事象の特色や相互の関連，意味を 3.多角的 に考える力，社会に見られる課題を把握して，その解決に向けて社会への関わり方を選択・判断する力，	考えたことや選択・判断したことを説明したり，それらを基に 4.議論 したりする力を養う。

〔学びに向かう力，人間性等に関する目標〕

	学びに向かう力，人間性等	愛情や自覚等
第3・4学年		思考や理解を通して，地域社会に対する誇りと愛情， 7.地域社会の一員 としての自覚を養う。
第5学年	(3) 社会的事象について， 5.主体的 に学習の問題を解決しようとする態度や，よりよい社会を考え学習したことを 6.社会生活 に生かそうとする態度を養うとともに，	多角的な思考や理解を通して，我が国の国土に対する愛情，我が国の産業の発展を願い我が国の将来を担う 8.国民 としての自覚を養う。
第6学年		多角的な思考や理解を通して，我が国の歴史や伝統を大切にして国を愛する心情，我が国の将来を担う国民としての自覚や 9.平和を願う日本人 として世界の国々の人々と共に生きることの大切さについての自覚を養う。

【内容の取扱い】

▶各学校においては，地域の実態を生かし，児童が興味・関心を
もって学習に取り組めるようにするとともに，観察や見学，聞き
取りなどの調査活動を含む具体的な**体験**を伴う学習やそれに基づ
く 10. 表現活動 の一層の充実を図ること。また，社会的事象の特
色や意味，社会に見られる課題などについて，多角的に考えたこ
とや選択・判断したことを**論理的に説明**したり，立場や根拠を明
確にして**議論**したりするなど 11. 言語活動 に関わる学習を一層
重視すること。

▶学校図書館や公共図書館，コンピュータなどを活用して，情報の
収集や**まとめ**などを行うようにすること。また，全ての学年にお
いて， 12. 地図帳 を活用すること。

▶博物館や資料館などの施設の活用を図るとともに，身近な地域及
び国土の遺跡や文化財などについての 13. 調査活動 を取り入れ
るようにすること。また，内容に関わる専門家や関係者，関係の
諸機関との連携を図るようにすること。

▶児童の発達の段階を考慮し，社会的事象については，児童の考え
が深まるよう様々な見解を提示するよう配慮し，多様な見解のあ
る事柄，未確定な事柄を取り上げる場合には， 14. 有益適切な教
材 に基づいて指導するとともに，特定の事柄を強調し過ぎたり，
一面的な見解を十分な配慮なく取り上げたりするなどの偏った取
扱いにより，児童が多角的に考えたり，事実を客観的に捉え，
15. 公正 に判断したりすることを妨げることのないよう留意す
ること。

➕ プラスチェック！

[指導法に関する問い，例えば…]

□ 4年生の社会科で廃棄物の処理を取り上げるとき，
どのような内容を取り扱いますか？

□ 4年生の社会科で県の伝統的な工業を扱うとき，何
を取り上げますか？その工業を取り上げる理由は何
ですか？

＊このページで覚えた知識を教師になってどう活かしたい？

＊あ！あれ何だっけ？ 確認メモ！

地理—地図，日本地理

【地図の種類】

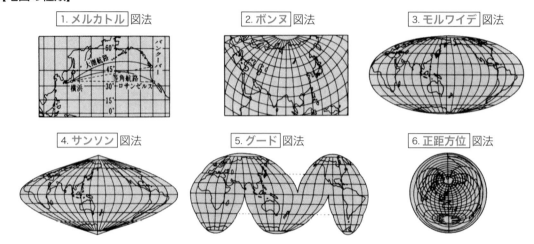

1. メルカトル 図法　　2. ボンヌ 図法　　3. モルワイデ 図法

4. サンソン 図法　　5. グード 図法　　6. 正距方位 図法

▶ **メルカトル図法**……緯線と経線が直角に交わり，**航海図**に利用される。2点間を結ぶ直線は等角航路。

▶ **モルワイデ図法，サンソン図法**……緯線は直線，経線は曲線で面積は正しいが両端の形はゆがむ。**世界図や分布図**に利用される。

▶ **正距方位図法**……図の中心からの距離・方位は正しく，図の中心からの直線は最短コースであり大圏航路。**航空図**に利用される。

▶ **グード図法**……モルワイデ図法とサンソン図法を合わせたもの。7. ホモロサイン 図法ともいう。

【地形図】

(1) 等高線の種類

縮尺 ＼ 種類	計曲線——	主曲線——
5万分の1	100mごと	20mごと
2万5千分の1	8. 50 mごと	9. 10 mごと

(2) 地図記号……下の記号は何を表している？

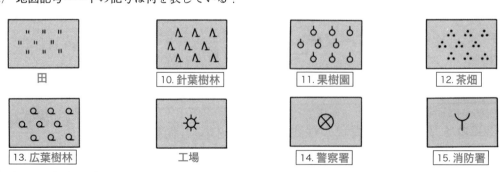

田　　10. 針葉樹林　　11. 果樹園　　12. 茶畑

13. 広葉樹林　　工場　　14. 警察署　　15. 消防署

• second try •	• first try •
年　月　日（　）	年　月　日（　）
🕐　:　～　:	🕐　:　～　:
☀ ☁ ☂（　　）	☀ ☁ ☂（　　）
🌡 am・pm　　℃	🌡 am・pm　　℃
😀 😐 😟 😣 😫	😀 😐 😟 😣 😫

【日本地理】

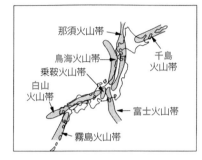

▶日本の国土は約37.8万km²。

▶日本標準時の子午線は，東経 16.135 度の兵庫県明石市にある。

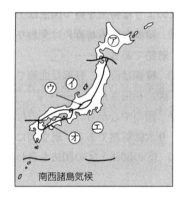

南西諸島気候

▶ 17.⑦ の地域は，年間降水量は少なく，低温で夏はすずしい。

▶ 18.⑤ の地域は，年間降水量が多く，冬は乾燥する。

▶ 19.⑰ の地域は，温暖で雨が少なく，晴れの日が多い。

▶ 20.⑦ の地域は，夏は高温で湿度が高く，冬は雪が多い。

▶ 21.⑰ の地域は，気温の較差が大きく，雨が少ない。

1.	1.
2.	2.
3.	3.
4.	4.
5.	5.
6.	6.
7.	7.
8.	8.
9.	9.
10.	10.
11.	11.
12.	12.
13.	13.
14.	14.
15.	15.
16.	16.
17.	17.
18.	18.
19.	19.
20.	20.
21.	21.
22.	22.
23.	23.
24.	24.
25.	25.

➕ プラスチェック！

[時差の求め方]

□対象となる両地点の経度の差(和)を求める。

□東経同士・西経同士は「経度の差」

□東経と西経は「経度の和」

□経度の差を15度で割る。

□時差から求める地点の時刻を計算する。

＊このページで覚えた知識を教師になってどう活かしたい？

＊あ！あれ何だっけ？　確認メモ！

北海道・東北の農業・漁業・産業などを地図で確認

北海道では大規模農業が行われ，稲作・畑作や，酪農，水産業が盛んである。東北地方は，稲作，果樹栽培，水産業が盛んである。主なものを押さえておこう。

日本地理―北海道, 東北

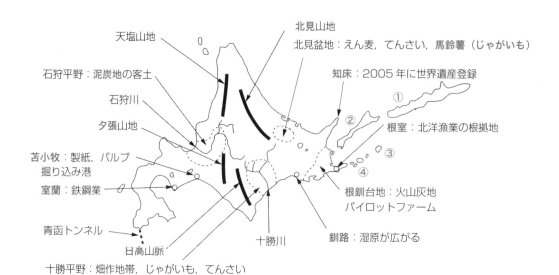

天塩山地

北見山地

北見盆地：えん麦，てんさい，馬鈴薯（じゃがいも）

石狩平野：泥炭地の客土

知床：2005 年に世界遺産登録

石狩川

①

夕張山地

②

根室：北洋漁業の根拠地

苫小牧：製紙，パルプ
掘り込み港

③

室蘭：鉄鋼業

④

根釧台地：火山灰地
パイロットファーム

青函トンネル

釧路：湿原が広がる

日高山脈

十勝川

十勝平野：畑作地帯，じゃがいも，てんさい

津軽平野：りんご

青函トンネル

十和田湖：ひめますの養殖

奥羽山脈

八戸：セメント，化学肥料

出羽山地

北上高地

八郎潟：日本第2の湖を
干拓した大潟村

盛岡：南部鉄瓶

庄内平野：水田単作地帯

平泉：2011 年に世界遺産登録

最上川

北上川

山形盆地：ぶどう，さくらんぼ

気仙沼：漁港

リアス海岸：良い漁港

仙台平野

松島湾：のり，かきの養殖

天童：将棋の駒

福島盆地：米，もも

会津若松：漆器

阿武隈川

只見川：東北第1の
水力発電

安積疏水

阿武隈高地：酪農

【北海道】

► 1. 200カイリ ……1977年7月から水産資源の保護のため，日本も領海を3カイリから12カイリに拡大し，200カイリ排他的経済水域を実施した。

► 北海道・北東北の 2. 縄文遺跡群 ：2021年，世界遺産（文化遺産）に登録／北海道・青森県・岩手県・秋田県

► 北方領土……① 3. 択捉 島，② 4. 国後 島，③ 5. 色丹 島，④ 6. 歯舞群 島（①～④は左ページ地図に準ずる）からなる北方四島は，ロシアによる不法占拠が続いている。

【東北】

► 山形県は 7. さくらんぼ の日本一の生産地。

► 8. やませ ……東北，北海道地方に吹く，初夏の北東風。冷たく湿気をおびており，冷害の原因となる。

► 9. 潮目 ……暖流と寒流が出合う地点で，魚の種類が多く良い漁場となっている。三陸沖などにみられる。

► 兼業農家には，農業からの収入の多い第1種兼業農家と，副業による収入の多い第2種兼業農家がある。

► 10. IC(集積回路) の工場などが多く， 11. 東北自動車道 には工業団地が広がる。

► 東北三大祭り…… 12. ねぶた祭 （青森），竿燈まつり（秋田），七夕まつり（仙台）。

• second try •	• first try •
年 月 日（ ）	年 月 日（ ）
🕐 ： ～ ：	🕐 ： ～ ：
☀ ☁ ☂ （ ）	☀ ☁ ☂ （ ）
✎ am・pm ℃	✎ am・pm ℃
😀 😐 😟 😣 😫	😀 😐 😟 😣 😫
1.	1.
2.	2.
3.	3.
4.	4.
5.	5.
6.	6.
7.	7.
8.	8.
9.	9.
10.	10.
11.	11.
12.	12.
13.	13.
14.	14.
15.	15.
16.	16.
17.	17.
18.	18.
19.	19.
20.	20.
21.	21.
22.	22.
23.	23.
24.	24.
25.	25.

➕ プラスチェック！

□ 2011年に起こった東日本大震災により発生した大津波は，東北地方に甚大な被害をもたらした。

□ 福島第一原子力発電所では，現在も廃炉に向けて作業が続いている。

＊このページで覚えた知識を教師になってどう活かしたい？

＊あ！あれ何だっけ？ 確認メモ！

関東・中部地方の農業・産業などを地図で確認

それぞれの地方の工業地帯や工業地域の特色を押さえておこう。また，関東地方の地質的な特徴や，中部地方でみられる伝統産業の主なものを確認しておこう。

日本地理─関東，中部

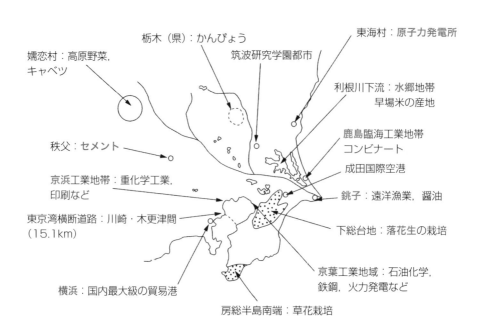

嬬恋村：高原野菜，キャベツ

栃木（県）：かんぴょう

筑波研究学園都市

東海村：原子力発電所

利根川下流：水郷地帯 早場米の産地

秩父：セメント

鹿島臨海工業地帯 コンビナート

成田国際空港

京浜工業地帯：重化学工業，印刷など

銚子：遠洋漁業，醤油

東京湾横断道路：川崎・木更津間（15.1km）

下総台地：落花生の栽培

京葉工業地域：石油化学，鉄鋼，火力発電など

横浜：国内最大級の貿易港

房総半島南端：草花栽培

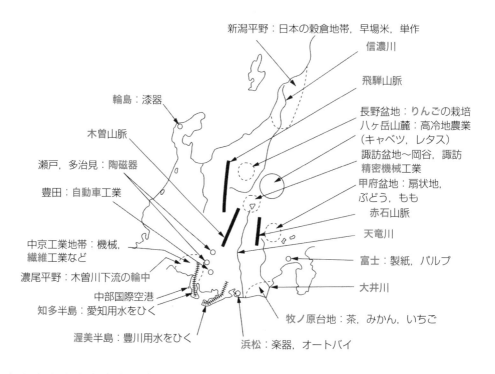

新潟平野：日本の穀倉地帯，早場米，単作

信濃川

飛騨山脈

輪島：漆器

長野盆地：りんごの栽培

八ヶ岳山麓：高冷地農業（キャベツ，レタス）

木曽山脈

諏訪盆地〜岡谷，諏訪 精密機械工業

瀬戸，多治見：陶磁器

甲府盆地：扇状地，ぶどう，もも

豊田：自動車工業

赤石山脈

天竜川

中京工業地帯：機械，繊維工業など

富士：製紙，パルプ

濃尾平野：木曽川下流の輪中

中部国際空港

大井川

知多半島：愛知用水をひく

牧ノ原台地：茶，みかん，いちご

渥美半島：豊川用水をひく

浜松：楽器，オートバイ

•second try•		•first try•	
年　月　日（　）		年　月　日（　）	
🕐　：　～　：		🕐　：　～　：	
☀ ☁ ⛆（　　　）		☀ ☁ ⛆（　　　）	
🌡 am・pm　　℃		🌡 am・pm　　℃	
😊 😐 😟 😣 😵		😊 😐 😟 😣 😵	

【関東】

▶ 1. 銚子 港：日本一の水揚げ量。

▶ 2. 富岡製糸場 と絹産業遺産群：2014年，世界遺産（文化遺産）に登録／群馬県

▶ ル・コルビュジエの建築作品 – 近代建築運動への顕著な貢献 – 「日本：3. 国立西洋美術館 」など7か国の17資産：2016年，世界遺産（文化遺産）に登録。

▶ 4. からっ風 ……関東平野一帯に吹く乾燥した冷たい北西季節風。農家の屋敷林。

▶ 5. 関東ローム層 ……関東地方をおおう赤土。

▶ 6. ドーナツ化現象 ……都心部で人口が減少し周辺部で増加する現象。

▶ 7. ウォーターフロント ……東京湾岸の開発計画による臨海部や河川沿いの地域のことをいう。

▶ 8. 住宅衛星都市 ……大都市周辺にあり，密接な関係を持ち発展している中小都市。

▶ 9. 小笠原 諸島：2011年，世界遺産（自然遺産）に登録／東京都

【中部】

▶ 10. 北陸工業地域 ……絹・化学繊維（福井・石川地方），綿糸・綿織物，金属・機械・化学肥料（富山地方），精油・石油化学（新潟地方）。

▶ 11. 輪中 ……水害を防ぐために，周囲を堤防で囲んだ地域。木曽川，長良川，揖斐川の下流にみられ，12. 稲作 が盛ん。

▶中部国際空港…愛知県常滑市沖に2005年2月開港。愛称の「セントレア」はCENTRALとAIRの合成語から。

▶ 13. 富士 山 – 信仰の対象と芸術の源泉：2013年，世界遺産（文化遺産）に登録／山梨県・静岡県

▶佐渡島の 14. 金山 ：2024年，世界遺産（文化遺産）に登録／新潟県

| 1. |
| 2. |
| 3. |
| 4. |
| 5. |
| 6. |
| 7. |
| 8. |
| 9. |
| 10. |
| 11. |
| 12. |
| 13. |
| 14. |
| 15. |
| 16. |
| 17. |
| 18. |
| 19. |
| 20. |
| 21. |
| 22. |
| 23. |
| 24. |
| 25. |

✚ プラスチェック！

□愛知県渥美半島…抑制栽培

□福井県鯖江市…眼鏡フレーム

□2024年1月，能登半島地震。

＊このページで覚えた知識を教師になってどう活かしたい？

＊あ！あれ何だっけ？　確認メモ！

近畿・中国・四国地方の工業・産業などを地図で確認

中国・四国地方の気候や地形の特色を生かした産業や農業が行われている。近畿地方では阪神工業地帯を中心に産業をチェックしよう。

日本地理—近畿, 中国・四国

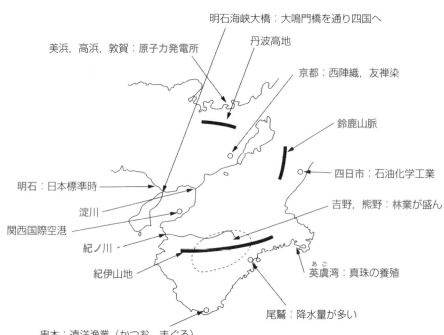

- 明石海峡大橋：大鳴門橋を通り四国へ
- 丹波高地
- 美浜, 高浜, 敦賀：原子力発電所
- 京都：西陣織, 友禅染
- 鈴鹿山脈
- 四日市：石油化学工業
- 明石：日本標準時
- 淀川
- 関西国際空港
- 紀ノ川
- 紀伊山地
- 吉野, 熊野：林業が盛ん
- 英虞湾(あご)：真珠の養殖
- 尾鷲：降水量が多い
- 串本：遠洋漁業（かつお, まぐろ）

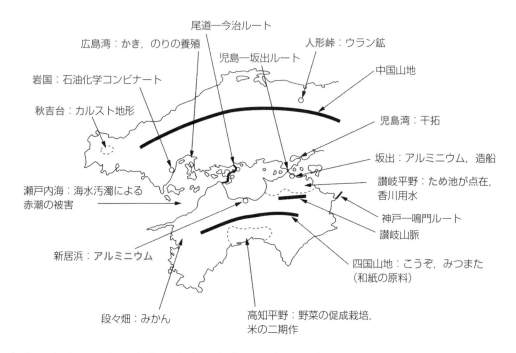

- 尾道—今治ルート
- 広島湾：かき, のりの養殖
- 児島—坂出ルート
- 人形峠：ウラン鉱
- 岩国：石油化学コンビナート
- 中国山地
- 秋吉台：カルスト地形
- 児島湾：干拓
- 坂出：アルミニウム, 造船
- 讃岐平野：ため池が点在, 香川用水
- 瀬戸内海：海水汚濁による赤潮の被害
- 神戸—鳴門ルート
- 讃岐山脈
- 新居浜：アルミニウム
- 四国山地：こうぞ, みつまた（和紙の原料）
- 段々畑：みかん
- 高知平野：野菜の促成栽培, 米の二期作

【近畿】

▶ 1.阪神工業地帯 ……鉄鋼・機械・車両・ゴム工業（大阪から神戸・姫路にかけての臨海地域），繊維・石油化学工業（堺・泉北地域），食品・電気機器（内陸地域）。

▶ 2.百舌鳥 ・古市古墳群－古代日本の墳墓群：2019年，世界遺産（文化遺産）に登録／大阪府

▶ 3.関西国際空港 ……大阪湾の泉州沖5kmの海上にある24時間利用可能な国際空港。

▶ 4.地盤沈下 ……地下水や天然ガスを大量にくみあげるため，土地の表面が沈下すること。大阪の地下水のくみ上げによる沈下など。

▶ 5.近郊農業 ……大都市の周辺で，都市の消費者に野菜，果物，草花をつくる農業。大阪平野のたまねぎなど。

▶ 6.杜氏 ……酒づくりの技術をもって出稼ぎする人。

【中国・四国】

▶瀬戸内工業地域で，東部は 7.繊維工業 ，中部は 8.機械・金属工業 ，西部は 9.化学工業 が盛んである。

▶鳥取平野は， 10.日本なし の産地。

▶広島の 11.太田川 にみられる三角州。

▶ 12.赤潮 ……海岸部でプランクトンが異常発生して海が赤くなる現象。

▶ 13.過疎 ……人口の流出が激しく，極端に人口が減ること。

▶ 14.本州四国連絡架橋 ……神戸—鳴門間，児島—坂出間，尾道—今治間の3ルートにより本州と四国を結ぶ架橋の総称。

• second try •	• first try •
年 月 日（ ）	年 月 日（ ）
🕐 ： 〜 ：	🕐 ： 〜 ：
☀ ☁ ☂（ ）	☀ ☁ ☂（ ）
✏ am・pm ℃	✏ am・pm ℃
😊 😐 😣 😞 😫	😊 😐 😣 😞 😫
1.	1.
2.	2.
3.	3.
4.	4.
5.	5.
6.	6.
7.	7.
8.	8.
9.	9.
10.	10.
11.	11.
12.	12.
13.	13.
14.	14.
15.	15.
16.	16.
17.	17.
18.	18.
19.	19.
20.	20.
21.	21.
22.	22.
23.	23.
24.	24.
25.	25.

✚ プラスチェック！

□大阪には，エレクトロニクス，産業機械などの製造業，流通業・物流業のほか，バイオ・IT・新素材といったハイテク産業も集積している。

□大阪北部の千里ニュータウン…1961年着工。日本初の大規模ニュータウン構想。

＊このページで覚えた知識を教師になってどう活かしたい？

＊あ！あれ何だっけ？ 確認メモ！

九州地方の農業・工業・産業などを地図で確認

歴史的にアジアとの深い関連がある九州地方に関して，歴史分野と併せて確認しよう。また，沖縄の返還の歴史とともに基地問題など現代的な事案も押さえておこう。

日本地理—九州, 沖縄

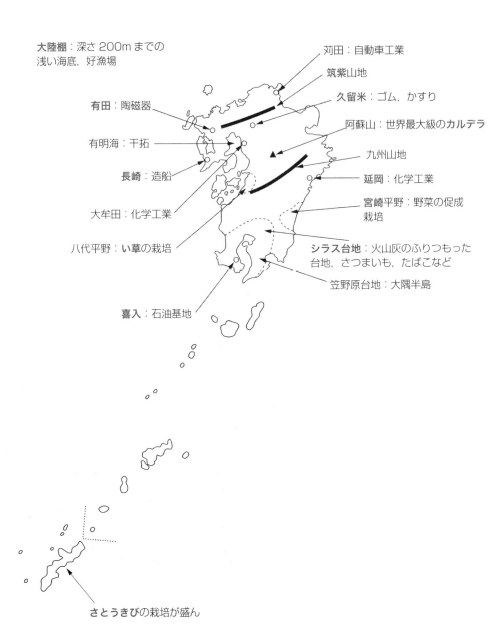

大陸棚：深さ 200m までの浅い海底，好漁場

苅田：自動車工業

筑紫山地

有田：陶磁器

久留米：ゴム，かすり

阿蘇山：世界最大級の**カルデラ**

有明海：干拓

九州山地

長崎：造船

延岡：化学工業

大牟田：化学工業

宮崎平野：野菜の促成栽培

八代平野：**い草の栽培**

シラス台地：火山灰のふりつもった台地，さつまいも，たばこなど

笠野原台地：大隅半島

喜入：石油基地

さとうきびの栽培が盛ん

【九州】

▶ 1.シリコンアイランド ……IC（集積回路）を中心とした電子関係企業が九州に集中しだしたことから，アメリカのシリコンバレーにちなんで命名された。

▶ 2.北九州工業地域 は八幡製鉄所から始まり，現在IC工業も発展している。かつては四大工業地帯として数えられた。大気汚染や水質汚濁などの公害を克服した歴史から環境産業が盛んになっている。

▶ 九州北部の沿岸には水深200mまでの浅い海底である大陸棚が広がり， 3.好漁場 となっている。

▶ 明治日本の 4.産業革命 遺産 製鉄・製鋼，造船，石炭産業：2015年に世界遺産（文化遺産）に登録。福岡県，長崎県，山口県など8県の23資産。長崎市の「端島（通称：軍艦島）」などが含まれる。

▶ 「神宿る島」 5.宗像・沖ノ島 と関連遺産群：2017年，世界遺産（文化遺産）に登録／福岡県

▶ 長崎と天草地方の 6.潜伏キリシタン 関連遺産：2018年，世界遺産（文化遺産）に登録／長崎県・熊本県

▶ 7.奄美大 島， 8.徳之 島， 9.沖縄 島北部及び 10.西表 島：2021年，世界遺産（自然遺産）に登録／鹿児島県・沖縄県

【沖縄】

▶ 沖縄は，1972年本土復帰。農業は，さとうきび，パイナップルなど。また，伝統的な染色技術としての紅型，織物の 11.琉球かすり も有名。

▶ 米軍の基地が集中している。 12.尖閣諸島 海域の中国の侵入が問題となっている。

• second try •

年 月 日（ ）
🕐 ： ～ ：
☀ ☁ ☂ （ ）
🖊 am・pm ℃
😊 😐 😣 😫 😵

1.
2.
3.
4.
5.
6.
7.
8.
9.
10.
11.
12.
13.
14.
15.
16.
17.
18.
19.
20.
21.
22.
23.
24.
25.

• first try •

年 月 日（ ）
🕐 ： ～ ：
☀ ☁ ☂ （ ）
🖊 am・pm ℃
😊 😐 😣 😫 😵

1.
2.
3.
4.
5.
6.
7.
8.
9.
10.
11.
12.
13.
14.
15.
16.
17.
18.
19.
20.
21.
22.
23.
24.
25.

➕ プラスチェック！

□ 薩南諸島を北端として連なる南西諸島では，多数種が棲息するサンゴ礁が広がっているが，海水温上昇による白化現象などの問題により年々減少している。

＊このページで覚えた知識を教師になってどう活かしたい？

＊あ！あれ何だっけ？ 確認メモ！

世界の気候・農牧業・鉱工業などの概括的視点を

アメリカの工業・農業の特色について押さえよう。また，各地の情勢としてヨーロッパの EU，発展目覚ましい中国などに関する動向も日々留意しておこう。

世界地理

地　図	農 牧 業	鉱 工 業	関 連 事 項
	＊中国…生産責任制。東北・華北は 1. 畑 作，華中・華南は米作。 ＊東南アジア…インドシナ半島の米作・木材。	＊中国…石炭・原油を始め各種鉱石。シェンヤン中心に重化学工業地帯。 ＊マレーシア… 2. すず，天然ゴム。 ＊インドネシア…すず・天然ガス。 ＊タイ…天然ゴム ＊台湾…ノートパソコン	＊フーシュンの石炭。 3. アンシャン の鉄鉱石。 ＊華僑が活躍。 ＊ASEAN。 ＊プランテーション。 ＊中国は2016年1月に「一人っ子政策」を廃止。 ＊香港・シンガポールは，中継貿易が盛ん。
	＊インド…米， 4. ジュート，小麦，綿花。 ＊西アジア…ステップの遊牧。 ＊乾燥地帯ではオアシス農業。	＊ペルシャ湾岸…世界最大の産油地帯。	＊カースト制。 ＊ 5. イスラム 教徒が多い。 ＊パレスチナ暫定自治協定。
	＊北アフリカ…ナイル川流域の三角州で綿花，小麦，米の栽培。 ＊中南アフリカ…ガーナ，コートジボワールは 6. カカオ豆 の世界的産地。東部の高原ではサイザル麻などの生産。	＊サハラ砂漠の奥地で，油田の開発。 ＊南アフリカ共和国の金・ダイヤモンド・クロム鉱。 ＊ 7. コンゴ民主共和国 のダイヤモンド。ザンビアの銅。ボツワナのダイヤモンド。ギニアのボーキサイト。	＊エジプトのアスワンハイダム。 ＊南アフリカ共和国の 8. アパルトヘイト の廃止と国際社会への復帰。黒人主導の政治へ。 ＊1997年新政府樹立でザイールから 9. コンゴ民主共和国 に改称された。
	＊フランス…農業国。小麦の輸出。 ＊ドイツ…食料作物と飼料作物を組み合わせた 10. 混合農業。 ＊スイス…季節により垂直移動する 11. 移牧。 ＊オランダ… 12. ポルダー で酪農と園芸農業 13. チューリップ。 ＊南ヨーロッパ…気候を利用した 14. 地中海式 農業。	＊ロレーヌ地方の重化学工業。 ＊ 15. ルール 地方の重化学工業。精密機械。 ＊イギリス…バーミンガムの鉄鋼業。 ＊ 16. 北海 油田の開発。 ＊北ヨーロッパ…製紙工業。	＊ユーロトンネル。 ＊EU（欧州連合）諸国と日本の貿易摩擦の問題。 ＊EUによる経済的協力。単一通貨ユーロ。 ＊ユーロトンネルやTGV，ユーロポートなどの交通網整備。 ＊2020年，イギリスがEU離脱。 ＊NATO（北大西洋条約機構）の拡大。

地　　図	農牧業	鉱工業
酪農園芸　大麦　農業の北限　ライ麦　小麦　地中海式農業　牧畜　綿花	＊ウクライナの**黒土**地帯は世界的 17.小麦 の産地。 ＊カザフスタンやウズベキスタンの 18.綿花 栽培。	＊鉄鉱石・石油の世界的産地。ドニエプル，ウラル，バクーなどの原料と燃料と動力とを組み合わせた**コンビナート**の建設。
	［関連事項］＊1991年ソ連邦崩壊。ソ連邦を構成していた各共和国が主権国家として独立。	
五大湖沿岸工業地帯　ニューファンドランド島沖・たら・にしんの大漁場　アンカレジ（航空交通の要地）森林地帯　デトロイト（自動車）ロッキー山脈　シカゴ（機械）　ピッツバーグ（鉄鋼業）メサビ鉄山　ヒューストン（石油化学）クリーブランド（鉄鋼業）ロサンゼルス（航空）	＊アメリカ…大規模な機械化農業。中央平原に，綿花，小麦，とうもろこし地帯。適地適作。 ＊カナダ…林産物・食料を輸出。	＊大西洋岸から五大湖南岸が世界最大の工業地帯。 ＊**ニッケル**の世界的産地。
	［関連事項］＊世界の政治経済の中心国。	
ベネズエラ・マラカイボ油田　メキシコ・銀　リャノ　アマゾン川　セルバ　ブラジル高原　ペルー・銀　ボリビア・亜鉛　アンデス山脈　ブラジル・コーヒー・カカオ・鉄鉱石　チリ・銅　パンパ・農牧業がさかん	＊キューバ…さとうきび。 ＊ブラジル… 19.コーヒー豆 とさとうきびの世界的産地。 ＊アルゼンチン… 20.パンパ は小麦・牧羊など世界的農牧業地域。	＊メキシコ…銀・石油。 ＊ベネズエラ…石油・鉄鉱石。 ＊チリ…銅。 ＊ボリビア…亜鉛。 ＊ブラジル・ジャマイカ…ボーキサイト。
	［関連事項］＊ブラジル…日本からの移民が多い。メスティーソが多い。	
鉄鉱石　オーストラリア　掘り抜き井戸　ブリスベン　シドニー　キャンベラ　牧牛　小麦　タスマニア島　ニュージーランド　ウェリントン	＊オーストラリア…世界最大の**牧羊**の国。東部で牧牛，南東部で酪農，南部は小麦地帯。 ＊ニュージーランド…牧牛，牧羊が盛ん。	＊鉄鉱石・石炭。西部の鉄鉱石，東部の石炭。シドニーなどに工業が発達。**ボーキサイト**の主要産地。
	［関連事項］＊オーストラリアの最大の貿易相手国は 21.中国 。	

• second try •			• first try •		
年　月　日（　）			年　月　日（　）		
🕐 ：　～　：			🕐 ：　～　：		
☼ ☁ ☂（　　）			☼ ☁ ☂（　　）		
✐ am・pm　℃			✐ am・pm　℃		
☺ ☺ ☹ 😖 😫			☺ ☺ ☹ 😖 😫		

1.
2.
3.
4.
5.
6.
7.
8.
9.
10.
11.
12.
13.
14.
15.
16.
17.
18.
19.
20.
21.
22.
23.
24.
25.

➕ **プラスチェック！**

□アメリカ…シリコンバレーには半導体産業，情報技術関連産業，バイオテクノロジーなどが発展。

□中国…尖閣諸島領域侵入問題，台湾問題，新疆ウイグル自治区・香港の人権問題。

□インド…情報通信技術関連産業の発展。

□中央アジア…レアメタルの産出。

＊このページで覚えた知識を教師になってどう活かしたい？

＊あ！あれ何だっけ？　確認メモ！

小学校では大仏の大きさを実感する体験活動もある

縄文〜飛鳥時代の卑弥呼，聖徳太子，小野妹子，中大兄皇子，中臣鎌足など，人物を中心に流れと出来事を把握していこう。

歴史年表―①(古代)

時代・年号		日本史	年号	世界史
縄文	前8000〜	縄文時代…貝塚，土偶	前3000	エジプト文明…ナイル川
				6. メソポタミア 文明…ティグリス川・ユーフラテス川流域
			前2600	インダス文明…インダス川
				モエンジョ＝ダーロ
弥生	前3・2C〜	弥生時代…**登呂遺跡**，農耕集落	前1600	黄河文明…殷，甲骨文字
			前334	アレクサンドロス大王の東征
			前221	秦の始皇帝，中国統一
	57	倭の奴国王が金印を賜る	前27	ローマ帝国の成立
		…1.『後漢書』東夷伝	67	仏教，中国に伝来
	239	邪馬台国の女王 2. 卑弥呼，魏に使いを送る。『魏志』倭人伝	313	ローマ帝国，キリスト教を公認
			375	**ゲルマン民族，大移動**
大和	391	ヤマト朝廷（ヤマト政権），百済，新羅を破り高句麗と戦う ➡好太王碑文	395	ローマ帝国，東西に分裂
			476	西ローマ帝国滅亡
			481	フランク王国建国
	562	任那日本府滅亡		
飛鳥	593	聖徳太子（厩戸王）…**推古天皇**の摂政となる	589	7. 隋 の中国統一
	603	冠位十二階…人材登用		
	604	憲法十七条制定…「和を以て貴しとなし〜」		
	607	3. 小野妹子 を隋に派遣（**遣隋使**）	618	8. 唐 建国
	645	**大化改新**… 4. 中大兄皇子 と **中臣鎌足** らが蘇我氏を滅ぼす ①公地公民 ②班田収授法 ③国郡制度 ④租・庸・調の税制		
	672	**壬申の乱**…天智天皇の子 大友皇子 と天皇の弟 5. 大海人皇子 の皇位継承争い		
	701	**大宝律令**…文武天皇の命令で藤原不比等らが編さん ➡律令制度が整う	698	満州に渤海国成立

□「子供は真実を映し出す鏡である。…」ガンディ
□

飛鳥時代　6世紀末から大化改新の頃まで

〈特色〉①最初の仏教文化　② 9. ギリシア文化 の影響

▶建築……　10. 法隆寺 （現存する世界最古の木造建築，柱のふくらみ（エンタシス）にギリシア建築の影響。聖徳太子（厩戸王）が建立と伝えられる）

▶彫刻……『 11. 法隆寺金堂釈迦三尊像 』（鞍 作 鳥 （止利仏師）の作），『法隆寺百済観音像』『中宮寺半跏思惟像』

▶工芸……法隆寺『玉虫厨子』，中宮寺『天寿国繡帳』

▶絵画……密陀絵（曇徴）

白鳳文化　大化改新から平城遷都まで

〈特色〉①貴族中心の仏教文化　② 12. 初唐文化 の影響

▶建築……　13. 薬師寺東塔

▶絵画……　14. 法隆寺金堂壁画 ←アジャンタ壁画，高松塚古墳壁画

• second try •	• first try •
年　月　日（　）	年　月　日（　）
🕐　：　〜　：	🕐　：　〜　：
☀ ☁ ☔ （　）	☀ ☁ ☔ （　）
✏ am・pm　℃	✏ am・pm　℃
😊 😐 😖 😣 😫	😊 😐 😖 😣 😫

second try	first try
1.	1.
2.	2.
3.	3.
4.	4.
5.	5.
6.	6.
7.	7.
8.	8.
9.	9.
10.	10.
11.	11.
12.	12.
13.	13.
14.	14.
15.	15.
16.	16.
17.	17.
18.	18.
19.	19.
20.	20.
21.	21.
22.	22.
23.	23.
24.	24.
25.	25.

➕ **プラスチェック！**

□聖徳太子（厩戸王）…うまやとおう。天皇中心の国づくりを進めたり，大陸文化の取入れに努めた。法隆寺を建てて仏教を広めた。

□中大兄皇子…なかのおおえのおうじ。豪族の頂点であった蘇我入鹿を中臣鎌足と討つ。その後即位して天智天皇となり国の改革を進めた。

＊このページで覚えた知識を教師になってどう活かしたい？

＊あ！あれ何だっけ？　確認メモ！

29

歴史年表―②（古代～中世）

時代・年号		日本史	年号	世界史
奈良	710	1. 平城 京遷都…唐の長安を手本		
	723	三世一身法…開墾奨励，公地公民制が崩れはじめる		
	743	墾田永年私財法		
平安	794	2. 平安 京遷都…桓武天皇，律令政治の再建➡令外官，健児の制	800	カール大帝，西ローマ皇帝となる
	858	藤原良房，摂政となる	829	イギリス王国の統一
	884	(887) 藤原基経，関白となる	870	フランク王国の三分
	894	3. 菅原道真 …遣唐使の廃止	907	唐の滅亡
	1016	藤原道長，摂政となる…摂関政治全盛	960	8. 宋 の中国統一
	1086	白河上皇，院政	1038	セルジューク朝の成立
	1156	保元の乱	1096	十字軍 （～ 1270）
	1159	平治の乱		
	1167	平清盛，太政大臣になる		
	1185	壇の浦の戦い		
鎌倉	1185	守護・地頭の設置		
	1192	源頼朝，征夷大将軍となる		
	1203	北条時政，最初の執権となる	1206	チンギス＝ハンのモンゴル統一
	1221	承久の乱， 4. 後鳥羽上皇 が倒幕の挙兵	1215	大憲章 （マグナ＝カルタ）の制定（英）
	1232	北条泰時，御成敗式目（貞永式目）制定		
	1274	文永の役 元寇…北条時宗		
	1281	弘安の役		
	1297	永仁の徳政令	1299	マルコ＝ポーロ『東方見聞録』
	1333	鎌倉幕府の滅亡	1300頃	オスマン帝国の成立
南北朝	1334	建武の新政，後醍醐天皇	1368	明の中国統一
	1392	足利義満…南北朝合一	1392	李氏朝鮮の成立
室町	1404	5. 日明（勘合） 貿易を開始		
	1428	正長の徳政一揆		
戦国	1467	応仁の乱…守護大名の権力争い	1453	東ローマ帝国滅亡
	1485	山城の国一揆	1492	コロンブス，アメリカに到達
	1488	加賀の一向一揆	1498	ヴァスコ＝ダ＝ガマ，インドに到達
	1543	鉄砲伝来（種子島）	1517	ルターの宗教改革
	1549	キリスト教伝来… 6. ザビエル が上陸	1522	9. マゼラン の世界周航
	1560	信長， 7. 桶狭間 の戦いで今川義元を破る	1526	ムガル帝国の成立（印）
	1573	室町幕府滅亡	1558	エリザベス1世即位（英）

□「教育とは，学校で習ったすべてのことを忘れてしまった後に，自分のなかに残るものをいう」アインシュタイン

天平文化　8世紀の聖武天皇を中心とした奈良時代の文化

〈特色〉①国際色豊かな貴族中心の仏教文化　②盛唐文化の影響

▶建築……唐招提寺（鑑真），東大寺法華堂，10.正倉院宝庫…校倉造

▶彫刻……『東大寺日光・月光菩薩像』，乾漆像…『興福寺阿修羅像』

▶書物……『11.古事記』（日本最古の歴史書。太安万侶が記録），『日本書紀』（日本最古の勅撰歴史書。舎人親王ら），『12.万葉集』（日本最古の歌集。大伴家持，柿本人麻呂，山上憶良ら）

平安初期（弘仁・貞観）文化　9世紀

〈特色〉密教の影響を受けた日本独自の文化

▶13.最澄（伝教大師）…天台宗，比叡山延暦寺

▶14.空海（弘法大師）…真言宗，高野山金剛峯寺

▶三筆……嵯峨天皇，空海，橘逸勢

国風文化　10世紀中頃，平安中期の摂関政治の頃

〈特色〉①優美な貴族文化　②唐風文化を消化　③かな文字の発達

▶建築……15.平等院鳳凰堂，寝殿造

▶工芸………平等院鳳凰堂阿弥陀如来像（16.寄木造（定朝）
じょうちょう

▶絵画……大和絵，『鳥獣戯画』

▶三蹟……17.小野道風，藤原佐理，藤原行成

▶書物……『古今和歌集』，『土佐日記』，『枕草子』，『源氏物語』

鎌倉文化　12世紀末から14世紀初期

〈特色〉①公家と武士の二元文化　②禅宗など宋，元文化の影響

▶建築……18.東大寺南大門（天竺様），円覚寺舎利殿（唐様）

▶彫刻……『東大寺南大門金剛力士像』運慶・快慶　▶絵画……似絵，絵巻物　▶書物……『19.新古今和歌集』，『愚管抄』，『方丈記』，『20.徒然草』

室町時代　14世紀から15世紀

〈特色〉①融合した一元的文化　②文化の庶民化

▶北山文化……足利21.義満，金閣（鹿苑寺）

▶東山文化……足利22.義政，銀閣（慈照寺）

▶建築……23.書院造，龍安寺石庭の24.枯山水　▶絵画……『秋冬山水図』（水墨画）25.雪舟　▶連歌……宗祇　▶能楽……世阿弥元清　▶茶の湯……村田珠光　▶御伽草子……『一寸法師』

・second try・	・first try・
年 月 日（ ）	年 月 日（ ）
⏰ ： ～ ：	⏰ ： ～ ：
☀ ☁ ☂（ ）	☀ ☁ ☂（ ）
🌡 am・pm ℃	🌡 am・pm ℃
😊 😐 😕 😣 😫	😊 😐 😕 😣 😫
1.	1.
2.	2.
3.	3.
4.	4.
5.	5.
6.	6.
7.	7.
8.	8.
9.	9.
10.	10.
11.	11.
12.	12.
13.	13.
14.	14.
15.	15.
16.	16.
17.	17.
18.	18.
19.	19.
20.	20.
21.	21.
22.	22.
23.	23.
24.	24.
25.	25.

✚プラスチェック！

□摂関政治…天皇が幼いときは摂政，成人後は関白となり実権掌握。藤原道長は「この世をば我が世とぞ思ふ望月の欠けたることもなしと思へば」と詠んだ。

□執権政治…北条氏は執権の位置を得て実権を掌握し世襲した。将軍と主従関係を結んだ武士を御家人といい「御恩と奉公」の関係で結ばれていた。

＊このページで覚えた知識を教師になってどう活かしたい？

＊あ！あれ何だっけ？　確認メモ！

信長，秀吉，家康の流れを確認しよう。江戸の三大改革は頻出。また，江戸時代は町人の文化が栄え新しい学問が起こった。主要人物とともにその種類を押さえておこう。

歴史年表―③（中世～近世）

時代・年号		日本史	年号	世界史
安土桃山	1575	信長，長篠合戦で**武田勝頼**を破る	1581	オランダの独立宣言
	1588	秀吉の [1.刀狩]…一揆防止，兵農分離	1588	イギリス，スペインの無敵艦隊を破る
	1592	文禄の役 ┐		
	1597	慶長の役 ┘秀吉の朝鮮出兵		
	1600	[2.関ヶ原] の戦い…家康，石田三成の軍を破る		
江戸	1603	家康，征夷大将軍になる		
	1614	大坂冬の陣，夏の陣（～ 15）		
	1615	**徳川秀忠**，[3.武家諸法度] 制定		
	1635	**徳川家光**，[4.参勤交代] 制度化		
	1637	[5.島原] の乱…天草四郎を中心としたキリスト教徒らの一揆		
	1639	ポルトガル船の来航禁止（鎖国の完成）	1642	ピューリタン革命（英）（～ 49）
	1649	慶安の触書発布…農民の心得	1644	清の中国統一
			1688	[9.名誉] 革命（英）（～ 89）
			1689	権利の章典（英）
	1715	新井白石…長崎新令		
	1716	**享保の改革**…8代将軍 [6.徳川吉宗]		
	1787	**寛政の改革**…老中 [7.松平定信]	1776	**アメリカ独立宣言**
	1792	根室にラクスマン来航	1789	[10.フランス] 革命
	1804	長崎にレザノフ来航	1804	ナポレオン皇帝即位
	1808	フェートン号事件	1814	ウィーン会議
	1825	異国船打払令		
	1837	大塩平八郎の乱…天保の飢饉による貧民救済のため	1840	アヘン戦争（英 vs. 中）
	1841	**天保の改革**…老中水野忠邦	1851	太平天国の乱…洪秀全
	1853	浦賀にペリー来航	1853	クリミア戦争
	1854	日米和親条約	1857	シパーヒーの大反乱（印）
	1858	日米修好通商条約…井伊直弼と**ハリス** 安政の大獄，吉田松陰ら処罰		
	1860	桜田門外の変　**井伊直弼**暗殺	1861	**南北戦争**（米）（～ 65）
	1862	生麦事件 ↓		
	1863	薩英戦争　外国船砲撃事件 ↓	1863	リンカン大統領　奴隷解放宣言
	1864	四国艦隊下関砲撃事件		
	1867	[8.大政奉還]，王政復古の大号令		

• second try •

年　月　日（　）

🕐　　：　～　：

☀ ☁ ☂（　）

🌡 am・pm　　　℃

😊 😐 😟 😣 😫

• first try •

年　月　日（　）

🕐　　：　～　：

☀ ☁ ☂（　）

🌡 am・pm　　　℃

😊 😐 😟 😣 😫

（安土・）桃山文化　16世紀末（信長，秀吉）

《特色》城郭を中心とする豪華絢爛な文化

▶建築……聚楽第（秀吉が大内裏のあとに建てた邸宅）

▶絵画……狩野永徳『唐獅子図屛風』『洛中洛外図屛風』（障壁画）

▶茶道…… 11. 千利休　　▶阿国歌舞伎

寛永文化　17世紀（江戸時代初期：寛永期前後）

▶建築……霊廟建築／日光東照宮（権現造），数寄屋造／桂離宮

▶絵画……俵屋宗達『風神雷神図屛風』，本阿弥光悦（蒔絵）

▶学問……朱子学／藤原惺窩，林羅山

元禄文化　17世紀から18世紀初期，徳川綱吉の時代

《特色》①上方中心の町人文化　②現実的で合理的

▶絵画……尾形光琳『燕子花図屛風』，菱川師宣『 12. 見返り美人図 』

▶書物…… 13. 井原西鶴 『日本永代蔵』『世間胸算用』（浮世草子），松尾芭蕉『奥の細道』（正風（蕉風）），近松門左衛門『曽根崎心中』， 14. 新井白石 『読史余論』， 15. 貝原益軒 『大和本草』

▶学問……朱子学（南学／山崎闇斎（垂加神道），陽明学／中江藤樹，熊沢蕃山，古学／ 16. 山鹿素行 ，伊藤仁斎， 17. 荻生徂徠 （経世論）

化政文化　18世紀末から19世紀初期，徳川 18. 家斉 の時代

《特色》①江戸中心の町人文化　②退廃的で風刺や皮肉が流行

▶美術……喜多川歌麿，東洲斎写楽， 19. 葛飾北斎 『富嶽三十六景』，歌川広重『 20. 東海道五十三次 』

▶書物……洒落本／山東京伝『江戸生艶気樺焼』，滑稽本／式亭三馬『浮世風呂』，十返舎一九『東海道中膝栗毛』，人情本／為永春水『春色梅児誉美』，読本／滝沢馬琴『 21. 南総里見八犬伝 』，俳諧／与謝蕪村， 22. 小林一茶

▶学問……国学／荷田春満，賀茂真淵， 23. 本居宣長 『古事記伝』，平田篤胤，洋学／ 24. 新井白石 『采覧異言』『西洋紀聞』，前野良沢・杉田玄白『 25. 解体新書 』

1.
2.
3.
4.
5.
6.
7.
8.
9.
10.
11.
12.
13.
14.
15.
16.
17.
18.
19.
20.
21.
22.
23.
24.
25.

➕ ▶ プラスチェック！

[江戸の三大改革]

□ 「享保の改革（1716～45）」8代将軍徳川吉宗：相対済し令・目安箱など，「寛政の改革（1787～93）」松平定信・11代将軍家斉：棄捐令・寛政異学の禁など，「天保の改革（1841～43）」水野忠邦・12代将軍家慶：上知令・人返しの法など。

＊このページで覚えた知識を教師になってどう活かしたい？

＊あ！あれ何だっけ？　確認メモ！

歴史年表—④（近代）

時代・年号	日本史	年号	世界史
1868	五箇条の誓文…明治政府の基本方針		
1869	1. 版籍奉還		
1871	2. 廃藩置県	1871	ドイツ帝国成立
1873	地租改正…地価の3％を現金で納める		
1874	民撰議院設立の建白書… 3. 板垣退助 ら藩閥政治に反対		
1877	4. 西南戦争 …西郷隆盛を擁して挙兵		
1880	集会条例，国会期成同盟		
1881	国会開設の詔		
	自由党結成…板垣退助	1882	三国同盟成立（ドイツ・オーストリア・イタリア）
1889	大日本帝国憲法発布…伊藤博文，ドイツ（プロイセン）憲法を手本		
明治 1894	日英通商航海条約… 5. 治外法権 の撤廃，陸奥宗光 日清戦争	1894	甲午農民戦争，東学の乱（朝鮮）…日清戦争のきっかけ
1895	6. 下関 条約　全権…伊藤博文，陸奥宗光—李鴻章		
1900	治安警察法…労働争議をおさえるため	1900	10. 義和団 事件
1902	日英同盟…ロシア南下に対抗		
1904	日露戦争		
1905	7. ポーツマス 条約…T・ローズヴェルトの仲介　全権… 8. 小村寿太郎 —ウィッテ	1907	三国協商成立（イギリス・フランス・ロシア）
1910	大逆事件…幸徳秋水ら社会主義者を捕らえ処罰		
1911	関税自主権の回復…小村寿太郎	1911	11. 辛亥 革命…孫文
1915	二十一カ条の要求	1914	第一次世界大戦
		1917	12. ロシア 革命
1918	米騒動，寺内内閣は倒れ，原敬内閣誕生	1919	13. ヴェルサイユ 条約
大正 1923	関東大震災	1920	国際連盟…ウィルソンの提案
1925	普通選挙制… 9. 25 歳以上の男子に選挙権 治安維持法…社会主義の高まりを警戒	1921	ワシントン会議（～ 22）主力艦制限，四カ国，九カ国条約

•second try•

年 月 日（ ）
⏰ ： ～ ：
☀ ☁ ☂ （ ）
✒ am・pm ℃
😊 😐 ☹ 😣 😫

•first try•

年 月 日（ ）
⏰ ： ～ ：
☀ ☁ ☂ （ ）
✒ am・pm ℃
😊 😐 ☹ 😣 😫

▶ 14. 西郷隆盛 …倒幕運動を推進した明治維新時の指導者。

▶福沢諭吉…文明開化の指導者として『学問のすゝめ』をはじめ，多くの本を出版し，日本の近代化に尽くした。

▶明治政府が近代化をおしすすめるために掲げた2つのスローガンは， 15. 富国強兵 ， 16. 殖産興業 である。

▶板垣退助らが，国会開設などを要求した運動を 17. 自由民権運動 という。

▶ 18. ドイツ（プロイセン） の憲法を手本とした大日本帝国憲法が発布されたのは1889年で，このときの内閣総理大臣は黒田清隆である。

▶日清戦争（1894～95年）後に結ばれた講和条約は 19. 下関条約 である。このときの日本の全権は 20. 伊藤博文 と 21. 陸奥宗光 の2名であった。

▶日露戦争（1904～05年）後に結ばれた講和条約は 22. ポーツマス条約 である。このときの日本の全権は小村寿太郎であった。

▶第一次世界大戦（1914～18年）中の1915年，日本が中華民国に対して出した要求を 23. 二十一カ条の要求 という。

▶米騒動が起こり，本格的な政党政治がつくられたのは1918年で，そのときの首相は 24. 原敬 である。

▶民本主義をとなえた大正デモクラシーの理論的指導者は 25. 吉野作造 である。

〜 昭和へ

▶1932年，海軍青年将校らが犬養毅首相を暗殺した事件を五・一五事件という。

▶日本はポツダム宣言を受諾して，1945年に降伏した。

▶朝鮮戦争が起こったのは1950年である。

▶サンフランシスコ平和条約・日米安全保障条約が結ばれたのは1951年である。

▶沖縄が日本に復帰した年（1972年）に，日本は中国（中華人民共和国）と国交を正常化した。

▶国際連合は1945年につくられ，本部はニューヨークにある。

	second try	first try
1.		
2.		
3.		
4.		
5.		
6.		
7.		
8.		
9.		
10.		
11.		
12.		
13.		
14.		
15.		
16.		
17.		
18.		
19.		
20.		
21.		
22.		
23.		
24.		
25.		

➕ プラスチェック！

□日清戦争…朝鮮を巡って清との対立。日本が勝利し下関条約で遼東半島を獲得。三国干渉で清に返還。

□日露戦争…ロシアの南下政策に対抗して日英同盟を締結。ポーツマス条約で日本は韓国に対する優越権を獲得。戦後，韓国併合を行う。

＊このページで覚えた知識を教師になってどう活かしたい？

＊あ！あれ何だっけ？　確認メモ！

第二次世界大戦は平和学習にもつなげられる内容

満州事変から戦争終結，戦後の政治について，主な出来事と流れを正確に掴んでおこう。現代については，国際情勢と日本の役割などの動向を日々留意しておこう。

歴史年表—⑤(近代〜現代)

時代・年号	日本史	年号	世界史
	1928 張作霖爆殺事件	1929	世界恐慌
	1931 満州事変…日本の満州侵略，満州国の成立◀柳条湖事件がきっかけ		
	1932 1. 五・一五 事件…海軍青年将校，犬養毅首相を殺害		
	1933 国際連盟脱退…松岡洋右		
	1936 2. 二・二六 事件…陸軍青年将校，高橋是清，斎藤実を殺害		
昭和	1937 3. 日中戦争(日華事変) …日本の華北侵略◀盧溝橋事件がきっかけ		
	1938 国家総動員法	1939	第二次世界大戦 (〜 45)
	1945 4. ポツダム 宣言受諾	1945	ヤルタ会談…ドイツ処理ソ連の対日参戦
	1951 5. サンフランシスコ 平和条約…日本の独立回復		
	1956 日ソ共同宣言…国際連合加盟		
	1964 第18回オリンピック競技大会 (1964／東京)		
	1971 沖縄返還協定。環境庁発足		
	1972 日中国交正常化		
	1973 オイルショック		
	1978 日中平和友好条約	1980	イラン・イラク戦争 (〜 1988)
	1991 6. 湾岸戦争	1990	7. 東西ドイツ の統一
		1991	ソ連邦崩壊，独立国家共同体 (8. CIS) 結成。コメコン・ワルシャワ条約機構解体
	1992 PKO協力法成立	1992	地球サミット
	1993 自民党長期政権崩壊。米作柄戦後最大の凶作	1993	イスラエルとPLO暫定自治協定調印。欧州連合条約発効
平成	1995 阪神・淡路大震災	1994	南アで黒人政権誕生
	1999 国旗国歌法制定	1995	世界貿易機関発足
	2001 中央省庁再編	2001	米国同時多発テロ
		2002	EU通貨統合
	2006 新教育基本法公布	2003	イラク戦争
	2011 東日本大震災	2008	リーマン・ショック (世界的金融危機)
	2015 選挙権18歳以上に引き下げ	2010	民主化運動「アラブの春」が広がる
	2016 熊本地震	2018	環太平洋パートナーシップに関する包括的及び先進的な協定 (TPP11協定) 発効
	2018 平成30年7月豪雨，北海道胆振東部地震		

令 和

	• second try •	• first try •
	年 月 日（ ）	年 月 日（ ）
	🕐 ： ～ ：	🕐 ： ～ ：
	☀ ☁ ☂ （ ）	☀ ☁ ☂ （ ）
	✏ am・pm ℃	✏ am・pm ℃
	😊 😐 😖 😣 😫	😊 😐 😖 😣 😫

2019 ｜ 9. 幼児教育・保育 の無償化
　　　　ゲーム障害（gaming disorder）が国際疾病分類として世界保健機関（WHO）で認定。

2020 ｜ 地質学上の時代名称に「チバニアン」命名。新型コロナウイルス流行。政府が緊急事態宣言。令和２年７月豪雨。児童福祉法等改正による親権者等の児童のしつけに際する**体罰**の禁止が施行。
　　　　10. イギリス がEU離脱。世界保健機関（WHO）が新型コロナウイルス感染症（COVID-19）のパンデミック宣言。

2021 ｜ 公立義務教育諸学校の学級編制及び教職員定数の標準に関する法律の改定により，小学校（義務教育学校の前期課程を含む）の学級編制の標準を 11. 35 人に引き下げ，順次実施）。第32回オリンピック競技大会（2020／東京），第16回パラリンピック競技大会（2020／東京）←2020年パンデミックにより2021に延期開催された。

2022 ｜ 日本で成年年齢が18歳に引き下げ。「生徒指導提要」（文部科学省）全面改訂。小学校高学年への 12. 教科担任制 の導入が開始。生成AI（人工知能）への注目度が急増。 13. トンガ王国 で海底火山の噴火と津波が発生し，甚大な被害。ロシアが 14. ウクライナ に軍事侵攻。インド太平洋経済枠組み（IPEF）発足。英国の女王エリザベス２世死去。

2023 ｜ 侍ジャパンWBC世界一。 15. こども家庭庁 設置，こども基本法施行。新型コロナウイルス感染症の感染症法上「５類」に引き下げ（学校保健安全法施行規則第18条で，学校において予防すべき感染症の第二種に）。G7広島サミット。OECDが発表した 16. PISA （国際的な学習到達度調査）2022の結果で，日本は数学的リテラシー・読解力・科学的リテラシーの3分野全てにおいて世界トップレベルに。トルコ・シリアでM7.8の大地震。フィンランドがNATOに加盟。

2024 ｜ 能登半島地震。JAXA探査機が日本初の月面着陸に成功。2024年度から小・中学校等を対象に 17. デジタル教科書 の本格的導入が開始（小学校５年生〜中学校３年生，英語から）。 18. スウェーデン がNATOに加盟。

second try	first try
1.	1.
2.	2.
3.	3.
4.	4.
5.	5.
6.	6.
7.	7.
8.	8.
9.	9.
10.	10.
11.	11.
12.	12.
13.	13.
14.	14.
15.	15.
16.	16.
17.	17.
18.	18.
19.	19.
20.	20.
21.	21.
22.	22.
23.	23.
24.	24.
25.	25.

➕ プラスチェック！

□ 戦後の日本キーワード…第二次世界大戦，ポツダム宣言，農地改革，普通選挙，財閥解体，など。

□ 社会科の授業では調べる活動を重視する。教科書だけではなく，図書資料，インターネット，インタビューなど，多様な調べる活動を通して問題解決的な学習を展開する。

＊このページで覚えた知識を教師になってどう活かしたい？

＊あ！あれ何だっけ？　確認メモ！

公民—政治①（憲法）

【日本国憲法（1946年11月3日公布，1947年5月3日施行）】

▶日本国憲法の原則と特色

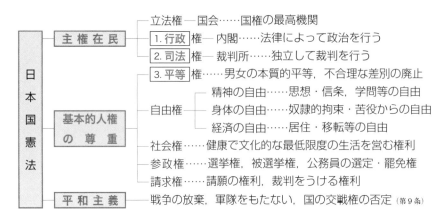

日本国憲法
- 主権在民
  - 立法権 — 国会……国権の最高機関
  - 1.行政 権 — 内閣……法律によって政治を行う
  - 2.司法 権 — 裁判所……独立して裁判を行う
- 基本的人権の尊重
  - 3.平等 権……男女の本質的平等，不合理な差別の廃止
  - 自由権
    - 精神の自由……思想・信条，学問等の自由
    - 身体の自由……奴隷的拘束・苦役からの自由
    - 経済の自由……居住・移転等の自由
  - 社会権……健康で文化的な最低限度の生活を営む権利
  - 参政権……選挙権，被選挙権，公務員の選定・罷免権
  - 請求権……請願の権利，裁判をうける権利
- 平和主義 — 戦争の放棄，軍隊をもたない，国の交戦権の否定（第9条）

※ 国民の三大義務……教育〈第26条〉・ 4.勤労 〈第27条〉・納税〈第30条〉

▶日本国民は，正当に選挙された国会における代表者を通じて行動し，われらとわれらの子孫のために，諸国民との協和による成果と，わが国全土にわたって 5.自由 のもたらす恵沢を確保し，政府の行為によって再び戦争の惨禍が起こることのないようにすることを決意し，ここに主権が 6.国民 に存することを宣言し，この憲法を確定する。（略）日本国民は，恒久の 7.平和 を念願し，人間相互の関係を支配する崇高な理想を深く自覚するのであって，**平和**を愛する諸国民の公正と信義に信頼して，われらの**安全**と**生存**を保持しようと決意した。……前文（抜粋）

▶天皇は，日本国の 8.象徴 であり日本国民統合の象徴であって，この地位は，主権の存する日本国民の総意に基く。……第1条

▶国民は，すべての 9.基本的人権 の享有を妨げられない。この憲法が国民に保障する基本的人権は，侵すことのできない永久の権利として，現在及び将来の国民に与えられる。……第11条

▶すべて国民は， 10.個人 として**尊重**される。生命，自由及び幸福追求に対する国民の権利については，公共の福祉に反しない限り，立法その他の国政の上で，最大の尊重を必要とする。……第13条

▶すべて国民は，法の下に平等であって，**人種**，**信条**，**性別**，**社会的身分**又は**門地**により，政治的，経済的又は社会的関係において， 11.差別 されない。……第14条

▶何人も， 12.公共の福祉 に反しない限り，居住，移転及び 13.職業選択 の自由を有する。……第22条①

▶婚姻は，両性の合意のみに基いて成立し，夫婦が 14.同等 の権利を有することを基本として，相互の協力により，維持されなければならない。……第24条

▶すべて国民は，健康で文化的な 15.最低限度 の生活を営む権利を有する。……第25条①

・second try・

| 年 月 日（ ） |
| :～: |
| ☀ ☁ ☂ （ ） |
| am・pm ℃ |
| 😀 😐 ☹ 😫 😩 |

・first try・

| 年 月 日（ ） |
| :～: |
| ☀ ☁ ☂ （ ） |
| am・pm ℃ |
| 😀 😐 ☹ 😫 😩 |

【憲法改正】

改正の発議 ➡ 国民投票 ➡ 公　布

衆・参各議院の総議員の**3分の2**以上の賛成で国会が発議

国民の**過半数**の賛成で承認

天皇が国民の名で直ちに公布

【三権分立】

▶思想的あゆみ……ロック（1632 〜 1704）／『市民政府二論』，ルソー（1712 〜 1778）／『16.社会契約論』，モンテスキュー（1689 〜 1755）／『17.法の精神』

▶三権分立のしくみ

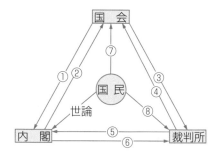

①……内閣の 18.不信任 を決議する

②…… 19.衆議院 の解散を決定する

③……裁判官の 20.弾劾裁判 を行う

④…… 21.違憲立法 審査権

⑤……命令・処分の違憲審査

⑥…… 22.最高裁判所長官 を指名する

⑦…… 23.国会議員 を選出する

⑧……裁判官の 24.国民審査 を行う

※　憲法改正の国民投票制度については，日本国憲法の改正手続に関する法律（憲法改正国民投票法）で規定されている。

※　国民投票の投票権は 25.満18歳 以上の日本国民が有することとされている（2014年改正）。

➕ **プラスチェック！**

[人権に関する主な条約]

□女子差別撤廃条約（1985年批准）

□子どもの権利条約（1994年批准）

□人種差別撤廃条約（1995年批准）

□障害者権利条約（2014年批准）

＊このページで覚えた知識を教師になってどう活かしたい？

＊あ！あれ何だっけ？　確認メモ！

公民—政治② (国会・内閣・裁判所)

【国会】

▶国会の地位……国会は国権の最高機関であって，国の唯一の 1.立法 機関である。

▶国会の種類

通常国会	年1回，1月に召集。会期 2.150 日で予算審議が中心。
臨時国会	内閣が必要と認めたとき。いずれかの議院の総議員の 3.4分の1 以上の要求で内閣が決定。会期不定。
特別国会	衆議院解散後 4.40 日以内に総選挙を行い，その日から 5.30 日以内に召集。内閣総理大臣の指名。

▶国会のしくみ

	衆議院	参議院
議員数	6.465 人	248人
被選挙権	満 7.25 歳以上	満 8.30 歳以上
任 期	4 年	6年 (3年ごとに半数改選)
解 散	あり	なし
選挙区	比例代表176人 小選挙区 289人	比例代表100人 選挙区 148人

▶衆議院の優越

○ 9.法律案 の議決権

○予算の先議権

○ 10.条約 の承認権

○ 11.内閣経理大臣 の指名

○内閣不信任の決議

▶国会の主な仕事

(1) 立法の仕事……**法律**の制定， 12.条約の承認 ，憲法改正の発議。

(2) 財政の仕事……**予算**の決議，決算の承認。

(3) 国務の仕事……内閣総理大臣の指名，内閣の信任・不信任の決議，国政調査権，裁判官の弾劾裁判。

【内閣】

▶内閣の地位……行政の最高責任，行政権の行使。

▶ 13.議院内閣制 ……内閣が国会の信任で成り立ち，国会に対し連帯して責任を負う。

▶内閣の総辞職

(1) 衆議院で内閣不信任案を可決または信任案を否決したとき， 14.10 日以内に衆議院が解散されない限り，総辞職をしなければならない。

(2) 衆議院議員の総選挙後の初めての国会の召集のとき。

(3) 内閣総理大臣が欠けたとき。

【内閣の主な仕事】

- ○ 法律にしたがった国の政治
- ○ 外交関係の処理
- ○ 15.予算 作成と国会への提出
- ○ 条約の締結
- ○ 公務員に関する事務
- ○ 政令の制定
- ○ 法律案作成と国会への提出
- ○ 衆議院の解散の決定
- ○ 参議院の緊急集会の決定
- ○ 臨時国会の召集の決定
- ○ 各省の仕事の監督
- ○ 国の財政についての報告
- ○ 最高裁判所長官の 16.指名 ，その他の裁判官の 17.任命
- ○ 受刑者に対する恩赦の決定
- ○ 天皇の国事行事に関する 18.助言 と承認，天皇の国事行為に責任を負う。

【裁判所】

▶ 司法権の独立……立法・行政から独立。

▶ 裁判官の任命
  - ○ 最高裁判所長官は，内閣が指名し， 19.天皇 が任命する。
  - ○ 他の裁判官は内閣が任命する。

▶ 裁判官の罷免
  - ○ 心身の故障のため執務不能と裁判で決定される場合。
  - ○ 20.弾劾裁判 で罷免される場合。
  - ○ 最高裁判所裁判官は国民審査で罷免を可とされた場合。

▶ 裁判所の種類
  - ○ 最高裁判所……日本国憲法の番人・終審裁判所。
  - ○ 21.高等 裁判所……全国に8か所。
  - ○ 地方裁判所……全国に50か所。
  - ○ 22.家庭 裁判所……家庭事件・少年犯罪の審判。
  - ○ 23.簡易 裁判所……軽微な事件の裁判。
  - ○ 2005年より 24.知的財産 高等裁判所が設置。

【地方自治】

▶ 地方自治法……1947年制定。地方自治の根本となる法律。

▶ 地方自治の本旨
  - ○ 団体自治
  - ○ 住民自治／ブライス「地方自治は，民主主義の学校である」

▶ 住民の権利…… 25.リコール ，レファレンダム，イニシアチブ。

• second try •

年 月 日（ ）
🕐 ： ～ ：
☀ ☁ ☂ （ ）
✎ am・pm ℃
😊 😐 😟 😣 😵

1.
2.
3.
4.
5.
6.
7.
8.
9.
10.
11.
12.
13.
14.
15.
16.
17.
18.
19.
20.
21.
22.
23.
24.
25.

• first try •

年 月 日（ ）
🕐 ： ～ ：
☀ ☁ ☂ （ ）
✎ am・pm ℃
😊 😐 😟 😣 😵

1.
2.
3.
4.
5.
6.
7.
8.
9.
10.
11.
12.
13.
14.
15.
16.
17.
18.
19.
20.
21.
22.
23.
24.
25.

➕ プラスチェック！

[裁判のしくみ]

最高裁判所（長官，裁判官）

↑上告

高等裁判所

↑控訴

地方裁判所，家庭裁判所，簡易裁判所

＊このページで覚えた知識を教師になってどう活かしたい？

＊あ！あれ何だっけ？ 確認メモ！

公民―経済・労働・国際①（金融政策，国民経済）

【経済】

▶価格

(1) **独占価格**……売り手が単独で市場を独占する価格。

(2) **公定価格**……政府が統制して決める価格。

(3) 公共料金……国会の議決や政府・地方自治体の承認が必要な価格（鉄道・バスの運賃，郵便・電気・ガス料金など）。

▶企業の形態

(1) 1. カルテル （企業連合）…………価格・販路・生産量などの協定。

(2) 2. トラスト （企業合同）…………同種の企業が1つに合併する。

(3) 3. コンツェルン （企業連携）…………親会社が資本の力で持株会社として各種企業を支配。

※ 1947年，企業の独占を防ぐ，独占禁止法を制定。これを監視するために 4. 公正取引委員会 がある。

▶金融

○ 5. クラウドファンディング ……起業者と出資者をインターネット上で仲介する起業時の資金調達法。

○ 6. 暗号資産 ……インターネット上で取引される仮想通貨。価格は大きく変動する投機対象。

金融政策	内　容	インフレ	デフレ
7. 公開市場操作	国債や手形の売買で短期金融市場の金利を政策金利として誘導し，銀行の貸出金利などに影響を与えようとする。	売りオペ	買いオペ
8. 預金準備率操作	市中銀行に預金準備金として預けさせる割合を変更し，貸出額をコントロールする。	預金準備率引き上げ	預金準備率引き下げ

※ かつては「公定歩合（改称： 9. 基準割引率および基準貸付利率 ）」の操作が金融政策の中心であった。

① 10. インフレーション ……商品量に対して通貨が供給過剰となり，物価が上昇し貨幣価値が下落。

② 11. デフレーション ……商品量に対して通貨が過少となり，物価が下落する状態。

③ 12. スタグフレーション ……景気停滞下の物価上昇。

④ 13. クリーピングインフレーション …しのびよるインフレ。

▶財政

(1) 租税

所得が多いほど課税率が高くなる課税方法を 14. 累進課税 という。所得税，相続税，住民税などにとり入れられ，所得の 15. 再配分 に貢献している。

		16. 直接税 （納税者と税負担者が同じ）	17. 間接税 （納税者と税負担者が異なる）
国 税		法人税，所得税，相続税，贈与税など	酒税，揮発油税，関税，消費税など
地方税	道府県税	事業税，道府県民税，自動車税など	地方消費税，道府県たばこ税など
	市町村税	固定資産税，市町村民税，軽自動車税など	市町村たばこ税，入湯税など

(2) 財政政策

① 18. ビルト・イン・スタビライザー ……好況時には税収増加により歳入超過と支出抑制によって景気を抑制し，不況時には歳出超過により公共事業へ政府資金を投入し景気を刺激して需要を創出する。

② 19. 財政投融資 ……特殊法人により，財投機関債等を原資として，住宅・生活環境整備，中小企業の事業資金，農林漁業振興などに使われる。

▶国民経済

○ 20. 国内総生産 （GDP）…… Gross Domestic Product
国の経済力のめやすのひとつ。国内で一定期間内に生産されたモノやサービスの付加価値の合計額（日本企業が海外支店等で生産したモノやサービスの付加価値については含まれない）。

○国民総所得（GNI）…… Gross National Income
現在GNP（国民総生産）の概念がなくなり，同様の概念として導入されている。国内に限らず，日本企業の海外支店等の所得も含んだ額を指す。

＊三面等価の原則……生産＝分配＝支出。国の経済において一定期間経過後に等しくなる。

▶世界経済

○国際収支……一国の一定期間（通常１年）における外国との取引貨幣額の収支。

├─ 21. 経営収支 ──貿易・サービス収支，所得収支（雇用者報酬等），経常移転収支

└─ 22. 資本収支 ──投資収支，その他の資本収支

• second try •

年　月　日（　）
🕐 ：　〜　：
☀ ☁ ☂ （　　）
🌡 am・pm　　℃
😀 😐 😣 😖 😫

1.
2.
3.
4.
5.
6.
7.
8.
9.
10.
11.
12.
13.
14.
15.
16.
17.
18.
19.
20.
21.
22.
23.
24.
25.

• first try •

年　月　日（　）
🕐 ：　〜　：
☀ ☁ ☂ （　　）
🌡 am・pm　　℃
😀 😐 😣 😖 😫

1.
2.
3.
4.
5.
6.
7.
8.
9.
10.
11.
12.
13.
14.
15.
16.
17.
18.
19.
20.
21.
22.
23.
24.
25.

➕ プラスチェック！

□預金の種類…普通，定期，通知（７日以上預け入れ，２日前の予告で払戻し），当座（小切手・手形の使用のみで無利子）
□手形の種類…約束，為替（売り手が買い手に第三者への支払いを依頼。遠隔地への送金に利用）。

＊このページで覚えた知識を教師になってどう活かしたい？

＊あ！あれ何だっけ？　確認メモ！

公民―経済・労働・国際②（労働法規, 国連, 憲章）

【労働】

▶労働三法
- 1. 労働組合 法……労働者の地位の向上，団結権の擁護など。
- 2. 労働関係調整 法……労働関係の調整，労働争議の予防と解決など。
- 3. 労働基準 法……労働条件の最低基準の明示，労働条件の向上など。

▶労働基本権
（労働三権）
- 4. 団結 権……労働者が労働組合をつくる権利。
- 5. 団体交渉 権……団体として使用者と交渉する権利。
- 6. 団体行動 権……ストライキなどをする権利。争議権。

【国際社会】

▶国際連合のしくみ

▶国際連盟と国際連合

	成　立	本　部
国際連盟	1920年	ジュネーブ
国際連合	1945年	8. ニューヨーク

▶安全保障理事会

常任理事国…… 9. 米 ， 10. 英 ， 11. 仏 ， 12. 露 ， 13. 中(国) 。任期なし。

非常任理事国……①総会の3分の2以上の多数により選出された10か国。

②毎年5か国ずつ改選，任期2年。

〔表決〕 手続き事項は9理事国以上の賛成によるが，決議事項については，常任理事国は 14. 拒否権 を持つ。

※　日本・ドイツの常任理事国入りをはじめ，安保理の機構改革が論議されている。

▶国際関係

	略称	名称		略称	名称
国際連合	ILO	国際労働機関	軍事	NATO	北大西洋条約機構
	UNESCO	国連教育科学文化機関		PFP	平和のためのパートナーシップ（協定）
	WHO	世界保健機関	経済	EU	ヨーロッパ連合
	IBRD	国際復興開発銀行		APEC	アジア太平洋経済協力
	IMF	国際通貨基金		OECD	経済協力開発機構
	WTO	世界貿易機関		ASEAN	東南アジア諸国連合
	UNCTAD	国連貿易開発会議		OPEC	石油輸出国機構
	FAO	国連食糧農業機関		AIIB	アジアインフラ投資銀行
	IAEA	国際原子力機関		RCEP	地域的な包括的経済連携
	PKO	国連平和維持活動			

▶日本の国際協力

① **政府開発援助**（ 15. ODA ）

② **国際熱帯木材機関**（ITTO）……1986年設置。横浜に事務
局。

③ **国連環境特別委員会**……1983年の国連総会で日本が中心に
なり設置。

※ 1992年，国連平和維持活動（PKO）協力法成立を転機に，
国連カンボジア暫定統治機構（UNTAC）やモザンビークに
自衛隊が派遣されている。

【世界の憲章，宣言】

16. 世界人権宣言 第1条　すべての人は生まれながらに自由であっ
て，その尊厳と権利については平等である。人間は道理をわきま
える理性と良心とをもっており，たがいに同胞の精神をもって行
動しなければならない。

17. ユネスコ憲章 前文　戦争は，人の心のなかで生まれるものであ
るから，人は心のなかに平和のとりでをきずかなければならな
い。

18. フランス人権宣言 第1条　人は生まれながら，自由で平等な権
利をもつ。社会的な差別は，ただ公共の利益に関係のある場合に
しか設けられてはならない。

19. アメリカ独立宣言 前文　われわれは，自明の真理として，すべ
ての人は平等につくられ，神から譲ることのできない一定の権利
を与えられており，そのなかには生命，自由および幸福の追求が
含まれている。

20. 国際連合憲章 前文　われわれの一生のうちに二度まで，人類に
言語に絶する悲哀をもたらした戦争の惨禍から，のちの代々の
人々を救い，基本的人権，人間の尊厳，男女の同権と大小各国の
同権に対する尊敬の念をふたたび確立すること。

➕ プラスチェック！

□労働関係法規…男女雇用機会均等法（1985年），
男女共同参画社会基本法（1999年），育児・介護
休業法（1999年）

□国際関係略称は頭文字に注目…I：International（国
際），UN：United Nations（国連），W：World（世界）

＊このページで覚えた知識を教師になってどう活かしたい？

＊あ！あれ何だっけ？　確認メモ！

chapter23 数学的活動を通し数学的に考える資質・能力を育成

各学年の目標について，内容の系統性を押さえておこう。指導案の作成や模擬授業対策には，教科の基本的な考え方の理解が必要となる。

算数科—学習指導要領①

【目標】

 [1. 数学的な見方・考え方] を働かせ，数学的活動を通して，数学的に考える資質・能力を次のとおり育成することを目指す。

(1) 数量や図形などについての基礎的・基本的な概念や性質などを理解するとともに，日常の事象を [2. 数理的] に処理する技能を身に付けるようにする。

(2) 日常の事象を数理的に捉え [3. 見通し] をもち筋道を立てて考察する力，基礎的・基本的な数量や図形の性質などを見いだし [4. 統合的] ・ [5. 発展的] に考察する力，数学的な表現を用いて事象を [6. 簡潔] ・ [7. 明瞭] ・ [8. 的確] に表したり目的に応じて柔軟に表したりする力を養う。

(3) 数学的活動の楽しさや [9. 数学] のよさに気付き，学習を振り返ってよりよく問題解決しようとする態度，算数で学んだことを [10. 生活] や学習に活用しようとする態度を養う。

【各学年の目標】(その1)

A　知識及び技能

第1学年	(1) 数の概念とその表し方及び計算の意味を理解し，量，図形及び数量の関係についての理解の基礎となる経験を重ね，数量や図形についての感覚を豊かにするとともに，	加法及び減法の計算をしたり，形を構成したり，身の回りにある量の大きさを比べたり，簡単な絵や図などに表したりすることなどについての技能を身に付けるようにする。
第2学年	(1) 数の概念についての理解を深め，計算の意味と性質，基本的な図形の概念，量の概念，簡単な表とグラフなどについて理解し，数量や図形についての感覚を豊かにするとともに，	加法，減法及び [11. 乗法] の計算をしたり，図形を構成したり，長さやかさなどを測定したり，表やグラフに表したりすることなどについての技能を身に付けるようにする。
第3学年	(1) 数の表し方，整数の計算の意味と性質，小数及び分数の意味と表し方，基本的な図形の概念，量の概念，棒グラフなどについて理解し，数量や図形についての感覚を豊かにするとともに，	整数などの計算をしたり，図形を構成したり，長さや重さなどを測定したり，表やグラフに表したりすることなどについての技能を身に付けるようにする。
第4学年	(1) 小数及び分数の意味と表し方，四則の関係，平面図形と立体図形，面積，角の大きさ， [12. 折れ線グラフ] などについて理解するとともに，	整数，小数及び分数の計算をしたり，図形を構成したり，図形の面積や角の大きさを求めたり，表やグラフに表したりすることなどについての技能を身に付けるようにする。
第5学年	(1) 整数の性質，分数の意味，小数と分数の計算の意味， [13. 面積] の公式，図形の意味と性質，図形の体積， [14. 速さ] ， [15. 割合] ， [16. 帯グラフ] などについて理解するとともに，	小数や分数の計算をしたり，図形の性質を調べたり，図形の面積や体積を求めたり，表やグラフに表したりすることなどについての技能を身に付けるようにする。
第6学年	(1) 分数の計算の意味， [17. 文字] を用いた式，図形の意味，図形の体積， [18. 比例] ， [19. 度数分布] を表す表などについて理解するとともに，	分数の計算をしたり，図形を構成したり，図形の面積や体積を求めたり，表やグラフに表したりすることなどについての技能を身に付けるようにする。

【指導計画作成上の配慮事項】

▶ 主体的・対話的で深い学び……単元など内容や時間のまとまりを見通して，その中で育む資質・能力の育成に向けて，数学的活動を通して，児童の 20.主体的 ・ 21.対話的 で深い学びの実現を図るようにすること。その際，数学的な見方・考え方を働かせながら，日常の事象を数理的に捉え，算数の問題を見いだし，問題を 22.自立的 ， 23.協働的 に解決し，学習の過程を振り返り，概念を形成するなどの学習の充実を図ること。

▶ 各学年の内容は，次の学年以降においても必要に応じて継続して指導すること。数量や図形についての基礎的な能力の習熟や維持を図るため，適宜 24.練習 の機会を設けて計画的に指導すること。なお，その際，10分～15分程度の短い時間を活用して指導を行う場合には，当該指導のねらいを明確にするとともに，単元など内容や時間のまとまりを見通して資質・能力が偏りなく育成されるよう計画的に指導すること。また，学年間の指導内容を円滑に接続させるため，適切な 25.反復 による学習指導を進めるようにすること。

▶ 各学年の内容の「A 数と計算」，「B 図形」，「C 測定」，「C 変化と関係」及び「D データの活用」の間の指導の**関連**を図ること。

▶ 障害のある児童などについては，学習活動を行う場合に生じる**困難さ**に応じた指導内容や指導方法の工夫を計画的，組織的に行うこと。

▶ 第1章総則に示す道徳教育の目標に基づき，道徳科などとの関連を考慮しながら，第3章特別の教科道徳に示す内容について，算数科の特質に応じて適切な指導をすること。

• second try •	• first try •
年　月　日（　）	年　月　日（　）
🕐　：　～　：	🕐　：　～　：
☀ ☁ ☂（　　）	☀ ☁ ☂（　　）
✏ am・pm　℃	✏ am・pm　℃
😀 😐 😟 😫 😴	😀 😐 😟 😫 😴

second try	first try
1.	1.
2.	2.
3.	3.
4.	4.
5.	5.
6.	6.
7.	7.
8.	8.
9.	9.
10.	10.
11.	11.
12.	12.
13.	13.
14.	14.
15.	15.
16.	16.
17.	17.
18.	18.
19.	19.
20.	20.
21.	21.
22.	22.
23.	23.
24.	24.
25.	25.

➕ プラスチェック！

□ 算数科の内容は，第1～3学年は「A数と計算」「B図形」「C測定」「Dデータの活用」の4領域で構成，第4～6学年ではCが「C変化と関係」となった4領域で構成される。

*このページで覚えた知識を教師になってどう活かしたい？

*あ！あれ何だっけ？　確認メモ！

4領域の内容の構成は，表にまとめると系統性を把握しやすくなる。1年〔2位数〕→2年〔4位数〕→3年〔万の単位〕…のように把握しておくとよい。(P.183〜参照)

算数科─学習指導要領②

【各学年の目標】(その2)

B 思考力，判断力，表現力等

第1学年	(2)	ものの 1. 数 に着目し，具体物や図などを用いて数の数え方や計算の仕方を考える力， ものの 2. 形 に着目して特徴を捉えたり，具体的な操作を通して形の構成について考えたりする力， 身の回りにあるものの特徴を量に着目して捉え， 3. 量 の大きさの比べ方を考える力， データの個数に着目して身の回りの事象の特徴を捉える力などを養う。	
第2学年	(2)	数とその表現や数量の関係に着目し，必要に応じて具体物や図などを用いて数の表し方や計算の仕方などを考察する力，	簡潔に表現したり考察したりする力などを養う。
第3学年		4. 平面図形 の特徴を図形を構成する要素に着目して捉えたり，身の回りの事象を図形の性質から考察したりする力， 身の回りにあるものの特徴を量に着目して捉え， 5. 量の単位 を用いて的確に表現する力， 身の回りの事象を 6. データ の特徴に着目して捉え，	簡潔に表現したり適切に 7. 判断 したりする力などを養う。
第4学年	(2)	数とその表現や数量の関係に着目し， 8. 目的 に合った表現方法を用いて計算の仕方などを考察する力， 図形を構成する要素及びそれらの 9. 位置関係 に着目し，	図形の性質や図形の計量について考察する力， 伴って変わる二つの数量やそれらの関係に着目し，変化や対応の特徴を見いだして，二つの数量の関係を表や式を用いて考察する力，
第5学年	(2)	数とその表現や 10. 計算の意味 に着目し，目的に合った表現方法を用いて数の性質や計算の仕方などを考察する力， 図形を構成する要素や 11. 図形間 の関係などに着目し，	目的に応じてデータを収集し，データの特徴や傾向に着目して表やグラフに的確に表現し，それらを用いて問題解決したり，解決の過程や結果を多面的に捉え考察したりする力などを養う。
第6学年	(2)	数とその表現や計算の意味に着目し，発展的に考察して 12. 問題 を見いだすとともに，目的に応じて多様な表現方法を用いながら数の表し方や計算の仕方などを考察する力， 図形を構成する要素や図形間の関係などに着目し，図形の性質や図形の 13. 計量 について考察する力， 伴って変わる二つの数量やそれらの関係に着目し，変化や対応の特徴を見いだして，二つの数量の関係を表や式， 14. グラフ を用いて考察する力， 身の回りの事象から設定した問題について，目的に応じてデータを収集し，データの特徴や傾向に着目して適切な手法を選択して 15. 分析 を行い，それらを用いて 16. 問題解決 したり，解決の過程や結果を批判的に考察したりする力などを養う。	

（各学年の目標）

C　学びに向かう力，人間性等

第1学年	(3)　数量や図形に [17. 親しみ]，算数で学んだことのよさや楽しさを感じ ながら学ぶ態度を養う。
第2・3学年	(3)　数量や図形に進んで関わり，数学的に表現・処理したことを振り返り， 数理的な処理のよさに [18. 気付き] 生活や学習に活用しようとする態度 を養う。
第4・5・6学年	(3)　数学的に表現・処理したことを振り返り，多面的に捉え [19. 検討] し てよりよいものを求めて粘り強く考える態度，数学のよさに気付き学 習したことを生活や学習に活用しようとする態度を養う。

〔用語・記号〕

第1学年	一の位　十の位　＋　－　＝
第2学年	直線　直角　頂点　辺　面　単位　×　＞　＜
第3学年	等号　不等号　小数点　$\frac{1}{10}$の位　[20. 数直線]　分母　分子　÷
第4学年	和　差　積　商　以上　以下　未満　真分数　仮分数　帯分数 平行　垂直　対角線　平面
第5学年	最大公約数　最小公倍数　通分　約分　底面　側面　[21. 比例]　％
第6学年	線対称　点対称　対称の軸　対称の中心　比の値　ドットプロット 平均値　中央値　最頻値　階級　：

➕ プラスチェック！

□面積の単位…1a=100m^2，1ha=10000m^2

□かさの単位…1L=1000mL

□文章題の指導法：場面と図とを関連付け，2つの数 量の関係を理解し，演算の決定が正しいことを図な どを基にして確かめることができるようにする。

＊このページで覚えた知識を教師になってどう活かしたい？

＊あ！あれ何だっけ？　確認メモ！

公式はどのように導かれたかを考えることが大切

計算問題は基本的事項。乗法の指数法則や平方根の加減乗除などが確実に解けるようにしよう。また，最大公約数や最小公倍数の素因数分解を利用した求め方を理解しよう。

数と計算 —①（乗法, 平方根, 公約数・公倍数）

基本のカクニン ■乗法に関する法則

① 指数の和　　$a^m \times a^n = $ `1. $a^{m+n}$`　　　例）$2^2 \times 2^3 = 2^{2+3} = 2^5$

② 指数の積　　$(a^m)^n = $ `2. $a^{mn}$`　　　例）$(2^3)^2 = 2^{3 \times 2} = 2^6$

③ 累乗の積　　$(ab)^n = $ `3. $a^n b^n$`　　　例）$(3 \times 4)^2 = 3^2 \times 4^2$

基本のカクニン ■平方根の計算

① 加法・減法　　$l\sqrt{a} \pm m\sqrt{a} = $ `4. $(l \pm m)\sqrt{a}$`　　（$a > 0$，l，mは有理数）

② 乗法　　　　$\sqrt{a} \times \sqrt{b} = \sqrt{ab}$，　$l\sqrt{a} \times m\sqrt{b} = $ `5. $lm\sqrt{ab}$`　（$a > 0$，$b > 0$）

③ 除法　　　　$\sqrt{a} \div \sqrt{b} = \sqrt{\dfrac{a}{b}}$，　$l\sqrt{a} \div m\sqrt{b} = \dfrac{l}{m}\sqrt{\dfrac{a}{b}}$　（$a > 0$，$b > 0$）

④ 分母の有理化　$\dfrac{\sqrt{a}}{\sqrt{b}} = \dfrac{\sqrt{a}\sqrt{b}}{\sqrt{b}\sqrt{b}} = \dfrac{\sqrt{ab}}{(\sqrt{b})^2} = \dfrac{\sqrt{ab}}{b}$

例題 次の計算をしなさい。

(1)　$2a^2 \times 5ab^3$
$= 2 \times 5 \times a^2 \times a \times b^3$
$= 10 \times$ `6. $a^{2+1} \times b^3$`
$=$ `7. $10a^3 b^3$`

(2)　$(x^2 y^3)^2$
$= x^{2 \times 2} \times y^{3 \times 2}$
$=$ `8. $x^4 y^6$`

(3)　$\left(-\dfrac{1}{2}x\right)^3 \times 4xy^2$
$= \left(-\dfrac{1}{2}\right)^3 \times$ `9. $x^3$` $\times 4xy^2$
$=$ `10. $-\dfrac{1}{8}$` $\times x^3 \times 4xy^2$
$=$ `11. $-\dfrac{1}{8}$` $\times 4 \times x^3 \times x \times y^2 = $ `12. $-\dfrac{1}{2}x^4 y^2$`

(4)　$\dfrac{5\sqrt{3}-3}{\sqrt{3}} - \dfrac{4\sqrt{6}-2}{\sqrt{2}}$
$= \dfrac{5\sqrt{3}}{\sqrt{3}} - \dfrac{3}{\sqrt{3}} - \dfrac{4\sqrt{6}}{\sqrt{2}} + \dfrac{2}{\sqrt{2}}$
$=$ `13. $5$` $- \dfrac{3\sqrt{3}}{\sqrt{3}\sqrt{3}} - \dfrac{\boxed{14.\ 4\sqrt{3}\sqrt{2}}}{\sqrt{2}} + \dfrac{2\sqrt{2}}{\sqrt{2}\sqrt{2}}$
$= 5 - \sqrt{3} - 4\sqrt{3} + \sqrt{2}$
$=$ `15. $5 - 5\sqrt{3} + \sqrt{2}$`

(5)　$2\{\sqrt{2} - (\sqrt{3} + 5\sqrt{2}) + 4\sqrt{3}\} - \sqrt{108}$
$= 2(\sqrt{2} - \sqrt{3} - 5\sqrt{2} + 4\sqrt{3}) - \sqrt{\boxed{16.\ 36 \times 3}}$
$= 2(-4\sqrt{2} + 3\sqrt{3}) -$ `17. $6\sqrt{3}$`
$= -8\sqrt{2} + 6\sqrt{3} -$ `18. $6\sqrt{3}$`
$=$ `19. $-8\sqrt{2}$`

・・・基本のカクニン■公約数と公倍数・・・・・・・・

公約数……いくつかの整数に共通な約数

　　　12の約数 ¦1 2 3 4 6　12¦

　　　18の約数 ¦1 2 3　6 9　　18¦

公倍数……いくつかの整数に共通な倍数

　　　2の倍数 ¦0 2 4 6 8 10　12…¦

　　　4の倍数 ¦0　4　8　　12…¦

○ 1はすべての整数の約数でもある（1以外に公約数がない2
　つの整数を互いに素という）。

○ 0はすべての整数の倍数である。

〔最大公約数（G.C.M.）の求め方〕

　公約数のうち最大のもの。

　各数を素因数分解し，[20. 共通な素因数]に，指数が最も小さ
　いものを付けて，積を求める。

〔最小公倍数（L.C.M.）の求め方〕

　公倍数のうちで0を除いた正の数で最小のもの。

　各数を素因数分解し，[21. すべての素因数]に，指数が最も大
　きいものを付けて，積を求める。

例題 2つのxに関する2次式がある。これら2式でG. C. M.が
$x-1$，L. C. M.がx^3-3x^2-x+3のとき，2式を求めなさい。

L. C. M.$=x^3-3x^2-x+3$は，

G. C. M.$=x-1$で必ずわりきれるから

L. C. M.$=x^3-3x^2-x+3$

$\qquad =(x-1)(x^2-2x-3)$

$\qquad =(x-1)(x+1)(x-3)$

したがって，$x+1$，$x-3$という因数を有するから，

[22. $(x-1)(x+1)$]と

[23. $(x-1)(x-3)$]とが求める2式となる。

＋プラスチェック！

□素数…正の整数のうち1と自分以外に約数をもたない数。1は素数には含まれない。

□商と余りの関係

$A\div B=M$余りN ⇔ $A=BM+N$

（割られる数＝割る数×商＋余り）

＊このページで覚えた知識を教師になってどう活かしたい？

＊あ！あれ何だっけ？　確認メモ！

因数分解の公式を覚える際は確実に。また，共通項を見つけ出す，置き換えられるものを見つけ出すなど，ある程度パターン化される解き方について把握しておこう。

数と計算─② (不等式, 乗法, 因数分解)

基本のカクニン■不等号の基本的性質

$A>B$ ならば
- ① $A+C>B+C$ （両辺に同じ数を加える）
- ② $A-C>B-C$ （両辺から同じ数を引く）
- ③ $C>0$ のとき $AC>BC$, $\dfrac{A}{C}>\dfrac{B}{C}$
- ④ $C<0$ のとき $AC\boxed{1.<}BC$, $\dfrac{A}{C}\boxed{2.<}\dfrac{B}{C}$

* $\boxed{3.負}$ の数で両辺を乗除すると不等号の向きが変わることに注意しよう！

基本のカクニン■乗法の公式

① $(a+b)^2=\boxed{4.\ a^2+2ab+b^2}$

② $(a-b)^2=\boxed{5.\ a^2-2ab+b^2}$

③ $(a+b)(a-b)=\boxed{6.\ a^2-b^2}$

基本のカクニン■因数分解の公式

① $ma+mb+mc=m(a+b+c)$ …共通因数でくくる。

② $x^2+(a+b)x+ab=\boxed{7.\ (x+a)(x+b)}$

③ $acx^2+(ad+bc)x+bd=\boxed{8.\ (ax+b)(cx+d)}$

④ $a^3+b^3=\boxed{9.\ (a+b)(a^2-ab+b^2)}$

⑤ $a^3-b^3=\boxed{10.\ (a-b)(a^2+ab+b^2)}$

例題 次の計算をしなさい。

(1) $\dfrac{x-3}{x-2}\geqq\dfrac{1}{2}$

分母 $\neq 0$ より $x\neq 2$

ⅰ）$x>2$ のとき

$2(x-3)\geqq x-2$ $x\geqq 4$

ⅱ）$x<2$ のとき

$2(x-3)\leqq x-2$ $x\leqq 4$

条件より $x<2$

$\boxed{11.\ x\geqq 4,\ x<2}$

(2) $\begin{cases} \dfrac{x-7}{2}\leqq 4x & \cdots① \\ 3x+4>5x-8 & \cdots② \end{cases}$

①は $x-7\leqq 8x$ $-7x\leqq 7$

$x\boxed{12.\geqq}\boxed{13.-1}$

②は $3x-5x>-8-4$

$-2x>-12$

$x\boxed{14.<}\boxed{15.6}$

よって $\boxed{16.\ -1\leqq x<6}$

(3) $\begin{cases} -x+2\geqq 5(x-2) & \cdots① \\ 2(2x-1)>5x & \cdots② \end{cases}$

①は $-x-5x\geqq -10-2$

$-6x\geqq -12$

$x\leqq 2$

②は $4x-2-5x>0$

$-x>2$

$x<-2$

よって $\boxed{17.\ x<-2}$

例 題 次の式を因数分解しなさい。

(1) $abx^2 - 16aby^2$

$= ab(x^2 - 16y^2)$

$= \boxed{18.\ ab(x+4y)(x-4y)}$

(2) $(x^2-x)^2 - 14(x^2-x) + 24$

$= \boxed{19.\ \{(x^2-x)-2\}\{(x^2-x)-12\}}$

$= (x^2-x-2)(x^2-x-12)$

$= \boxed{20.\ (x-2)(x+1)(x-4)(x+3)}$

(3) $x^4 - 5x^2 + 4$

$x^2 = X$ とおくと

$X^2 - 5X + 4$

$= \boxed{21.\ (X-4)(X-1)}$

$X = x^2$ より

$(X-4)(X-1)$

$= \boxed{22.\ (x^2-4)(x^2-1)}$

$= \boxed{23.\ (x+2)(x-2)(x+1)(x-1)}$

(4) $8a^3 + 27b^3$

$= \boxed{24.\ (2a)^3} + (3b)^3$

$= \boxed{25.\ (2a+3b)(4a^2-6ab+9b^2)}$

• second try •

年 月 日（ ）

• first try •

年 月 日（ ）

1. 〜 25.

➕ プラスチェック！

□自然数の正の約数の個数を求める公式

$N = x^a \times y^b \times z^c \cdots$ のとき，

$(a+1)(b+1)(c+1)\cdots$ 個

□等差数列の一般項

初項 a，公差 d の等差数列 a_n とすると

$a_n = a + (n-1)d$

*このページで覚えた知識を教師になってどう活かしたい？

*あ！あれ何だっけ？ 確認メモ！

53

数と計算—③（2次方程式）

基本のカクニン■2次方程式の解法

① $x^2 + px + q = 0 \longrightarrow (x-a)(x-b) = 0$

解 $x = a$, $x = b$ ◀ 因数分解による解き方

② $x^2 + px + q = 0 \longrightarrow (x+a)^2 = b$

$\longrightarrow x + a = \boxed{1. \ \pm\sqrt{b}}$ $(b \geqq 0)$

解 $x = \boxed{2. \ -a \pm \sqrt{b}}$ ◀ 完全平方による解き方

③ $ax^2 + bx + c = 0$ $x = \dfrac{\boxed{4. \ -b \pm \sqrt{b^2 - 4ac}}}{\boxed{3. \ 2a}}$ $(b^2 - 4ac は正)$ ◀ 「解の公式」を用いる

〈解と係数の関係〉

$ax^2 + bx + c = 0$ の解を α，β とするとき $\alpha + \beta = \boxed{5. \ -\dfrac{b}{a}}$, $\alpha\beta = \boxed{6. \ \dfrac{c}{a}}$

例　題

(1) $x^2 - 2x - 15 = 0$ を解きなさい。

解 ▶解法①によるとき

$(x-5)(x+3) = 0$

$x - 5 = 0 \longrightarrow x = \boxed{7. \ 5}$

$x + 3 = 0 \longrightarrow x = \boxed{8. \ -3}$

▶解法②によるとき

$x^2 - 2x + 1 - 1 - 15 = 0$

$x^2 - 2x + 1 - 16 = 0$

$\boxed{9. \ (x-1)^2 - 16} = 0$

$(x-1)^2 = 16$

$\therefore (x-1) = \pm\sqrt{16}$

$\therefore x = 1 \pm \sqrt{16}$

$= 1 \pm 4 = \underline{5, \ -3}$

▶解法③によるとき

$a = 1$, $b = -2$, $c = -15$ を公式に代入

$x = \dfrac{-(-2) \pm \boxed{10. \ \sqrt{(-2)^2 - 4 \times 1 \times (-15)}}}{2 \times 1}$

$= \dfrac{2 \pm \sqrt{64}}{2} = \dfrac{2 \pm 8}{2}$

$= 1 \pm 4 = \underline{5, \ -3}$

(2) $2x^2 - 3x + 5 = 0$ の2つの解を α，β とするとき，次の値を求めなさい。

① $\alpha^2 + \beta^2$ 　　② $(\alpha - \beta)^2$

解 ①解と係数の関係から

$\alpha + \beta = \boxed{11. \ \dfrac{3}{2}}$, $\alpha\beta = \boxed{12. \ \dfrac{5}{2}}$

$\alpha^2 + \beta^2 = \alpha^2 + 2\alpha\beta + \beta^2 - 2\alpha\beta = (\alpha + \beta)^2 - 2\alpha\beta$

$= \left(\dfrac{3}{2}\right)^2 - 2 \times \dfrac{5}{2}$

$= \dfrac{9}{4} - 5 = \dfrac{9 - 20}{4} = \boxed{13. \ -\dfrac{11}{4}}$

② $\alpha + \beta = \dfrac{3}{2}$, $\alpha\beta = \dfrac{5}{2}$

$(\alpha - \beta)^2 = \alpha^2 - 2\alpha\beta + \beta^2$

$= \alpha^2 + 2\alpha\beta + \beta^2 - 4\alpha\beta$

$= (\alpha + \beta)^2 - 4\alpha\beta$

$= \left(\dfrac{3}{2}\right)^2 - 4 \times \dfrac{5}{2}$

$= \dfrac{9}{4} - 10 = \dfrac{9 - 40}{4} = \boxed{14. \ -\dfrac{31}{4}}$

● 計算もんだい

(1) 107を，2進法であらわしなさい。

解　2進法　2)107　余り

$$2)53 \cdots\cdots 1$$
$$2)26 \cdots\cdots 1$$
$$2)13 \cdots\cdots 0$$
$$2)6 \cdots\cdots 1$$
$$2)3 \cdots\cdots 0$$
$$1 \cdots\cdots 1$$

∴ $\boxed{\text{15. 1101011}}$

(2) 3%と8%の濃さの食塩水を混ぜて，6%の食塩水を400gつくるためにはそれぞれ何gずつ混ぜればよいか。

解　3%の食塩水をxg，8%の食塩水をyg混ぜるとする。

6%の食塩水400g中には，食塩が $\boxed{\text{16. 24}}$ g，水が376gある。

$$\begin{cases} 0.03x + 0.08y = 24 \\ x + y = 400 \end{cases}$$

上式から，$x = 160 \cdots$3%の食塩水を $\boxed{\text{17. 160}}$ g

$y = 240 \cdots$8%の食塩水を $\boxed{\text{18. 240}}$ g

(3) ある大学の学生数は12720人で，これは前年比で，男子が9%増，女子は3%減で，全体では6%増であった。今年の男子，女子それぞれの学生数を求めなさい。

解　昨年の男子をx人，女子をy人とすると，

$$\begin{cases} 1.06(x+y) = 12720 \cdots\cdots ① \\ \boxed{\text{19. } 1.09x} + \boxed{\text{20. } 0.97y} = 12720 \cdots\cdots ② \end{cases}$$

①×1.09 − ②×1.06

$$1.1554x + 1.1554y = 13864.8$$
$$-)\ 1.1554x + 1.0282y = 13483.2$$
$$0.1272y = 381.6$$

∴$y = 3000 \cdots\cdots$前年の女子　　$y = 3000$を①に代入 …中略…

$x = 9000 \cdots\cdots$前年の男子

今年の男子は$9000 \times 1.09 = \boxed{\text{21. 9810}}$ 人

女子は$3000 \times 0.97 = \boxed{\text{22. 2910}}$ 人

(4) ある道のりを往路は4km /h，帰路は6km /hで往復した。往復の平均速度を求めなさい。

解　$\boxed{\text{23. 片道の距離}}$ を $x$km とすると，

$$2x \div \left(\frac{x}{4} + \frac{x}{6} \right) = 2x \div \frac{5x}{12} = \frac{24x}{5x} = \boxed{\text{24. 4.8}} \text{ km/h}$$

✚ プラスチェック！

□食塩水の問題…①濃度＝食塩の重さ÷食塩水の重さ×100，②食塩の重さ＝食塩水の重さ×食塩水の濃度÷100

□速さの問題…①距離＝速さ×時間，②時間＝距離÷速さ，③速さ＝距離÷時間

＊このページで覚えた知識を教師になってどう活かしたい？

＊あ！あれ何だっけ？　確認メモ！

chapter 28 グラフ，関数で数量の変化を表現し考察する能力を

１次関数と２次関数の違いについて把握し，座標の求め方などについて理解しておこう。グラフ上の図形面積など，関連設問を解く際にスムーズに考えられるようにしたい。

グラフ（１次関数，２次関数）

基本のカクニン■１次関数

$y = ax + b$

↑
傾きa，y切片bの直線

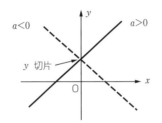

$a > 0$なら ［1. 右上がり］のグラフ

$a < 0$なら ［2. 右下がり］のグラフ

２直線 $\begin{cases} y = ax + b \\ y = cx + b \end{cases}$ について，

①平行のとき　$a = c$

②垂直のとき　$a \times c = -1$

③交点の座標　連立に解いたときの $(x,\ y) = (p,\ q)$

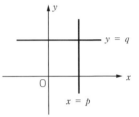

┌ x軸に平行な直線 ⟶ $y = q$
└ y軸に平行な直線 ⟶ $x = p$

基本のカクニン■２次関数

$y = ax^2$のグラフ

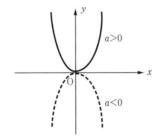

$a > 0$のとき　上に開く

$a < 0$のとき　下に開く

↑

aの絶対値が ［3. 大きい］ほどすぼみ，

aの絶対値が ［4. 小さい］ほどひらく。

放物線と直線の位置関係

$\begin{cases} y = ax^2 + bx + c \quad (a,\ b,\ c \text{ は実数},\ a \neq 0) \\ y = mx + n \quad (m,\ n \text{ は実数}) \end{cases}$

yを消去すると　$ax^2 + (b-m)x + (c-n) = 0$　　判別式　$D = $ ［5. $(b-m)^2 - 4a(c-n)$］

放物線と直線の関係			放物線の頂点と軸（$a \neq 0$）
	相異なる2点で交わる	1点で接する	共有点をもたない

放物線と直線の関係		
	相異なる2点で交わる	1点で接する	共有点をもたない
判別式…	$D > 0$	$D = 0$	$D < 0$
グラフ…			

放物線の頂点と軸（$a \neq 0$）

$y = ax^2 + bx + c$のとき

頂点 $\left(-\dfrac{b}{2a},\ \dfrac{-b^2 + 4ac}{4a} \right)$,

軸 $x = -\dfrac{b}{2a}$

• second try •

年　月　日（　）
🕐　　：　～　　：
☀ ☁ ☂（　　）
✎ am・pm　　℃
😀 🙂 😕 😣 😫

• **first try** •

年　月　日（　）
🕐　　：　～　　：
☀ ☁ ☂（　　）
✎ am・pm　　℃
😀 🙂 😕 😣 😫

・・基本のカクニン■逆関数（$y=ax+b$の逆関数の求め方）・・・・・・・

① xについて解く　　$x=\dfrac{y-b}{a}$

② xとyを入れかえる　　$y=\dfrac{x-b}{a}$　◀　$y=ax+b$の逆関数

＊$y=f(x)$とその逆関数の$y=g(x)$のグラフは$y=x$に関して対称。

例　題

(1)　原点と2直線$y=2x+1$, $y=-x+4$の交点を通る直線の式を求めなさい。

解　$\begin{cases} y=2x+1 \\ y=-x+4 \end{cases}$ を解くと交点は（6.1,3）

　　　直線は，原点と（1, 3）を通ることより

　　　$y=ax$は　$3=1\times a$

　　　$a=3$　ゆえに　求める直線は 7. $y=3x$

(2)　$y=-2x+3$と平行な直線，垂直な直線で，それぞれy切片1の直線の式を求めなさい。

解　平行な直線は傾きが同じで-2でy切片は1だから，

　　　$y=$ 8. $-2x+1$

　　　垂直な直線は傾きaが

　　　$a\times(-2)=-1$, $a=\dfrac{1}{2}$, y切片は1だから， 9. $y=\dfrac{1}{2}x+1$

(3)　$y=2x^2+4x-1$の最大値と最小値を求めなさい。ただし，xはすべての実数値をとりうる。

解　$y=2x^2+4x-1=$ 10. $2(x^2+2x)-1$ $=2(x+1)^2-3$

　　　このグラフは点（11. $-1, -3$）をその頂点とし，

　　　下に凸の放物線で下図のようになる。

　　　12. $x=-1$ のとき最小値 13. -3 となり，最大値は 14. なし

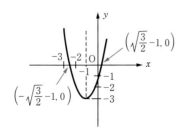

1.
2.
3.
4.
5.
6.
7.
8.
9.
10.
11.
12.
13.
14.
15.
16.
17.
18.
19.
20.
21.
22.
23.
24.
25.

➕ **プラスチェック！**

☐算数科では，関数としては比例を中心に扱い，比例の理解を促すために反比例についても学習する。

☐さらに，様々な事象における二つの数量の関係について，それらの数量の間に成り立つ比例関係を前提として乗法的な関係から把握される「割合」について学習する。

＊このページで覚えた知識を教師になってどう活かしたい？

＊あ！あれ何だっけ？　確認メモ！

角の性質や内角や外角の和などを使って角度を求める問題は頻出。補助線を引いたり，わかっている角度や長さを書き込んでいくと解きやすい。

図形─①（角・円周角の性質）

基本のカクニン■角の性質

※∠R＝90°（直角）を表す。

ア． 三角形の外角はその 1.内対角 の和に等しい

A

外角

B　　C　　D

∠ACD＝∠A＋∠B

イ． 直線 l と m が平行のとき

l

a

b　c

m　d

同位角 ∠a＝∠c

∠b＝∠d

錯　角 ∠b＝∠c

ウ． n 角形の外角の和は，つねに

4∠R＝360°

（例）

120°

60° 120°

60°

60°

120°

エ． n 角形の内角の和は，

2.$(n-2)\times180°$

または，

$(2n-4)\angle R$

正 n 角形の

1つの内角は，

$\dfrac{2n-4}{n}\angle R$

オ． n 角形の対角線数 $\dfrac{n(n-3)}{2}$ 本

基本のカクニン■円周角の性質

ア．

P 円周角

O

A 中心角 B

同じ弧に対する

円周角は，

中心角の半分

$\angle APB=\dfrac{1}{2}\angle AOB$

イ．

P_2　P_3

P_1　　P_4

A　　　B

同じ弧の上の

円周角は

すべて等しい

$\angle P_1=\angle P_2=\angle P_3=$

$\angle P_4=\cdots$

ウ．

B　　A

D　T　C

円周上の1点から

ひいた接線と弦との

作る角は，その角内

にある弧に対する円

周角に等しい

エ．

A　D

B　　C E

内接四辺形

対角の和は 3.180°

∠A＋∠C＝180°

∠B＋∠D＝180°

外角∠DCE＝∠BAD

基本のカクニン■内接円・外接円

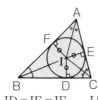

A

F　　E

I

B　D　C

ID＝IE＝IF　　Iは内接円の中心　➡内心

3つの 4.内角 の

2等分線の交点…I

A

O

B　　C

OA＝OB＝OC　　Oは外接円の中心　➡外心

5.3辺 の

垂直2等分線の交点…O

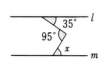

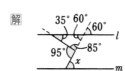

・second try・	・first try・
年 月 日( )	年 月 日( )
🕐 ： ～ ：	🕐 ： ～ ：
☀ ☁ ☂ ( )	☀ ☁ ☂ ( )
✏ am・pm ℃	✏ am・pm ℃
😀 😐 😣 😖 😫	😀 😐 😣 😖 😫

例 題 次の各角度を求めなさい。

(1) $l /\!/ m$

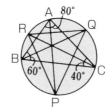

$x = \boxed{6.\ 60°}$

(2) 正六角形の１つの内角，外角を求めなさい。

解 $\boxed{7.\ \dfrac{2n-4}{n}} \angle R = \dfrac{2 \times 6 - 4}{6} \times \angle R = \dfrac{4}{3} \angle R$

$\quad = \boxed{8.\ 120°} \cdots$内角

$\dfrac{360°}{6} = \boxed{9.\ 60°} \cdots$外角

(3) △ABCにおいて∠A = 80°，∠B = 60°，∠C = 40°とするとき，頂点A，B，Cの２等分線が，△ABCの外接円と交わる点をP，Q，Rとする。

①∠PQRは何度か。

解 ∠PQR = $\boxed{10.\ \angle RQB}$ + $\boxed{11.\ \angle PQB}$ = 20° + 40° = $\boxed{12.\ 60°}$

②$\overset{\frown}{PQ} : \overset{\frown}{QR} : \overset{\frown}{RP}$を求めなさい。

解 $\overset{\frown}{PQ} : \overset{\frown}{QR} : \overset{\frown}{RP}$ = $\boxed{13.\ \angle PRQ}$: $\boxed{14.\ \angle QPR}$: $\boxed{15.\ \angle RQP}$

∠PRQ = $\boxed{16.\ \angle PRC}$ + ∠QRC = 80° ÷ 2 + 60° ÷ 2 = 70°

∠QPR = $\boxed{17.\ \angle QPA}$ + ∠RPA = 60° ÷ 2 + 40° ÷ 2 = 50°

∠RQP = $\boxed{18.\ \angle RQB}$ + ∠PQB = 40° ÷ 2 + 80° ÷ 2 = 60°

∴ $\overset{\frown}{PQ} : \overset{\frown}{QR} : \overset{\frown}{RP}$ = 70° : 50° : 60° = $\boxed{19.\ 7 : 5 : 6}$

(4) ∠xと∠yの大きさを求めなさい。ただし，直線TT′は円周上の点Aにおける接線で，∠ADC = 72°，∠BAT′ = 45°とする。

解 ∠CAT′ = 72°　∠BAC = 72° − 45° = 27°　∴∠x = $\boxed{20.\ 27°}$

$\quad$ ∠y = 180° − 72° = $\boxed{21.\ 108°}$

1.	1.
2.	2.
3.	3.
4.	4.
5.	5.
6.	6.
7.	7.
8.	8.
9.	9.
10.	10.
11.	11.
12.	12.
13.	13.
14.	14.
15.	15.
16.	16.
17.	17.
18.	18.
19.	19.
20.	20.
21.	21.
22.	22.
23.	23.
24.	24.
25.	25.

✚ プラスチェック！

□図形の指導：小学校では，分度器の用い方に慣れるまで時間がかかる。図形の角の大きさを測定したり，示された角の大きさを作り確かめたりする経験を豊かにする。その際，角の大きさの見当を付け「90度より小さい」など，角の大きさを判断できるようにする。

＊このページで覚えた知識を教師になってどう活かしたい？

＊あ！あれ何だっけ？　確認メモ！

図形の性質を知り，日常の事象も捉え直してみる

面積を求める問題がよく出題されている。複合図形の面積を求める場合は，図形を分割したり，部分を移動し当てはめたりすることで求めることができる。

図形—②（三角形，四角形）

・・・基本のカクニン・・・

[中点連結定理]

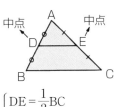

$$\begin{cases} DE = \dfrac{1}{2}BC \\ DE /\!/ BC \end{cases}$$

[三角形の等積移動]

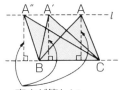

高さが等しい

$l /\!/ BC$で，A，A′，…
がl上にあれば

$\triangle ABC = \triangle A'BC = \cdots$

DE∥BC

$$\dfrac{AD}{AB} = \dfrac{AE}{AC} = \dfrac{DE}{BC}$$

[三角形の重心]

① 3つの中線の交点G

② AG：GM

$= BG：GN$

$= CG：GL = \boxed{1. \, 2:1}$

[三角形の相似]（3つのうち1つ）〔∽〕

① $\boxed{2. \, 3辺の比}$ が
それぞれ等しい

② $\boxed{3. \, 2辺の比}$ とその間
の角がそれぞれ等しい

③ $\boxed{4. \, 2組の角}$ が
それぞれ等しい

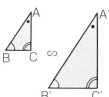

[三角形の合同条件]（3つのうち1つ）〔≡〕

① **3辺**がそれぞれ等しい

② **2辺**とその**間の角**がそれぞれ等しい

③ **1辺**とその**両端の角**がそれぞれ等しい

[直角三角形の合同条件]（2つのうち1つ）

① **斜辺**と他の**1辺**がそれぞれ等しい

② **斜辺**と**1鋭角**がそれぞれ等しい

・・・基本のカクニン・・・

㋐ 台 形

$S = \boxed{5. \, \dfrac{1}{2}(a+b)h}$

㋑ ひし形

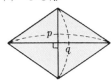

$S = \boxed{6. \, \dfrac{1}{2}pq}$

㋒ 円

$S = \pi r^2$

㋓ おうぎ形

（l：弧の長さ）

$S = \dfrac{a}{360} \cdot \pi r^2 = \boxed{7. \, \dfrac{1}{2}lr}$

$l = \dfrac{a}{360} \cdot 2\pi r$

㋔ 正三角形

$h = \dfrac{\sqrt{3}}{2}a$

$S = \dfrac{\sqrt{3}}{4}a^2$

㋕ ヘロンの公式

$S = \boxed{8. \, \sqrt{s(s-a)(s-b)(s-c)}}$

ただし$S = \dfrac{a+b+c}{2}$とする。

※以上，すべてSは面積を表す。

例 題

(1) △ABCと△ADEは，ともに正三角形である。△ABD≡△ACEであることを証明しなさい。

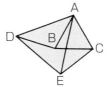

解 〔証明〕正三角形の辺だから

AB＝AC，AD＝AE

∠BAD＝60°－ 9.∠BAE

∠CAE＝60°－ 10.∠BAE

∴∠BAD＝∠CAE

∴ 11. 2辺 とその 12. 間の角 がそれぞれ等しい。

△ABD≡△ACE

(2) 円Oに内接する円P，Qがあります。図の斜線部分の面積を求めなさい。

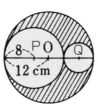

解 円Qの半径は

（ 13. 12×2 － 14. 8×2 ）÷2＝4

斜線部分＝円Oの面積－（円Pの面積＋円Qの面積）

$12^2\pi－(8^2\pi＋ \boxed{15. 4^2\pi})＝144\pi－64\pi－16\pi$

$＝ \boxed{16. 64\pi} (cm^2)$

(3) 右の図で，△ABCは1辺の長さが12cmの正三角形である。また$\overset{\frown}{AB}$，$\overset{\frown}{BC}$，$\overset{\frown}{CA}$はそれぞれ辺AB，BC，CAを直径とする半円である。次に答えなさい。

①斜線部分の周りの長さを求めなさい。

解 $12\pi× \boxed{17. \frac{1}{6}} ×3＝ \boxed{18. 6\pi} (cm)$

②斜線部分の面積を求めなさい。

解 BCより下にはみ出した弓形部分を，左上のくぼんだ部分に移すと，19. おうぎ形 になる。

$\boxed{20. 6^2\pi} × \boxed{21. \frac{60}{360}} ＝\frac{36\pi}{6}＝ \boxed{22. 6\pi} (cm^2)$

- second try -

年 月 日（ ）
⏰ ： ～ ：
☀☁☂（ ）
✏ am・pm ℃
😊😐😣😖😫

1.
2.
3.
4.
5.
6.
7.
8.
9.
10.
11.
12.
13.
14.
15.
16.
17.
18.
19.
20.
21.
22.
23.
24.
25.

- first try -

年 月 日（ ）
⏰ ： ～ ：
☀☁☂（ ）
✏ am・pm ℃
😊😐😣😖😫

1.
2.
3.
4.
5.
6.
7.
8.
9.
10.
11.
12.
13.
14.
15.
16.
17.
18.
19.
20.
21.
22.
23.
24.
25.

➕ プラスチェック！

□図形の指導：基本図形の面積の求め方を考える中で，数学的な見方・考え方を働かせることによって，児童が自ら工夫して面積を求めることができるようにすることが大切である。

＊このページで覚えた知識を教師になってどう活かしたい？

＊あ！あれ何だっけ？　確認メモ！

図形―③（立体，三角形の定理）

基本のカクニン■体積を求める公式

［角柱］（V：体積，S：表面積，A：底面積，h：高さ）

⑦ 立方体   ⑦ 直方体   ⑦ 角柱   ⑤ 角すい

$S = 6a^2$ $S = 2(ab + bc + ca)$ $V = Ah$ $V = \boxed{1.\ \dfrac{1}{3}Ah}$

$V = a^3$ $V = abc$

［円柱］（V：体積，S：表面積，S'：側面積，h：高さ，

        r：半径，l：母線の長さ）

［球］（V：体積，S：表面積，r：半径）

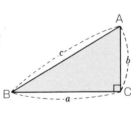

$S = \boxed{5.\ 4\pi r^2}$

$V = \boxed{6.\ \dfrac{4}{3}\pi r^3}$

⑦ 円柱   ⑦ 円すい

$S = 2\pi r(r + h)$ $S = \boxed{2.\ \pi r(r + l)}$

$S' = 2\pi rh$ $S' = \boxed{3.\ \pi rl}$ $V = \boxed{4.\ \dfrac{1}{3}\pi r^2 h}$

$V = \pi r^2 h$

基本のカクニン■定理など

［三平方の定理（ピタゴラスの定理）］

直角三角形の斜辺の平方は，直角をはさむ2辺の

平方の和に等しい。   ∠C＝∠Rならば

［三平方の定理の逆］ $\boxed{7.\ \mathbf{a^2 + b^2 = c^2}}$

3辺がa，b，cの三角形で$a^2 + b^2 = c^2$ならば，

この三角形は $\boxed{8.\ \angle C}$ ＝∠Rの直角三角形である。

 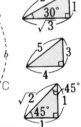

［三角比の定義］

$\boxed{9.\ \sin\theta} = \dfrac{BC}{AB}\left(= \dfrac{対辺}{斜辺}\right)$…正弦

$\boxed{10.\ \cos\theta} = \dfrac{CA}{AB}\left(= \dfrac{隣辺}{斜辺}\right)$…余弦

$\boxed{11.\ \tan\theta} = \dfrac{BC}{CA}\left(= \dfrac{対辺}{隣辺}\right)$…正接

（ただし，$0° < \theta < 90°$ ∠A＝θ ∠C＝$90°$）

［三角関数の相互関係］

○ $\sin^2\theta + \cos^2\theta = \boxed{12.\ 1}$

○ $\tan\theta = \boxed{13.\ \dfrac{\sin\theta}{\cos\theta}}$

○ $1 + \tan^2\theta = \dfrac{1}{\cos^2\theta}$

□
□

例　題

(1)　底面の半径がrの円すいを，図のように頂点Vを中心に平面上をすべらぬようにころがして，点線で示した円の上を1周させたら，円すいはVHを軸として2回転した。次の問いに答えなさい。

①VHの長さを求めなさい。

解　円すいの母線の長さをlとすると，

$$2\pi l = 2\pi r \times 2 \quad \therefore l = 2r$$

従って$r : l : \mathrm{VH} = \boxed{14.\ 1:2:\sqrt{3}}$

$$\therefore \mathrm{VH} = \boxed{15.\ \sqrt{3}r}$$

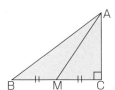

②円すいの体積をrで表しなさい。

解　$\pi r^2 \times \sqrt{3}r \times \dfrac{1}{3} = \boxed{16.\ \dfrac{\sqrt{3}}{3}\pi r^3}$

③円すいの表面積を求めなさい。

解　$(2r)^2 \pi \times \boxed{17.\ \dfrac{2\pi r}{4\pi r}} + \pi r^2$

$$= \dfrac{4\pi r^2 \times 2\pi r}{4\pi r} + \pi r^2 = 2\pi r^2 + \pi r^2 = \boxed{18.\ 3\pi r^2}$$

(2)　次の図でAB＝5，AC＝3のときAMの長さを求めなさい。

解　$\boxed{19.\ \mathrm{BC}^2} = \mathrm{AB}^2 - \mathrm{CA}^2$

$$= 5^2 - 3^2$$

$$= 25 - 9 = 16$$

$$\therefore \mathrm{BC} = 4$$

$$\mathrm{AM}^2 = \boxed{20.\ \mathrm{MC}^2 + \mathrm{CA}^2}$$

$$= 2^2 + 3^2$$

$$= 4 + 9 = 13$$

$$\therefore \mathrm{AM} = \boxed{21.\ \sqrt{13}}$$

・second try・　　・**first try**・

年　月　日（　）

🕐　　：　～　：

☀ ☁ ☔（　　）

🖊 am・pm　　℃

😊 😐 😟 😣 😫

年　月　日（　）

🕐　　：　～　：

☀ ☁ ☔（　　）

🖊 am・pm　　℃

😊 😐 😟 😣 😫

1.
2.
3.
4.
5.
6.
7.
8.
9.
10.
11.
12.
13.
14.
15.
16.
17.
18.
19.
20.
21.
22.
23.
24.
25.

✚ **プラスチェック！**

□図形の指導：立方体や直方体の公式を使用するときには，例えば単位体積の立方体をきちんと敷き詰めた1段分の個数を（縦）×（横），その段の個数を（高さ）でそれぞれ表すことができることなどの理解も確実にする必要がある。

＊このページで覚えた知識を教師になってどう活かしたい？

＊あ！あれ何だっけ？　確認メモ！

chapter 32 不確定な事象も確率で捉えると数で判断ができる

順列や組合せ，確率は，問題の条件を押さえて解くことが大切である。確率においても場合の数を組み込んだ設問がみられる。考え方を混同しないように注意しよう。

場合の数・確率，統計―①

基本のカクニン■場合の数

〔和の法則〕 2つの事柄A，Bがあって，この2つは同時に起こらないとする。そして，Aにはm通り，Bにはn通りの場合があるとき，

AまたはBが起こる場合の数は， $\boxed{1. \, m+n 通り}$ である。

〔積の法則〕 2つの事柄A，Bがあって，Aにはm通りの場合があって，その各々の場合に対して，Bにはn通りの場合があるとき，

AとBがともに起こる場合の数は， $\boxed{2. \, m×n 通り}$ である。

＊場合の数を求めるときには，数え落としや重複がないように樹形図を用いるなど，いろいろな場合に分類して，順序よく数えることがポイント。

基本のカクニン■確率

ある事柄Aが起こり得るすべての場合の数がn通りで，そのどれが起こることも同様に確からしいとする。ある事柄Aが起こるのは，上のn通りのうちa通りであるとき，

Aの起こる確率は $\boxed{3. \, \dfrac{a}{n}}$ である。

例題

(1) $\boxed{0}$, $\boxed{1}$, $\boxed{2}$, $\boxed{3}$, $\boxed{4}$の5枚のカードがある。この中から異なる2つの数字をとり出して，その一方を10の位の数，他方を1の位の数として2桁の整数をつくるとき，偶数は全部で何通りあるか。

解 10の位の数字になるのは，$\boxed{1}$，$\boxed{2}$，$\boxed{3}$，$\boxed{4}$，1の位の数字になるのは，2桁の偶数でなければならないので，$\boxed{0}$，$\boxed{2}$，$\boxed{4}$

$$1 \!\!\begin{array}{l} \nearrow 0 \\ - 2 \\ \searrow 4 \end{array} \qquad 2 \!\!\begin{array}{l} \nearrow 0 \\ \searrow 4 \end{array} \qquad 3 \!\!\begin{array}{l} \nearrow 0 \\ - 2 \\ \searrow 4 \end{array} \qquad 4 \!\!\begin{array}{l} \nearrow 0 \\ \searrow 2 \end{array} \qquad の \; \boxed{4. \, 10} \; 通り$$

(2) 2枚の10円玉を投げるとき，次の確率を求めなさい。

① 2枚とも表が出る確率

解 2枚の10円玉をA，Bとして（A，B）で表すと，起こり得る場合は，（A－表，B－表），（A－表，B－裏），（A－裏，B－表），（A－裏，B－裏）の4通りである。

よって $\boxed{5. \, \dfrac{1}{4}}$

② 少なくとも1枚が裏である確率

解 「少なくとも1枚が裏」とは，（ 6.表,表 ）にならない場合

である。したがって 7.1 − 8.$\frac{1}{4}$ = 9.$\frac{3}{4}$

(3) 袋の中に，赤玉が3個，白玉が5個入っている。この中から1
個ずつ2個，玉をとり出すとする。このとき，次の確率を求めな
さい。ただし，一度取り出した玉はもとに戻さないものとする。
①最初に赤玉，次に白玉が出る確率を求めなさい。

解 最初に赤玉を取り出す確率は 10.$\frac{3}{8}$ ，

次に白玉が出る確率は 11.$\frac{5}{7}$ よって $\frac{3}{8} \times \frac{5}{7}$ = 12.$\frac{15}{56}$

②2番目に白玉が出る確率を求めなさい。

解 白玉，白玉の順に取り出す確率と赤玉，白玉の順で取り出す
確率の和は，

$$\left(\boxed{13.\frac{5}{8}} \times \boxed{14.\frac{4}{7}} \right) + \left(\boxed{15.\frac{3}{8}} \times \boxed{16.\frac{5}{7}} \right) = \boxed{17.\frac{5}{8}}$$

(4) 2個のサイコロを同時に投げたとき，次の確率を求めなさい。
①両方とも3の目が出る確率

解 （3の目が出る確率）×（3の目が出る確率） $\frac{1}{6} \times \frac{1}{6}$ = $\boxed{18.\frac{1}{36}}$

②同じ目が出る確率

解 同じ目の組合せは6通り $\frac{6}{36}$ = $\boxed{19.\frac{1}{6}}$

③両方とも奇数の目が出る確率
解 （奇数の目の出る確率）×（奇数の目の出る確率）

$\frac{3}{6} \times \frac{3}{6} = \frac{9}{36}$ = $\boxed{20.\frac{1}{4}}$

④少なくとも1つは1の目が出る確率
解 2つとも1以外の出方は   5×5＝25通り

$\boxed{21.1}$ − $\boxed{22.\frac{25}{36}}$ = $\boxed{23.\frac{11}{36}}$

⑤出た目の積が偶数になる確率

解 奇数×奇数以外は偶数である $\boxed{24.1}$ − $\left(\frac{3}{6} \times \frac{3}{6} \right)$ = $\boxed{25.\frac{3}{4}}$

• second try •

年　月　日（　）
🕐　　:　～　　:
☀ ☁ ☂（　）
🌡 am・pm　　℃
😊 😐 😣 😫 😵

• first try •

年　月　日（　）
🕐　　:　～　　:
☀ ☁ ☂（　）
🌡 am・pm　　℃
😊 😐 😣 😫 😵

second try	first try
1.	1.
2.	2.
3.	3.
4.	4.
5.	5.
6.	6.
7.	7.
8.	8.
9.	9.
10.	10.
11.	11.
12.	12.
13.	13.
14.	14.
15.	15.
16.	16.
17.	17.
18.	18.
19.	19.
20.	20.
21.	21.
22.	22.
23.	23.
24.	24.
25.	25.

➕ プラスチェック！

□起こり得る場合に関わる指導：第6学年では，起こ
り得る場合について，落ちや重なりがないように調
べる方法について考察することを指導する。誤りな
く全ての場合を明らかにできるようにする。

＊このページで覚えた知識を教師になってどう活かしたい？

＊あ！あれ何だっけ？ 確認メモ！

場合の数・確率, 統計―②

【平均】

例1：どんぐり拾いをしたときの結果

	A	B	C	D	E	F	G	H	I
個数	13	18	29	8	21	16	16	14	24

平均＝データの総和÷データの大きさ

▶平均……　(13+18+29+8+21+16+16+14+24) ÷ 9 ≒ [1. 17.6]

◎中央値…データを大きさ順に並べた
ときちょうど真ん中にあるものの値

8, 13, 14, 16, 16, 18, 21, 24, 29

例1の場合は，[2. 16]

◎最頻値…最も頻度の高い値

例1の場合は，[3. 16]

【度数分布】

例2：クラスの男子20名が垂直跳びをしたときの結果

31, 33, 36, 38, 39, 32, 33, 36, 24, 38, 28, 22, 37, 37, 31, 39, 28, 31, 34, 32

↓度数分布表

階級 (cm)	度数
20 以上 25 未満	2
25 以上 30 未満	2
30 以上 35 未満	8
35 以上 40 未満	8

↓相対度数分布表

階級 (cm)	相対度数
20 以上 25 未満	0.1
25 以上 30 未満	0.1
30 以上 35 未満	0.4
35 以上 40 未満	0.4

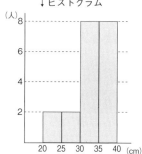

↓ヒストグラム

◎度数…階級に属している人数
◎相対度数…データの [4. 大きさ] を，
1 としたときの度数の割合

相対度数
＝度数÷データの大きさ

【分散・標準偏差】

例3：自家用車で会社へ行くのにかかった時間（分）

自家用車	24	29	23	25	21	28

→平均は，(24+29+23+25+21+28) ÷ 6 = [5. 25]

平均との差は，→

自家用車	24	29	23	25	21	28
平均との差（偏差）	1	4	2	0	4	3

分散＝偏差の2乗の和÷データの大きさ

▶分散……　$(1^2 + 4^2 + 2^2 + 0^2 + 4^2 + 3^2)$ ÷ 6 ≒ [6. 7.8]
▶標準偏差（$\sqrt{分散}$）……$\sqrt{7.8}$

【箱ひげ図】

例4：例2の垂直跳びデータを [7. 小さい] 順に並べ，データを4分割する

22, 24, 28, 28, 31, /31, 31, 32, 32, 33, /33, 34, 36, 36, 37, /37, 38, 38, 39, 39,

第1グループ　　　第2グループ　　　第3グループ　　　第4グループ

第1グループの最大と第2グループの最小の平均　(31+31)÷2 = 31 ←第1四分位数
第2グループの最大と第3グループの最小の平均　(33+33)÷2 = 33 ←第2四分位数
第3グループの最大と第4グループの最小の平均　(37+37)÷2 = 37 ←第3四分位数
(第3四分位数) ―（第1四分位数）=四分位範囲

【階乗，円順列】

- 基本のカクニン■順列・階乗
  ◎順列…異なる n 個のものから r 個を取り出して並べる
  nPr=n・$(n-1)$$(n-2)$…8.$\boxed{(n-r+1)}$

  ◎階乗…異なる n 個のものを全て並べるときの並べ方
  n！=n・$(n-1)$・$(n-2)$…・3・2・1

例　題

(1) A, B, C, D, E の 5 人で徒競走を行う。1 位，2 位，3 位の結果として考えられる場合の数は，9.$\boxed{5 \times 4 \times 3}$ = 10.$\boxed{60}$ 通り

(2) 3 人の男子と 2 人の女子が一列に並ぶとき，女子 2 人が隣り合う場合の数は，女子 2 人で 11.$\boxed{1人}$ と考えると 12.$\boxed{男女4名}$ を並べるのは，

4！= 4・3・2・1 = 24 通り。13.$\boxed{女子2人}$ の並び方は，

2！= 2・1 = 2 通りなので，全部で 24 × 2 = 14.$\boxed{48}$ 通り

- 基本のカクニン■円順列・組合せ
  ◎円順列…いくつかのものを円形に並べる並べ方
  $(n-1)$！= $(n-1)$・$(n-2)$…・3・2・1

  ◎組合せ…異なる n 個のものから異なる r 個を取る組合せ
  nCr = $\dfrac{16.\boxed{n！}}{15.\boxed{r！(n-r)！}}$

  ◎ A かつ B の組合せ数
  　＝ A の組合せ数× B の組合せ数
  ＊ A または B の組合せ数＝ A の組合せ数 +B の組合せ数
  ＊少なくとも B が x 個含まれる組合せ数
  　　　　　＝総組合せ数―B が含まれない組合せ数

例　題　5 枚のカード①，②，③，④，⑤から 3 枚取り出す方法は，

$_5$C$_3$ = $\dfrac{18.\boxed{5・4・3}}{17.\boxed{3・2・1}}$ = 19.$\boxed{10}$（通り）

・second try・
　年　月　日（　）
🕐　：　〜　：
☀ ☁ ☂（　　）
✏ am・pm　℃
😀 😐 ☹ 😣 😫

1.
2.
3.
4.
5.
6.
7.
8.
9.
10.
11.
12.
13.
14.
15.
16.
17.
18.
19.
20.
21.
22.
23.
24.
25.

・first try・
　年　月　日（　）
🕐　：　〜　：
☀ ☁ ☂（　　）
✏ am・pm　℃
😀 😐 ☹ 😣 😫

1.
2.
3.
4.
5.
6.
7.
8.
9.
10.
11.
12.
13.
14.
15.
16.
17.
18.
19.
20.
21.
22.
23.
24.
25.

✚ プラスチェック！

□統計に関する指導：柱状グラフは，量的データの分布の様子を分析する目的から，階級に分けて集計する。度数の多さを高さに対応させて表しているため，横軸は数値軸となっている。棒グラフと混同しないように注意しよう。

＊このページで覚えた知識を教師になってどう活かしたい？

＊あ！あれ何だっけ？　確認メモ！

問題の科学的な解決のため必要な資質・能力を育成

教科の目標はキーワードに留意し確実に覚えておこう。各学年の目標においては，習得する知識の内容と，問題解決の力に分けて整理し系統性をつかもう。

理科—学習指導要領①

【目標】

　自然に親しみ，理科の見方・考え方を働かせ，見通しをもって観察，実験を行うことなどを通して，自然の事物・現象についての問題を 1.科学的 に解決するために必要な資質・能力を次のとおり育成することを目指す。

（1）　自然の事物・現象についての理解を図り，観察，実験などに関する 2.基本的な技能 を身に付けるようにする。

（2）　観察，実験などを行い， 3.問題解決の力 を養う。

（3）　 4.自然を愛する心情 や主体的に問題解決しようとする態度を養う。

【各学年の目標】（その1）

A　物質・エネルギー

<table>
<tr><th colspan="3">習得する知識の内容</th><th colspan="2">問題解決の力</th></tr>
<tr><td rowspan="3">第3学年</td><td>①</td><td rowspan="3">物の性質， 5.風とゴムの力 の働き，光と音の性質， 6.磁石 の性質及び 7.電気の回路 について</td><td>の理解を図り，</td><td>観察，実験などに関する基本的な技能を身に付けるようにする。</td></tr>
<tr><td>②</td><td rowspan="2">追究する中で，</td><td>主に差異点や共通点を基に， 8.問題 を見いだす力を養う。</td></tr>
<tr><td>③</td><td>主体的に問題解決しようとする態度を養う。</td></tr>
<tr><td rowspan="3">第4学年</td><td>①</td><td rowspan="3">空気，水及び 9.金属 の性質， 10.電流の働き について</td><td>の理解を図り，</td><td>観察，実験などに関する基本的な技能を身に付けるようにする。</td></tr>
<tr><td>②</td><td rowspan="2">追究する中で，</td><td>主に既習の内容や生活経験を基に， 11.根拠のある予想 や仮説を発想する力を養う。</td></tr>
<tr><td>③</td><td>主体的に問題解決しようとする態度を養う。</td></tr>
<tr><td rowspan="3">第5学年</td><td>①</td><td rowspan="3">物の溶け方， 12.振り子の運動 ， 13.電流がつくる磁力 について</td><td>の理解を図り，</td><td>観察，実験などに関する基本的な技能を身に付けるようにする。</td></tr>
<tr><td>②</td><td rowspan="2">追究する中で，</td><td>主に予想や仮説を基に， 14.解決の方法 を発想する力を養う。</td></tr>
<tr><td>③</td><td>主体的に問題解決しようとする態度を養う。</td></tr>
<tr><td rowspan="3">第6学年</td><td>①</td><td rowspan="3">燃焼の仕組み， 15.水溶液 の性質， 16.てこの規則性 及び 17.電気 の性質や働きについて</td><td>の理解を図り，</td><td>観察，実験などに関する基本的な技能を身に付けるようにする。</td></tr>
<tr><td>②</td><td rowspan="2">追究する中で，</td><td>主にそれらの仕組みや性質，規則性及び働きについて，より 18.妥当な考え をつくりだす力を養う。</td></tr>
<tr><td>③</td><td>主体的に問題解決しようとする態度を養う。</td></tr>
</table>

【指導計画の作成】

► 主体的・対話的で深い学び……単元など内容や時間のまとまりを見通して，その中で育む資質・能力の育成に向けて，児童の主体的・対話的で深い学びの実現を図るようにすること。その際，理科の学習過程の特質を踏まえ，理科の見方・考え方を働かせ，19.見通し をもって観察，実験を行うことなどの，問題を 20.科学的 に解決しようとする学習活動の充実を図ること。

► 21.問題解決 の力の育成……各学年で育成を目指す思考力，判断力，表現力等については，該当学年において育成することを目指す力のうち，主なものを示したものであり，実際の指導に当たっては，他の学年で掲げている力の育成についても十分に配慮すること。

► 障害のある児童などについては，学習活動を行う場合に生じる困難さに応じた指導内容や指導方法の工夫を計画的，組織的に行うこと。

► 第1章総則に示す道徳教育の目標に基づき，道徳科などとの関連を考慮しながら，第3章特別の教科道徳に示す内容について，22.理科 の特質に応じて適切な指導をすること。

➕ プラスチェック！

□ 教科の目標の「観察，実験など」の「など」には，自然の性質や規則性を適用したものづくりや栽培・飼育の活動が含まれる。

□ 教科の目標に示した(1) (2) (3)は相互に関連し合うものであり，順序を表すものではない。

＊このページで覚えた知識を教師になってどう活かしたい？

＊あ！あれ何だっけ？　確認メモ！

内容領域は「**A 物質・エネルギー**」「**B 生命・地球**」

「**B 生命・地球**」では，自然を愛する心情を養うとともに，「生命」「地球」といった科学の基本的な見方や概念等を柱として内容の系統性が図られている。

理科─学習指導要領②

【各学年の目標（その2）】

B　生命・地球

<table>
<tr><th colspan="2"></th><th colspan="2">習得する知識の内容</th><th>問題解決の力</th></tr>
<tr><td rowspan="3">第3学年</td><td>①</td><td rowspan="3">身の回りの生物， 1. 太陽と地面の様子 について</td><td>の理解を図り，</td><td>観察，実験などに関する基本的な技能を身に付けるようにする。</td></tr>
<tr><td>②</td><td rowspan="2">追究する中で，</td><td>主に差異点や共通点を基に， 2. 問題 を見いだす力を養う。</td></tr>
<tr><td>③</td><td>生物を愛護する態度や主体的に問題解決しようとする態度を養う。</td></tr>
<tr><td rowspan="3">第4学年</td><td>①</td><td rowspan="3">3. 人の体のつくり と運動，動物の活動や植物の成長と環境との関わり， 4. 雨水の行方 と地面の様子，気象現象，月や星について</td><td>の理解を図り，</td><td>観察，実験などに関する基本的な技能を身に付けるようにする。</td></tr>
<tr><td>②</td><td rowspan="2">追究する中で，</td><td>主に既習の内容や生活経験を基に， 5. 根拠のある予想 や仮説を発想する力を養う。</td></tr>
<tr><td>③</td><td>生物を愛護する態度や主体的に問題解決しようとする態度を養う。</td></tr>
<tr><td rowspan="3">第5学年</td><td>①</td><td rowspan="3">6. 生命の連続性 ， 7. 流れる水の働き ，気象現象の規則性について</td><td>の理解を図り，</td><td>観察，実験などに関する基本的な技能を身に付けるようにする。</td></tr>
<tr><td>②</td><td rowspan="2">追究する中で，</td><td>主に予想や仮説を基に， 8. 解決 の方法を発想する力を養う。</td></tr>
<tr><td>③</td><td>生命を尊重する態度や主体的に問題解決しようとする態度を養う。</td></tr>
<tr><td rowspan="3">第6学年</td><td>①</td><td rowspan="3">9. 生物の体のつくり と働き，生物と環境との関わり， 10. 土地のつくり と変化，月の形の見え方と太陽との位置関係について</td><td>の理解を図り，</td><td>観察，実験などに関する基本的な技能を身に付けるようにする。</td></tr>
<tr><td>②</td><td rowspan="2">追究する中で，</td><td>主にそれらの働きや関わり，変化及び関係について， 11. より妥当な考え をつくりだす力を養う。</td></tr>
<tr><td>③</td><td>生命を尊重する態度や主体的に問題解決しようとする態度を養う。</td></tr>
</table>

• second try •

年	月	日( )
🕐	： ～	：
☼ ☁ ☂ ( )		
✎ am・pm		℃
😀 🙂 😐 ☹ 😫		

• first try •

年	月	日( )
🕐	： ～	：
☼ ☁ ☂ ( )		
✎ am・pm		℃
😀 🙂 😐 ☹ 😫		

【内容の取扱い】

▶問題を見いだし，予想や仮説，観察，実験などの方法について考えたり説明したりする学習活動，観察，実験の結果を整理し考察する学習活動，12.科学的な言葉 や概念を使用して考えたり説明したりする学習活動などを重視することによって，13.言語活動 が充実するようにすること。

▶観察，実験などの指導に当たっては，指導内容に応じてコンピュータや情報通信ネットワークなどを適切に活用できるようにすること。また，14.プログラミング を体験しながら 15.論理的 思考力 を身に付けるための学習活動を行う場合には，児童の負担に配慮しつつ，(略)与えた条件に応じて動作していることを考察し，更に条件を変えることにより，動作が 16.変化 することについて考える場面で取り扱うものとする。

▶生物，天気，川，土地などの指導に当たっては，野外に出掛け地域の自然に親しむ活動や 17.体験的な活動 を多く取り入れるとともに，生命を尊重し，18.自然環境の保全 に寄与する態度を養うようにすること。

▶天気，川，土地などの指導に当たっては，19.災害 に関する基礎的な理解が図られるようにすること。

▶個々の児童が主体的に 20.問題解決 の活動を進めるとともに，日常生活や他教科等との関連を図った学習活動，目的を設定し，21.計測 して 22.制御 するという考え方に基づいた学習活動が充実するようにすること。

▶博物館や科学学習センターなどと連携，協力を図りながら，それらを積極的に活用すること。

▶事故防止，薬品などの管理……観察，実験などの指導に当たっては，23.事故防止 に十分留意すること。また，環境整備に十分配慮するとともに，24.使用薬品 についても適切な措置を取るよう配慮すること。

1. 2. 3. 4. 5. 6. 7. 8. 9. 10. 11. 12. 13. 14. 15. 16. 17. 18. 19. 20. 21. 22. 23. 24. 25.

✚ プラスチェック！

□観察・実験においては，安全に関する指導が重要である。(P.192～193参照)

＊このページで覚えた知識を教師になってどう活かしたい？

＊あ！あれ何だっけ？ 確認メモ！

科学の基本的な概念等を柱とした内容の展開

植物，動物，ヒトの順に多く出題。植物は花，根，茎，葉のつくりや光合成について把握しよう。種のつくりや受粉に関する内容にも注意が必要である。

生命・地球──① (種・花のつくり,受粉・受精)

▶い　も

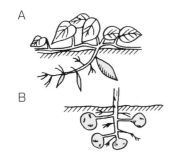

A

B

(1)　ジャガイモ　記号→B

日当たりのよいところで 1.光合成 を行い，できたでんぷんは地下の 2.茎 に蓄えられる。

〈ジャガイモのなかま〉サトイモ

(2)　サツマイモ　記号→A

暑い地方の植物で，できたでんぷんは地下の 3.根 に蓄えられる。

〈サツマイモのなかま〉ダリア，キクイモ

＊でんぷんはヨウ素液によって 4.紫 色に変わる。

▶種のつくり

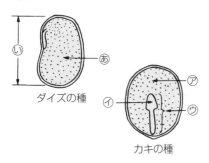

ダイズの種

カキの種

＊無胚乳種子…ドングリ，ソラマメ。
＊有胚乳種子…イネ，ムギ，トウモロコシ。

次の枠内には，それぞれ左図の中のどの部分があてはまるか記号で答えなさい。

	ダイズ	カキ
子 葉	あ	イ
胚 乳	（──）	ア
胚	い	ウ

(1)　ダイズの種……無胚乳種子で 5.子葉 に必要な養分がたくわえられている。

(2)　カキの種……有胚乳種子で 6.胚乳 に必要な養分がたくわえられている。

▶花のつくり

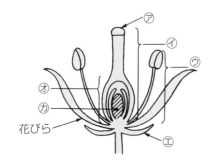

花びら

左図の次の各部分の名称を答えなさい。

ア　 7.柱頭

イ　 8.めしべ

ウ　 9.おしべ

エ　 10.がく

(1)　花が咲いた後，実になる部分

左図の記号→オ　　名称 11.子房

(2)　花が咲いた後，種子になる部分

左図の記号→カ　　名称 12.胚珠

▶受粉（ヘチマの花）

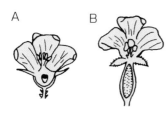

A   B

○め花のイラストは **B** の方である。

○ヘチマの花粉は，　13.昆虫　によって運ばれる。

○同じ種類の花の花粉を虫や風に運んでもらう受粉を 14.他家 受
　粉，同じ花のおしべとめしべの間での受粉を 15.自家 受粉とい
　う。

○マツ，スギの花粉は 16.風 によって運ばれる。

▶受　精

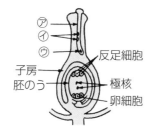

㋐
㋑
㋒
子房
胚のう
反足細胞
極核
卵細胞

①花粉が柱頭につくと㋐ 17.花粉管 を伸ばし胚珠の入口に伸びて
　いく。このとき，花粉核は2個の㋑ 18.精細胞(精核) と1個の㋒
　 19.花粉管核 に分かれる。

② ㋑のうち1つは卵細胞とむすびつき，種子の 20.胚 となり，他
　の1つは胚珠の中の極核とむすびつき種子の 21.胚乳 となる。
　このような受精のしかたを 22.重複受精 という。

• second try •

年	月	日（ ）
🕐	： ～	：
☀ ☁ ☂（ ）		
🌡 am・pm		℃
😀 😐 😞 😣 😫		

1.
2.
3.
4.
5.
6.
7.
8.
9.
10.
11.
12.
13.
14.
15.
16.
17.
18.
19.
20.
21.
22.
23.
24.
25.

• first try •

年	月	日（ ）
🕐	： ～	：
☀ ☁ ☂（ ）		
🌡 am・pm		℃
😀 😐 😞 😣 😫		

1.
2.
3.
4.
5.
6.
7.
8.
9.
10.
11.
12.
13.
14.
15.
16.
17.
18.
19.
20.
21.
22.
23.
24.
25.

✚ プラスチェック！

□種子の発芽…発芽条件に光を必要としない種がある。

□花のつくりの似ているもの…菜の花の仲間（ダイコ
　ン，ナズナ），サクラの仲間（バラ，イチゴ），ツツ
　ジの仲間（シャクナゲ，コケモモ），タンポポの仲
　間（キク，ヒマワリ），ヘチマの仲間（カボチャ，キュ
　ウリ）など。

＊このページで覚えた知識を教師になってどう活かしたい？

＊あ！あれ何だっけ？　確認メモ！

生命・地球—②(顕微鏡,植物のつくり)

▶顕微鏡の使い方 (1)

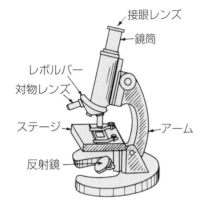

接眼レンズ
鏡筒
レボルバー
対物レンズ
ステージ
反射鏡
アーム

① 1. 接眼 レンズをとりつける。
② 2. 対物 レンズをとりつける。
③反射鏡の角度を変えて,光がレンズを通るようにする。
④横から見ながら対物レンズをゆっくりプレパラートの近くまでおろす。
⑤接眼レンズをのぞき,鏡筒をあげてよく見えるところで止める。
⑥反射鏡やしぼりを調節する。
〔注意〕鏡に直接日光を絶対に当てない。
　　　　顕微鏡は明るい窓ぎわの日陰に置く。
　　　　持ち運びは必ず両手で行う。

▶顕微鏡の使い方 (2)
（プレパラート）

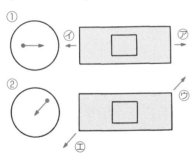

①
②
㋑ ㋐
㋒
㋓

見たい物の位置を矢印の方向に動かしたいとき,プレパラートは,どちらの方向へ動かしたらよいか,記号で答えなさい。
　①は, ㋑ の方向　　②は, ㋒ の方向
〔顕微鏡の倍率＝接眼レンズ×対物レンズ〕
倍率を高くすると,像は 3. 暗く なり,反射鏡は 4. 凹 面を使う。
※　でんぷんの観察は,150倍〜300倍の倍率で行う。

▶植物のつくり

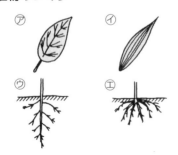

㋐ ㋑ ㋒ ㋓

図は,単子葉植物と双子葉植物の葉と根の形を示したものです。次の枠内にあてはまるものを記号で入れなさい。

	葉	根	例
単子葉植物	㋑	㋓	イネ, チューリップ
双子葉植物	㋐	㋒	アブラナ, アサガオ

▶茎のつくり

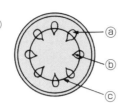

○ （単子葉植物）トウモロコシの断面……記号→㋐
○ （双子葉植物）ホウセンカの断面……記号→㋑

　㋑の ⓐ, ⓑ, ⓒ について下の問いに答えなさい。

　┌ 葉でつくられた養分を根などに送る部分。
　│　　5. 師管 …記号→ⓐ
　├ 根から取り入れた水や養分を葉や花に送る部分。
　│　　6. 道管 …記号→ⓑ
　└ 細胞の数が増え茎を太くする部分。
　　　　7. 形成層 …記号→ⓒ

※　形成層は単子葉植物にはない。

▶葉のつくり

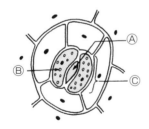

　┌ Ⓐの部分…… 8. 気孔 といい，葉の 9. 裏側 に多く見られる。
　├ Ⓑの部分……緑色の小さな粒で 10. 葉緑体 といわれる。
　└ Ⓒの部分…… 11. 孔辺細胞 と呼ばれ，Ⓐの部分を開いたり閉じ
　　たりして水蒸気，空気の出し入れを行う。

※　光合成の化学式

　　12. $6CO_2$ ＋ 13. $12H_2O$ ＋ 14. 光エネルギー

　　　　　　⟶ $C_6H_{12}O_6 + 6H_2O$ ＋ 15. $6O_2$

• second try •		• first try •	
年　月　日（　）		年　月　日（　）	
：　～　：		：　～　：	
☀ ☁ ☂ （　　）		☀ ☁ ☂ （　　）	
am・pm　　℃		am・pm　　℃	
😀 😐 😟 😣 😫		😀 😐 😟 😣 😫	

1.
2.
3.
4.
5.
6.
7.
8.
9.
10.
11.
12.
13.
14.
15.
16.
17.
18.
19.
20.
21.
22.
23.
24.
25.

1.
2.
3.
4.
5.
6.
7.
8.
9.
10.
11.
12.
13.
14.
15.
16.
17.
18.
19.
20.
21.
22.
23.
24.
25.

✚ プラスチェック！

□単子葉植物は，葉が平行脈で根はひげ根，双子葉植
　物は，葉が網目状で根は主根と側根を持つ。
□葉の気孔の開閉は，孔辺細胞が水を吸ったり出した
　りして行われる膨圧運動の結果である。

＊このページで覚えた知識を教師になってどう活かしたい？

＊あ！あれ何だっけ？　確認メモ！

生命を大切にする心をはぐくむことは道徳教育にも

生物の体のつくりや動物の分類について把握しよう。昆虫や魚，微生物については各名称やそれぞれの特徴について確認しておこう。

生命・地球——③(昆虫, 魚の解剖, 動物の分類)

▶昆虫のつくり

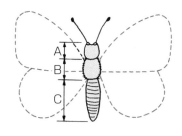

＊昆虫の越冬の仕方に注意。

図はモンシロチョウの形態を示している。

○ A，B，Cの各部の名称を答えなさい。

A 1. 頭　　B 2. 胸　　C 3. 腹

○モンシロチョウの足は，どこに何本つくか。

4. 胸部の左右に3本ずつ

○昆虫は，5. 気管 呼吸をし，腹部の両側にある 6. 気門 という小穴から空気を出し入れする。

○モンシロチョウは卵→幼虫→さなぎ→成虫の順に変態する。このような変態を 7. 完全 変態といい，さなぎの期間のないものを 8. 不完全 変態という。

▶魚の解剖

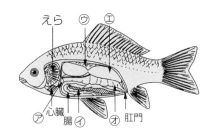

えら　ウ　エ

心臓　ア　オ　肛門
腸　イ

① はさみの 9. 尖ったほう を肛門の近くにさしこんで切れ込みを入れる。

② はさみの丸い方を体の中に入れて，下腹→横腹→えら上の順番で切り開く。

各部分の名称を答えなさい。

⑦ 10. 食道　　④ 11. 肝臓　　⑦ 12. 腎臓

④ 13. 浮き袋　　⑦ 14. 卵巣

▶プランクトン

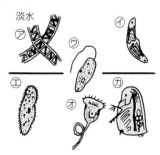

淡水　ア　　イ
ウ
エ　オ　カ

＊プランクトンの採集は，朝早くか，夕方近くがよい。

プランクトンは動物性プランクトンと植物性プランクトンに分かれる。⑦～⑦の名称を答えなさい。

┌ 植物性プランクトン
│　⑦ 15. アオミドロ　　④ 16. ミカヅキモ
├ ⑦ 17. ミドリムシ (両方の性質をもつ)
└ 動物性プランクトン
　　④ 18. ゾウリムシ　　⑦ 19. ツリガネムシ
　　⑦ 20. ミジンコ

▶メダカ

雌（メス）

背びれの切れ込みがない

尻びれの後ろが短い

雄（オス）

背びれの切れ込みがある

尻びれの後ろが長い

○水温が 21.25 度くらいになると，よく卵を産む。

○雌雄を見分ける場合，背びれに切れ込みがあって尻びれの後ろが長いのが 22.オス である。

○卵は約1mmで，卵がかえるまでは約 23.11 日かかる。

▶動物の分類

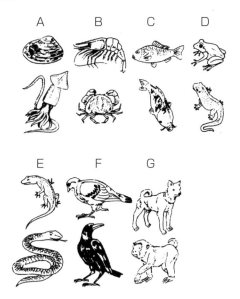

A　B　C　D

E　F　G

○A～Gを2つに分けると，ABとC～Gに分けることができる。C～Gをまとめて 24.脊椎動物 という。

○恒温動物はどれか。記号で選びなさい。　→F, G

○次の動物はA～Gのどの仲間に入るか。

カメ→E　　サンショウウオ→D

タツノオトシゴ→C　　ミジンコ→B

• second try •

年 月 日（ ）
🕐 ：～：
☀ ☁ ☂（ ）
🌡 am・pm ℃
😀 😐 😣 😠 😫

• first try •

年 月 日（ ）
🕐 ：～：
☀ ☁ ☂（ ）
🌡 am・pm ℃
😀 😐 😣 😠 😫

second try	first try
1.	1.
2.	2.
3.	3.
4.	4.
5.	5.
6.	6.
7.	7.
8.	8.
9.	9.
10.	10.
11.	11.
12.	12.
13.	13.
14.	14.
15.	15.
16.	16.
17.	17.
18.	18.
19.	19.
20.	20.
21.	21.
22.	22.
23.	23.
24.	24.
25.	25.

➕ プラスチェック！

☐ モンシロチョウのほか，完全変態の昆虫にはハチ，アリ，テントウムシなど。不完全変態の昆虫には，バッタ，トンボ，セミなど。

☐ 昆虫の体のつくりの指導：複数の種類の昆虫の体のつくりを比較して観察し共通性があることを捉えるようにする。

＊このページで覚えた知識を教師になってどう活かしたい？

＊あ！あれ何だっけ？　確認メモ！

chapter 39 ［理科］

調べてから考えたことを表現する力の育成が大切

ヒトの体について，心臓や目のつくり，消化のしくみなどについて押さえておこう。また，血液の循環についても確認しておこう。

生命・地球―④（ヒトのからだのつくり）

➤心臓のつくり

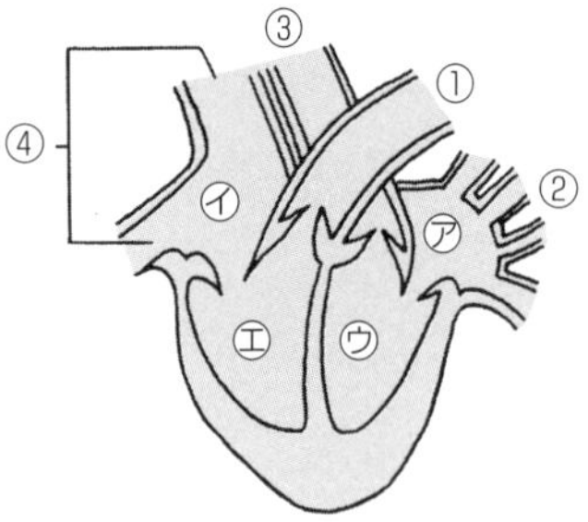

㋐～㋓の部分の名称は何か。

㋐ 1. 左心房　㋑ 2. 右心房　㋒ 3. 左心室

㋓ 4. 右心室

下の空欄にあてはまるものを，左図の①～④から選びなさい。

○大動脈→③　○大静脈→④

○肺動脈→①　○肺静脈→②

※　血液循環にも注意。

➤血液のつくり

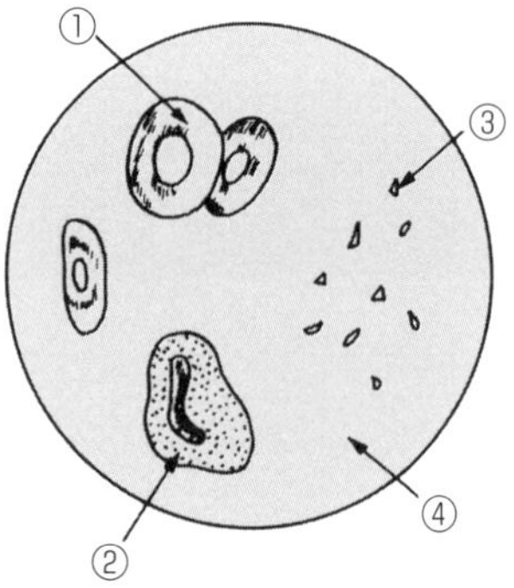

左図の①～④の名称を答えなさい。

① 5. 赤血球 ……**ヘモグロビン**という色素を含み，肺で酸素を受け取りからだの各部に運ぶ。

② 6. 白血球 ……アメーバのように動き，からだに入った細菌を殺す。

③ 7. 血小板 ……体外に出るとこわされ，血液を**凝固**させる。

④ 8. 血しょう ……酸素，養分，二酸化炭素，老廃物を運ぶ。

➤目のつくり

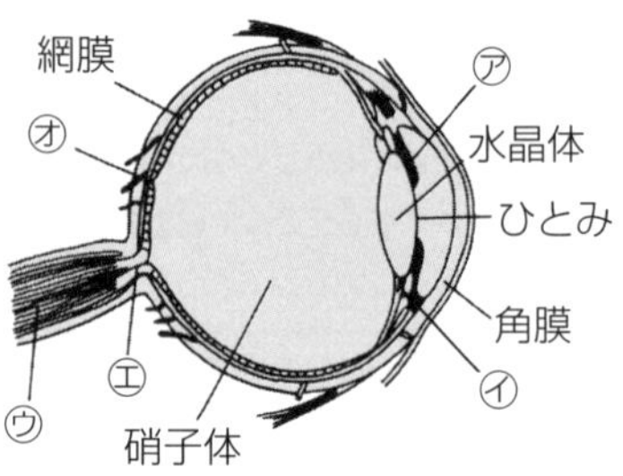

図中の㋐～㋔の各部分の名称を答えなさい。

㋐ 9. 虹彩 ……カメラの絞りと同じはたらき。

㋑ 10. 毛様体 ……レンズ（水晶体）の厚みを調節する。

㋒ 11. 視神経 ……光の刺激を大脳に伝達する。

㋓ 12. 盲点 ……光を感じない部分。

㋔ 13. 黄斑 ……網膜の後方部分。光を感じる細胞が密集しており，その中心を中心窩という。

▶ヒトのからだ（消化）

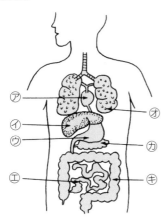

　図を見て，以下の左の空欄には器官名や適語を，右の空欄には記号を入れなさい。

① [14. 胃]・ウ……筋肉でできた大きな袋のような消化器。

② [15. 小腸]・エ……身長の５倍くらいの長さがあるといわれ，食べ物を消化しながら，柔突起から養分を吸収する。

③ [16. 肝臓]・イ……**胆汁**をつくって消化を助け，糖分を**グリコーゲン**として蓄えたり血液を蓄えたりする。解毒作用をもつ。

④ [17. すい臓]・カ……すい液を作る。すい液は脂肪を [17. 脂肪酸] と [18. モノグリセリド] に変えるはたらきをもつ。

⑤ [19. 大腸]・キ……養分を取った残りものから**水分**を吸収する。

※　デンプン→ブドウ糖…… [20. ベネジクト液] を加え煮沸すると赤褐色の沈殿が生じる。

※　たんぱく質は，最終的に**アミノ酸**に分解される。

・second try・					・first try・				
年　月　日（　）					年　月　日（　）				
🕐　：　～　：					🕐　：　～　：				
☀ ☁ ☂（　　）					☀ ☁ ☂（　　）				
✏ am・pm　　℃					✏ am・pm　　℃				
😀 😐 😣 😖 😫					😀 😐 😣 😖 😫				

second try	first try
1.	1.
2.	2.
3.	3.
4.	4.
5.	5.
6.	6.
7.	7.
8.	8.
9.	9.
10.	10.
11.	11.
12.	12.
13.	13.
14.	14.
15.	15.
16.	16.
17.	17.
18.	18.
19.	19.
20.	20.
21.	21.
22.	22.
23.	23.
24.	24.
25.	25.

➕ プラスチェック！

□心臓の大動脈と肺静脈は酸素を多く含み，大静脈と肺動脈は二酸化炭素を多く含む。

□血液循環／左心室→大動脈→全身→大静脈→右心房→右心室→肺動脈→肺→肺静脈→左心房→（もどる）

□ブドウ糖・アミノ酸は小腸内で柔毛により吸収され，毛細血管で運ばれる。

＊このページで覚えた知識を教師になってどう活かしたい？

＊あ！あれ何だっけ？　確認メモ！

生命・地球─⑤（星，太陽，気温）

▶**星の動き** （1）

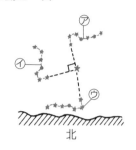

北

〔1年の星の動き〕

　どの星座も同じ時刻に見える方向は，1日に □1.**1** 度ずつ西にずれて見える（＝同じ位置に見える時刻は，1日に □2.**4** 分ずつはやくなる）。そして，1年ではほぼもとの位置にもどる。これは，地球が □3.**公転** しているからである。

○㋐の位置に見える北斗七星が，同じ時刻に㋑の位置に見えるのは， □4.**3か月後** である。

○北斗七星が㋒の位置に見える季節は □5.**秋** である。

▶**星の動き** （2）

　Ⓐ，Ⓑで見られるような星の動きをするのは，地球上のどの地点か。㋐～㋓からそれぞれ選びなさい。

㋐赤道　㋑南極　㋒北極　㋓日本

Ⓐ→㋒　　Ⓑ→㋐

▶**星の動き** （3）

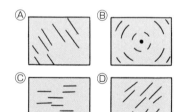

　図は東京でカメラのシャッターを30分ほどあけたまま，東西南北の方向の星の動きを写したものである。

　Ⓐ，Ⓑ，Ⓒ，Ⓓは，それぞれどの方角を写したものか。

Ⓐ □6.**西**　　Ⓑ □7.**北**

Ⓒ □8.**南**　　Ⓓ □9.**東**

▶**太　陽** （1）

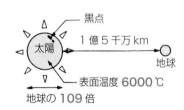

＊1天文単位は，1.49×10^8 km

├ 地球と太陽の距離

　　約1億5千万km（光の速さで約 □10.**8** 分）

├ 太陽の大きさ…地球の約 □11.**109** 倍

├ 太陽の表面温度…約 □12.**6000** ℃

└ 黒点の温度…約 □13.**4500** ℃

▶太 陽 ⑵

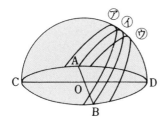

図は，北緯36度，東経137度の地点の太陽の動きを透明半球に記録したものである。

①北を指す点はA～DのうちCである。

②太陽の南中高度が最も高いのは夏至のときであり，㋐～㋒のうち㋐である。そのときの南中高度は 14.77.4 度である（ただし，地軸の傾きは23.4度とする）。

▶気温・地温の日変化

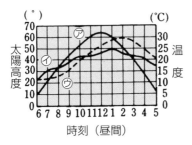

図は，1日の太陽の高度と気温，地温の変化をグラフにしたものである。㋐～㋒は，ⓐ気温，ⓑ地温，ⓒ太陽高度のうちどれか。

㋐→ⓒ   ㋑→ⓑ   ㋒→ⓐ

空気は，直射日光によってあたためられるのではなく， 15.地面 の熱によってあたためられるので，最高温度に到達する時刻が最も遅い。

気温は，地面から 16.1.2 ～ 17.1.5 mの高さで測ったときの空気の温度のこと。

温度計は，直接日光があたらないように注意する。

• second try •				• first try •			
年 月 日( )				年 月 日( )			
🕐 ： ～ ：				🕐 ： ～ ：			
☀ ☁ ☂ ( )				☀ ☁ ☂ ( )			
✏ am・pm ℃				✏ am・pm ℃			
😀 😐 😖 😣 😫				😀 😐 😖 😣 😫			

1.
2.
3.
4.
5.
6.
7.
8.
9.
10.
11.
12.
13.
14.
15.
16.
17.
18.
19.
20.
21.
22.
23.
24.
25.

➕▶プラスチェック！

□冬の大三角…ベテルギウス，プロキオン，シリウス。

□南中高度…夏至＝90−緯度＋23.4，冬至＝90−緯度−23.4，春分・秋分＝90−緯度。

□気温・地温の変化…1日の最高値を示す時刻は，太陽（12時頃），地温（1時頃），気温（2時頃）の順にずれている。

*このページで覚えた知識を教師になってどう活かしたい？

*あ！あれ何だっけ？ 確認メモ！

生命・地球──⑥(地層, 地震, 天気の変化)

▶地 層

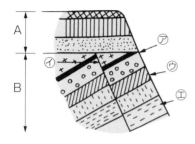

⑦ 1.不整合 面……地層Bが堆積した後，一度隆起し，のち陸上で風化・侵食され，その上に地層が堆積してできた。

⑦ 2.正 断層……横にひく力によって地層がずり落ちてできた。

⑦ 凝灰岩の地層である。これは，3.火山灰 が堆積したものである。この地層は，離れた地層の新旧を知るための 4.鍵層 になりやすい。

⑦の地層からは，フズリナの化石が見つかった。この地層のできた時代は，5.古生代 である。このように，地層が堆積した時代を決定するのに役立つ化石を 6.示準 化石〔生存期間が短く，分布が広い〕といい，地層が堆積した当時の環境を知るのに役立つ化石を 7.示相 化石（サンゴなど）という。次に示す化石の時代は，ⓐ古生代，ⓑ中生代，ⓒ新生代のうちどれになるか，記号で答えなさい。

①三葉虫→ⓐ ②アンモナイト→ⓑ ③始祖鳥→ⓑ ④ナウマン象→ⓒ

▶川のはたらき

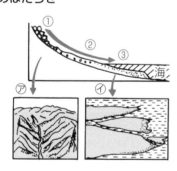

〔流水のはたらき〕

①石や土砂を削るはたらき……8.侵食 作用

②石や土砂を運ぶはたらき……9.運搬 作用

③石や土砂をつもらせるはたらき……10.堆積 作用

〔流水によってできた地形〕

⑦ 11.V字谷 ……山の斜面が急なところで，水の侵食作用によってできる。

⑦ 12.三角州 ……堆積作用によってできる土地。河口付近にできる地形。

▶地 震

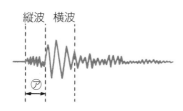

縦波 横波

⑦

○図は地震計に記録された地震のゆれを示したものである。地震のゆれは，はじめに振幅の小さな**縦波**の 13. P 波が訪れ，つぎに振幅の大きな**横波**の 14. S 波が現れる。

○**縦波**がはじまってから横波が現れるまでの時間⑦を 15. 初期微動継続時間(P-S時間) といい，震源から観測地点までの距離を求めるのに用いられる。

┌ 16. マグニチュード ……地震の**規模**の大きさ。
└ 17. 震度 ……ある観測地点での**地震動**の強さ。

▶天気の変化

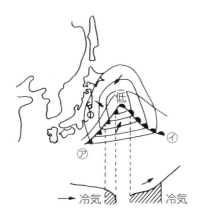

低

⑦

⑦

⑦

⑦

→ 冷気　冷気

	⑦寒冷前線	⑦温暖前線
成　因	冷気が暖気へ入り込む	暖気が冷気へのし上がる
雲	18. 積乱雲	乱層雲，巻雲(絹雲)
雨	激しい風，雨	弱い雨
通過後	気温 19. 下降	気温 20. 上昇

○🏴 …風向 21. 北西 ，風力 22. 3 ，天気 23. 晴

○高気圧は 24. 下降 気流が， 25. 右 回りに吹き出す。

• second try •

年　月　日（　）

🕐 　：　～　：

☀ ☁ ☂（　　）

🌡 am・pm　　℃

😀 😐 😣 😫 😖

• first try •

年　月　日（　）

🕐 　：　～　：

☀ ☁ ☂（　　）

🌡 am・pm　　℃

😀 😐 😣 😫 😖

second try	first try
1.	1.
2.	2.
3.	3.
4.	4.
5.	5.
6.	6.
7.	7.
8.	8.
9.	9.
10.	10.
11.	11.
12.	12.
13.	13.
14.	14.
15.	15.
16.	16.
17.	17.
18.	18.
19.	19.
20.	20.
21.	21.
22.	22.
23.	23.
24.	24.
25.	25.

✚ プラスチェック！

□凝灰岩と石灰岩（生物の遺骸が堆積），示準化石と示相化石，正断層と逆断層（せり上がってできる）は誤りやすいので注意。

□震源距離

$$\frac{\text{P波の速さ×S波の速さ}}{\text{P波の速さ−S波の速さ}} ×初期微動継続時間$$

＊このページで覚えた知識を教師になってどう活かしたい？

＊あ！あれ何だっけ？　確認メモ！

気体の性質については主な気体の色やにおいや重さ，反応式，捕集方法などを基本として押さえよう。リトマス紙反応についても併せて確認しておこう。

物質・エネルギー──①（気体の性質）

▶気体の性質

	色・におい	重さ	可溶性	捕集
二酸化炭素	無色・無臭	空気より重い	水に溶ける	下方置換
水　素	無色・無臭	空気より軽い	水に溶けにくい	水上置換
塩化水素	無色・刺激臭	空気より重い	水によく溶ける	下方置換
アンモニア	無色・刺激臭	空気より軽い	水によく溶ける	上方置換

▶二酸化炭素

(1) 二酸化炭素の作り方……㋐石灰石や大理石に，㋑薄い 1.塩酸 を注いでつくる。

〈化学反応式〉 2.$CaCO_3$ + 2 3.HCl → $CaCl_2$ + H_2O + CO_2

○図のような気体の捕集方法を 4.下方置換 法という。

(2) 二酸化炭素の性質

○空気より重い気体。

○石灰水を注ぐと 5.白濁 する。

〈化学反応式〉 CO_2 + 6.$Ca(OH)_2$ → 7.$CaCO_3$ + H_2O

(3) 温度が低いほど水に溶けやすく，水に溶けた液体を炭酸水という。

〈化学反応式〉 CO_2 + H_2O → H_2CO_3

▶酸　素

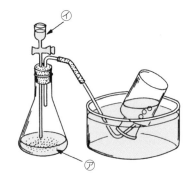

(1) 酸素の作り方……㋐ 8.二酸化マンガン(MnO_2) を触媒として㋑ 9.過酸化水素水(H_2O_2) （3〜5%）を注いでつくる。

〈化学反応式〉 $2H_2O_2$ → $2H_2O$ + O_2↑

(2) 図のような気体の捕集方法を 10.水上置換 法という。

(3) 酸素の性質

○空気よりやや重い気体。（約1.1倍）

○水に溶けにくい。

○物を燃やすはたらき(助燃性)をもつ（酸素が燃えるわけではない）。

○空気中の成分の約21%。（78%は窒素）

➤水　素

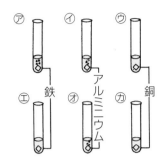

(1) ┌ ㋐, ㋑, ㋒の試験管にとった水溶液は, 薄い 11. 塩酸
　　└ ㋓, ㋔, ㋕の試験管にとった水溶液は, 12. 水酸化ナトリウム
　　溶液

　発生した気体は, どれも 13. 水素 である。

　〈㋑の化学反応式〉　$2Al + 6$ 14. HCl $\rightarrow 2$ 15. $AlCl_3$ $+ 3H_2\uparrow$

(2) 水素の性質

　○空気より軽い気体。

　○たいへん燃えやすい。（空気中では爆発）

➤水溶液の性質（指示薬）

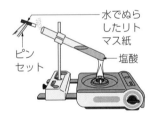

水でぬら
したリト
マス紙

ピン
セット

塩酸

○リトマス紙

　塩酸から出てきた気体は 16. 塩化水素 である。この気体は,
水で湿らせた 17. 青 色リトマス紙を 18. 赤 色に変える。（塩酸
は酸性）

　　　　　　　┌ 酸性→ 19. 黄 色
○BTB溶液 ─┼ 中性→ 20. 緑 色
　　　　　　　└ アルカリ性→ 21. 青 色

※　アンモニアにネスラー試薬を加えると黄褐色（橙黄色）になる。

• second try •
| 🕐 | 年　月　日（　） |
| ☀ ☁ ☂（　　） |
| 🌡 am・pm　　℃ |
| 😀 😑 ☹ 😖 😣 |

• first try •
| 🕐 | 年　月　日（　） |
| ☀ ☁ ☂（　　） |
| 🌡 am・pm　　℃ |
| 😀 😑 ☹ 😖 😣 |

	second try	first try
1.		
2.		
3.		
4.		
5.		
6.		
7.		
8.		
9.		
10.		
11.		
12.		
13.		
14.		
15.		
16.		
17.		
18.		
19.		
20.		
21.		
22.		
23.		
24.		
25.		

➕プラスチェック！

□気体の性質…塩素／刺激臭・黄緑色の重い気体, 二
酸化硫黄／刺激臭・有毒, 二酸化窒素／褐色。

□石灰水に二酸化炭素を吹き込むと白濁した液が再び
透き通るのは, 炭酸カルシウムがさらにCo_2によっ
て酸性炭酸カルシウムに変わったことによる。

□酸素の捕集はフラスコ内の空気を出してから行う。

＊このページで覚えた知識を教師になってどう活かしたい？

＊あ！あれ何だっけ？　確認メモ！

水溶液の中では溶けているものが均一に広がるなど, 物の溶け方について確認しておこう。
火や熱を伴う実験ではやけどや火災に十分注意した指導が必要である。

物質・エネルギー──② (炎関連, 薬品の溶かし方)

▶ 炎 (ほのお)

ろうそくの炎は, 外炎, 内炎, 炎心の３つの部分に分かれている。外炎, 内炎, 炎心の様子⑦～⑦と, ガラス管から出る煙について述べたもの@～ⓒのうち, それぞれ適当なものを選びなさい。

⑦最も明るく輝く   @うすい煙

④高温だが光はほとんど出ない   ⓑ白い煙

⑦低温で薄暗い   ⓒ黒い煙

➡ 外炎→④と@   内炎→⑦とⓒ   炎心→⑦とⓑ

※ 炎色反応…Li (赤), Na (黄), Sr (紅), Cu (青緑)

▶ 木の乾留

ガラス管の先から出た白い煙に, マッチの火を近づけると炎を出して燃えるが, 木片は炎を出さないで燃える。

ガラス管を下向きにとりつけるのは, 木片から出た 1. タール が流れて, 試験管が 2. 割れる のを防ぐためである。

▶ ものの燃え方

熱したスチールウールを酸素を入れたビンの中に入れた。

①スチールウールは 3. 燃える 。

②実験後, スチールウールは 4. 酸化鉄 に変わる。

③その物質の色は 5. 黒 で, 小さなかたまりになり, 電気を 6. 通さない 。

④空きビンを利用するのは, 熱くなったスチールウールが触れると 7. 割れる からである。

▶ガスバーナーの使い方

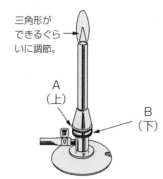

三角形ができるぐらいに調節。

A（上）

B（下）

・・・

①A，Bは，⑦，⑦のどちらか。

　⑦ガス調節ねじ→**B**　　⑦空気調節ねじ→**A**

②空気を入れないときの炎の色は | 8.赤 | 色。

③空気のねじを回し炎の色を | 9.青 | 色に調節する。

④炎の，上から | 10.3 | 分の1の部分を使う。

⑤ガスと空気の調節ねじが閉まっていることを確認したあとの，

　次の⑧〜⑥について点火の順番に並べ替えなさい。

　⑧点火する。　　⑥ガス調節ねじを調節する。　　ⓒ元栓をあける。

　ⓓ空気調節ねじをゆるめる。　　ⓔマッチをする。

➡ ⓒ → ⓔ → ⑥ → ⑧ → ⓓ

▶薬品の溶かし方

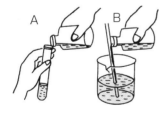

A　　　B

・・・

○Aでは，ラベルを | 11.上 | にして持ち，試験管の口にびんの口を

　つけ静かに注ぐ。

○Bでは，薬品がはねるのを防ぐため，ガラス棒を伝わらせて注

　ぐ。

◎濃硫酸や水酸化ナトリウムを溶かすときには， | 12.水 | に | 13.薬品 | を少しずつ注ぐようにする。このとき， | 14.発熱 | する。

---

second try		first try	
年　月　日（　）		年　月　日（　）	
🕐　：　〜　：		🕐　：　〜　：	
☀ ☁ ☂（　　）		☀ ☁ ☂（　　）	
🖊 am・pm　　℃		🖊 am・pm　　℃	
😀 😐 ☹ 😣 😫		😀 😐 ☹ 😣 😫	

	second try		first try
1.		1.	
2.		2.	
3.		3.	
4.		4.	
5.		5.	
6.		6.	
7.		7.	
8.		8.	
9.		9.	
10.		10.	
11.		11.	
12.		12.	
13.		13.	
14.		14.	
15.		15.	
16.		16.	
17.		17.	
18.		18.	
19.		19.	
20.		20.	
21.		21.	
22.		22.	
23.		23.	
24.		24.	
25.		25.	

➕ **プラスチェック！**

☐物が水に溶けても，水と物を合わせた重さは変わら
　ない。溶ける量には限度がある。

☐物が水に溶ける量は水の温度や量，溶ける物によっ
　て違う（溶けているものは取り出すことができる）。

☐融点…固体が溶けて液体に変化する温度。

☐沸点…液体が沸騰して気体に変化する温度。

＊このページで覚えた知識を教師になってどう活かしたい？

＊あ！あれ何だっけ？　確認メモ！

生活の中にある道具との関連を考える

力のはたらきは，圧力，ばねの伸び，てこや振り子の原理について理解しておこう。てこを利用した道具と生活との関わりは，実際の授業づくりにも活かせる内容である。

物質・エネルギー──③ (力の分解,圧力,ばね,てこ,振り子)

▶力の分解

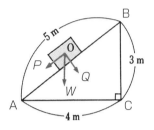

図のような斜面に，600Nの物体を置いたとき，PとQの方向にはたらく力を求めなさい。

①Pにはたらく力 = [1. 360] N

②Qにはたらく力 = [2. 480] N

▶圧　力

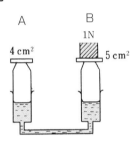

図の注射器A，Bの断面積は，それぞれ4cm², 5cm²である。Bの注射器に1Nのおもりをのせたとき，Aの注射器に[3. 0.8]Nのおもりをのせると，同じ水面でつりあう。

〔パスカルの原理〕閉じ込められた液体の一部に加えた圧力は，他の部分に同じ大きさで伝わる。

▶ばねの伸び

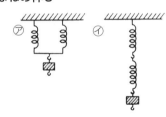

0.1Nのおもりで1cm伸びるばねを図のようにつなぎ，0.2Nのおもりをつけたとき，⑦のばねの伸びは[4. 1]cm，①のばねの伸びは[5. 4]cmになる。

〈ばねの伸び〉

┌ 直列つなぎの場合，ばねの本数に[6. 比例]する
└ 並列つなぎの場合，ばねの本数に[7. 反比例]する

▶て　こ　(1)

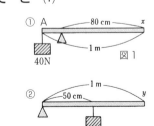

①図1は，xに[8. 10]Nのおもりをのせるとつり合う。また，Aを1cm持ち上げるにはxを[9. 4]cm下げる。

②図2は，yを[10. 1]Nの力で持ち上げるとつり合う。（ただし，棒の重さを1Nとする）

※　力点に加える力の大きさ×支点から力点までの距離
　=作用点にかかる力×支点から作用点までの距離

▶てこ⑵

せんぬき   くぎぬき

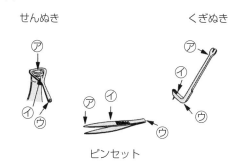

ピンセット

てこには，支点（A），力点（B），作用点（C）の３つの力が
はたらいている。図の㋐，㋑，㋒は，それぞれどれにあてはまる
か。記号で答えなさい。

	㋐	㋑	㋒
せんぬき	A	C	B
くぎぬき	B	C	A
ピンセット	C	B	A

▶振り子

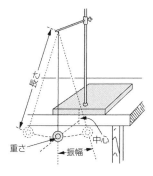

重さ   振幅   中心

○おもりの重さだけ２倍，３倍…と変えた場合，周期は 11.変わらない 。

○振幅だけ２倍，３倍…と変えた場合，周期は 12.変わらない 。

○振り子の周期は， 13.重さ ， 14.振幅 に関係がなく，振り子の
 15.長さ によって決まる。これを振り子の 16.等時性 という。

• second try •					• first try •				
年 月 日（ ）					年 月 日（ ）				
🕐 ： ～ ：					🕐 ： ～ ：				
☀ ☁ ☂（ ）					☀ ☁ ☂（ ）				
✎ am・pm ℃					✎ am・pm ℃				
😀 😐 😣 😫 😵					😀 😐 😣 😫 😵				

1.	1.
2.	2.
3.	3.
4.	4.
5.	5.
6.	6.
7.	7.
8.	8.
9.	9.
10.	10.
11.	11.
12.	12.
13.	13.
14.	14.
15.	15.
16.	16.
17.	17.
18.	18.
19.	19.
20.	20.
21.	21.
22.	22.
23.	23.
24.	24.
25.	25.

➕ プラスチェック！

□力の分解

$$P = W = \frac{BC(高さ)}{AB(斜辺)}$$

□圧力：パスカルの原理から，次式が成立。

$$\frac{Aに加わる力}{Aの断面積} = \frac{Bに加わる力}{Bの断面積}$$

＊このページで覚えた知識を教師になってどう活かしたい？

＊あ！あれ何だっけ？　確認メモ！

物質・エネルギー──④（滑車,レンズ,浮力）

▶滑　車　(1)

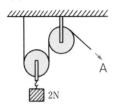

①図中の２Nのおもりを持ち上げるには，Aを 1. 1.5 Nの力で引くとよい。（ただし，滑車の重さは１つ１Nとする）

②図中のおもりを10cm引き上げるには，Aを 2. 20 cm引けばよい。

▶滑　車　(2)

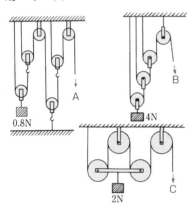

①図のおもりを引き上げるには，A，B，Cをそれぞれ何Nの力で引けばよいか。（ただし，滑車の重さは考えない）

A 3. 0.1 N， B 4. 0.5 N， C 5. 0.5 N

②図のおもりを１cm引き上げるには，A，B，Cをそれぞれ何cm引けばよいか。

A 6. 8 cm， B 7. 8 cm， C 8. 4 cm

※　定滑車の力の大きさは**変わらない**。動滑車の場合，ひもをひく力は**2分の1**，引く距離は**2倍**になる。

▶凸レンズ

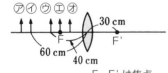

F，F' は焦点

$$*\frac{1}{a} + \frac{1}{b} = \frac{1}{f}$$

a：**実物**からレンズまでの距離
b：レンズから**像**までの距離
f：**焦点距離**

図の㋐～㋔は，どのような像をつくるか。下の①～⑤の中から選びなさい。

①実物より小さな倒立の像
②実物より大きな倒立の像
③実物と同じ大きさの倒立の像
④虚像
⑤実像も虚像もできない。

➡㋐→① 　㋑→③ 　㋒→②
㋓→⑤ 　㋔→④

㋒の像は，レンズから 9. 120 cmのところに像をつくる。

▶プリズム

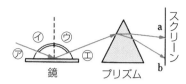

鏡　　　　プリズム

··

　図の⑦～⑤のうち入射角は①，反射角は⑤である。（入射角＝反射角）

　太陽の光をプリズムに通すと，スクリーンには７つの光の色に分かれる。これは，太陽の光の中の色の 10. 屈折 のしかたの違いによる。 a ，b はそれぞれ何色の光か。

➡ a → 11. 赤　　　　b → 12. 紫

▶浮　力

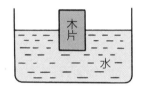

··

　重さ500 g の木片が図のように半分だけ沈んでいるとき，下の問いに答えなさい。

　①この木の体積は 13. 1000 cm³である。

　②この木の比重は 14. 0.5 である。

　③この木を沈めるには 15. 500 g の力が必要である。

• second try •

年 月 日( )
🕐 ： ～ ：
☀ ☁ ☂ （　　）
🖊 am・pm　℃
😀 🙂 😕 😣 😫

1.
2.
3.
4.
5.
6.
7.
8.
9.
10.
11.
12.
13.
14.
15.
16.
17.
18.
19.
20.
21.
22.
23.
24.
25.

• first try •

年 月 日( )
🕐 ： ～ ：
☀ ☁ ☂ （　　）
🖊 am・pm　℃
😀 🙂 😕 😣 😫

1.
2.
3.
4.
5.
6.
7.
8.
9.
10.
11.
12.
13.
14.
15.
16.
17.
18.
19.
20.
21.
22.
23.
24.
25.

➕ プラスチェック！

［音］

□音を出しているものは振動している。

□振幅が大きいほど大きな音となり，振動数が多いほど高い音になる。

□音の速さは，０℃で１秒間に331 m で，気温が１℃上がるごとに0.6 m速くなる。

＊このページで覚えた知識を教師になってどう活かしたい？

＊あ！あれ何だっけ？　確認メモ！

物質・エネルギー──⑤（電流・電圧・抵抗，電磁石）

▶**電流計，電圧計**

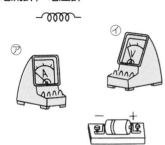

＊つなぎ方をたしかめておこう。

⑦，⑦の器具を利用して，電流，電圧を測定するには，どのように回路をつなげばよいか。

［⑦の器具は $\boxed{1.\ \text{電流計}}$ で，回路に対して $\boxed{2.\ \text{直列}}$ につなぐ。
　⑦の器具は $\boxed{3.\ \text{電圧形}}$ で，回路に対して $\boxed{4.\ \text{並列}}$ につなぐ。

電流の測定…⊕の端子（$\boxed{5.\ \text{赤}}$ 色）に乾電池の＋極からの導線をつなぎ，⊖の端子（$\boxed{6.\ \text{黒}}$ 色）に乾電池の−極からの導線をつなぐ。このとき，５Ａの端子につなぎ，針の振れが小さいときは，500mAの端子につなぐ。

▶**電流，電圧，抵抗 (1)**

図のような配線のとき，どのような関係が成り立つか。

	回　路	電流（I）	電圧（E）	抵抗（R）
直列つなぎ	i_1, e_1, r_1　　i_2, e_2, r_2	$I=\boxed{7.\ i_1=i_2}$	$E=\boxed{8.\ e_1+e_2}$	$R=\boxed{9.\ r_1+r_2}$
並列つなぎ	i_1, e_1, r_1 i_2, e_2, r_2	$I=\boxed{10.\ i_1+i_2}$	$E=\boxed{11.\ e_1=e_2}$	$\dfrac{1}{R}=\boxed{12.\ \dfrac{1}{r_1}+\dfrac{1}{r_2}}$

※　導線の抵抗…**長さ**に比例し**断面積**に反比例する。

▶**電流，電圧，抵抗 (2)**

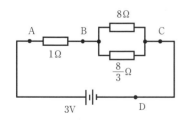

図を見て以下の問いに答えなさい。ただし電池は１つ1.5Ｖとする。

①Ａ‐Ｄ間の電流は $\boxed{13.\ 1}$ Ａである。

②Ａ‐Ｂ間の電圧は $\boxed{14.\ 1}$ Ｖである。

③８Ωの抵抗にかかる電流は $\boxed{15.\ 0.25}$ Ａ

④$\dfrac{8}{3}$Ωの抵抗にかかる電流は $\boxed{16.\ 0.75}$ Ａ

〔オームの法則〕

$\boxed{17.\ E}$ ＝ $\boxed{18.\ IR}$　　（E：電圧　I：電流　R：抵抗）

▶電磁石

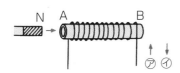

〔右ねじの法則〕

20. 電流の向き

19. N極

....

○コイルに電流を流すと，コイルの両端にN極とS極ができ棒磁石と同じはたらきをする。

○電磁石は電流の向きを変えると**極**が変わる。

○矢印⑦の方向に電流が流れるとき，図のAは 21. N極 になる。

〔電磁石の磁力は， 22. 電流 の大きさとコイルの**巻き数**に比例する。〕

○磁石のN極をコイルに近づけたとき，電流は図の 23. ⑦ の方向に流れる。

▶電気の利用

コンデンサー

....

○光電池は，光が当たったときだけ 24. 発電 する。

○電気を貯めることを 25. 蓄電 といい，コンデンサーなどに貯めることができる。

○貯めた電気は，光，音，運動などに変換して使用することができる。

• second try •

年 月 日( )

: ～ :

☀ ☁ ☂ ( )

am・pm ℃

😀 😐 ☹ 😣 😫

• first try •

年 月 日( )

: ～ :

☀ ☁ ☂ ( )

am・pm ℃

😀 😐 ☹ 😣 😫

1. 2. 3. 4. 5. 6. 7. 8. 9. 10. 11. 12. 13. 14. 15. 16. 17. 18. 19. 20. 21. 22. 23. 24. 25.

➕ **プラスチェック！**

□ 1アンペア（A）＝1000ミリアンペア（mA）。

□直列回路では，どの部分も電流は同じ。

□並列回路では，電流は分かれて流れるが，その和は全体の電流の大きさと同じ。

□電流計は乾電池だけをつなぐと壊れてしまう。

□導線の抵抗は，長さに比例し断面積に反比例する。

*このページで覚えた知識を教師になってどう活かしたい？

*あ！あれ何だっけ？ 確認メモ！

自立し生活を豊かにしていく資質・能力の育成

生活科においては，児童が見る，聞く，触れる，作る，探す，育てる，遊ぶなど体全体で身近な環境に直接働きかける創造的な行為が行われることを重視している。

生活科—学習指導要領

【目標】

　具体的な活動や体験を通して，身近な生活に関わる見方・考え方を生かし， 1. 自立 し生活を豊かにしていくための資質・能力を次のとおり育成することを目指す。

(1) 活動や体験の過程において，自分自身，身近な人々，社会及び自然の特徴やよさ，それらの関わり等に気付くとともに，生活上必要な 2. 習慣 や 3. 技能 を身に付けるようにする。

(2) 身近な人々，社会及び自然を 4. 自分との関わり で捉え，自分自身や自分の生活について考え，表現することができるようにする。

(3) 身近な人々，社会及び自然に自ら働きかけ，意欲や自信をもって学んだり生活を豊かにしたりしようとする態度を養う。

【各学年の目標】

▶第1学年及び第2学年

学校，家庭及び地域の生活に関する内容
(1) 学校，家庭及び地域の生活に関わることを通して，自分と身近な人々，社会及び自然との関わりについて考えることができ，それらのよさやすばらしさ， 5. 自分との関わり に気付き，地域に愛着をもち自然を大切にしたり，集団や社会の一員として安全で適切な行動をしたりするようにする。
身近な人々，社会及び自然と関わる活動に関する内容
(2) 身近な人々，社会及び自然と触れ合ったり関わったりすることを通して，それらを工夫したり楽しんだりすることができ， 6. 活動のよさや大切さ に気付き，自分たちの遊びや生活をよりよくするようにする。
自分自身の生活や成長に関する内容
(3) 自分自身を見つめることを通して，自分の生活や成長，身近な人々の支えについて考えることができ， 7. 自分のよさや可能性 に気付き，意欲と自信をもって生活するようにする。

【内容構成の具体的な視点（11の視点）】

①健康で安全な生活　　　　②身近な人々との接し方　　　③地域への愛着

④公共の意識とマナー　　　⑤生産と消費　　　　　　　　⑥情報と交流

⑦身近な自然との触れ合い　⑧時間と季節　　　　　　　　⑨遊びの工夫

⑩成長への喜び　　　　　　⑪基本的な生活習慣や生活技能

•second try•				•first try•			
年 月 日（ ）				年 月 日（ ）			
🕐 ： ～ ：				🕐 ： ～ ：			
☀ ☁ ☂ （ ）				☀ ☁ ☂ （ ）			
✏ am・pm ℃				✏ am・pm ℃			
😀 😐 🙁 😣 😫				😀 😐 🙁 😣 😫			

【指導計画の作成】

▶年間や，単元など内容や時間のまとまりを見通して，その中で育む資質・能力の育成に向けて，児童の主体的・対話的で深い学びの実現を図るようにすること。その際，児童が具体的な活動や体験を通して，8. 身近な生活 に関わる見方・考え方を生かし，自分と地域の人々，社会及び自然との関わりが**具体的に把握**できるような学習活動の充実を図ることとし，9. 校外での活動 を積極的に取り入れること。

▶**他教科**等との関連を積極的に図り，指導の効果を高め，低学年における教育全体の充実を図り，**中学年**以降の教育へ円滑に接続できるようにするとともに，幼稚園教育要領等に示す 10. 幼児期 の終わりまでに育ってほしい姿との関連を考慮すること。特に，小学校 11. 入学当初 においては，幼児期における 12. 遊び を通した総合的な学びから他教科等における**学習**に円滑に移行し，主体的に自己を発揮しながら，より 13. 自覚的な学び に向かうことが可能となるようにすること。その際，14. 生活科 を中心とした合科的・関連的な指導や，**弾力的**な時間割の設定を行うなどの工夫をすること。

【内容の取扱い】

▶地域の人々，社会及び自然を生かすとともに，それらを 15. 一体的 に扱うよう学習活動を工夫すること。

▶身近な人々，社会及び自然に関する活動の楽しさを味わうとともに，それらを通して気付いたことや楽しかったことなどについて，言葉，絵，動作，劇化などの多様な方法により**表現**し，**考える**ことができるようにすること。また，このように表現し，考えることを通して，16. 気付き を確かなものとしたり，気付いたことを**関連付け**たりすることができるよう工夫すること。

▶具体的な活動や体験を通して気付いたことを基に考えることができるようにするため，**見付ける**，**比べる**，17. たとえる，18. 試す，19. 見通す，20. 工夫する などの多様な学習活動を行うようにすること。

▶具体的な活動や体験を行うに当たっては，身近な幼児や**高齢者**，**障害**のある児童生徒などの多様な人々と 21. 触れ合う ことができるようにすること。

▶生活上必要な習慣や技能の指導については，人，社会，自然及び 22. 自分自身 に関わる学習活動の展開に即して行うようにすること。

1.
2.
3.
4.
5.
6.
7.
8.
9.
10.
11.
12.
13.
14.
15.
16.
17.
18.
19.
20.
21.
22.
23.
24.
25.

➕ **プラスチェック！**

[他教科等との関連を図った指導の在り方]

☐生活科の学習成果を他教科等の学習に生かす（他教科等の目標や内容が一層効果的に実現するよう配慮）。

☐他教科等の学習成果を生活科の学習に生かす（相互の関連を検討し指導計画に位置付けておく）。

☐教科の目標や内容の一部について合科的に扱う。

＊このページで覚えた知識を教師になってどう活かしたい？

＊あ！あれ何だっけ？　確認メモ！

動植物を育て，生き物への親しみをもち大切にしようとする態度を育てることは生活科の内容の1つである。どのような点に注意したらよいか目を通しておこう。

学習材

ウサギ

〔健康観察〕目，耳，口，尻を見て，目やにや耳だれなどの異常がないかみる。糞を見て，軟便や下痢はないか調べる。 [1. 水] に濡れると病気になりやすい。餌は乾かしてからやる。

〔抱き方〕首筋をもち，お尻を支えるようにする。

チャボ

〔飼育〕夏は小屋にすだれをして暑さを防ぎ，冬はムシロなどを下げて北風を防ぐようにする。 [2. 砂浴び場] を用意する。止まり木で寝るので，止まり木の下に糞受けを置くとよい。抱えるときは，後ろから両手で羽根とおなかを押さえもつ。

ハムスター

〔小屋〕木くずや新聞紙を細かくちぎり全体に敷く。それらを材料にケージの隅に巣を作る。 [3. 夜行性] なので昼間はほとんど巣の中。

〔注意〕様子をみて静かに触ったり腹の下に手を入れて抱いてあげたりする。子供が増え過ぎないようにオスとメスを別々に飼う。産まれた子供には触らないようにする。

ザリガニ

〔飼育〕水槽に川砂を敷き，欠けた植木鉢などで隠れ家を作っておく。 [4. 酸素] 不足を防ぐためのエアポンプを入れる。はい出さないように，重みのあるふたをしておく。 2〜3匹を入れて日の当たらない [5. 涼しい所] で飼う。 食べ残しのえさを除いたり水替えをする。

アサガオ

〔種まき〕数時間，水につけておくと発芽しやすくなる。子供の指の [6. 第一関節] くらいの深さの穴をあける。種の [7. 背] （曲面）を上にして蒔くと発芽しやすい。

〔支柱立て〕茎が30cmくらいになったら [8. 支柱] を立てる。茎は [9. 左] 巻きで支柱に巻きつく。

〔開花〕つぼみができるころ追肥する。花びらはつながりあっており， [10. めしべ] が1本， [11. おしべ] が5〜8本程度である。

〔種採り〕種子が十分熟してないと翌年発芽しない。種子を集めたら，しばらく [12. 陰干し] にする。

ヒマワリ

〔種まき〕よい種を選別する方法として，水に入れて 13. 沈む物 を選ぶ。種を一晩水につけておくと発芽しやすくなる。子どもの指の 14. 第二関節 から付け根くらいの深さの穴をあける。蒔いた直後や発芽したての種は鳥に食べられやすいのでビニールや紙で覆う。

〔開花まで〕40～50cm に伸びたら支柱を立てるとよい。 15. 初夏 には水をよく吸うので世話を欠かさないようにする。

〔種採り〕花が咲き実が熟してきたら，鳥に食べられないように花をネットで覆う。採った種は乾燥させ容器に入れる。

ミニトマト

〔種まき〕1cm くらいの深さに穴をあけ，1つの穴に4～5粒蒔く。軽く土をかぶせビニールなどで覆う。本葉が3～4枚出るころまでにする。

〔苗植え〕土は堆肥・鶏糞・油粕・腐葉土などを加えて，石灰を撒いて酸性土壌を 16. 中和 しておく。本葉が5,6枚になったら 30～40cm 間隔で支柱を立て植え付ける。その後，水やり・除草・追肥などをするが，水や化学肥料のやり過ぎに注意する。実がついたら追肥し，化学肥料を1つまみほど 17. 株間 にやる。

サツマイモ

〔植付け〕苗は茎が太く節間がやや詰まっているものがよい。1m² 当たり堆肥1kg，化学肥料 100 g を元肥とする。30～40cm の間隔で茎を 18. うね の方向に向け2～3cm の深さに植える。長い茎は水平に，短い茎は 19. 斜め に挿す。やせた土地でもよく連作すると作物の品質がよくなる。

〔つる返しと追肥〕節からつるが2～3本伸びてきたら化学肥料を少し追肥する。大きな芋にするため， 20. 梅雨 のころ周りに出たつるをひっくり返して余分な 21. 根 を切る。追肥は，消石灰・炭酸カリを1m² 当たり1～2握り施すとよい。葉が茂りすぎるとイモが育ちにくくなる。

• second try •
| 年 月 日（ ） |
| 🕐 ： ～ ： |
| ☀ ☁ ☂ （ ） |
| 🖊 am・pm ℃ |
| 😊 😐 ☹ 😣 😫 |

• first try •
| 年 月 日（ ） |
| 🕐 ： ～ ： |
| ☀ ☁ ☂ （ ） |
| 🖊 am・pm ℃ |
| 😊 😐 ☹ 😣 😫 |

second try	first try
1.	1.
2.	2.
3.	3.
4.	4.
5.	5.
6.	6.
7.	7.
8.	8.
9.	9.
10.	10.
11.	11.
12.	12.
13.	13.
14.	14.
15.	15.
16.	16.
17.	17.
18.	18.
19.	19.
20.	20.
21.	21.
22.	22.
23.	23.
24.	24.
25.	25.

✚ プラスチェック！

□ カタツムリ…飼育箱は直射日光を避けておく。乾燥しないように霧吹きをかけ湿気を与える。餌の食べ残しは取り除く。

□ コオロギ…湿った赤土を敷き乾かないよう霧吹きで水を与え，隠れ家になる鉢などを入れる。直射日光の当たらない所へ置く。餌は皿に載せたり串に刺す。

＊このページで覚えた知識を教師になってどう活かしたい？

＊あ！あれ何だっけ？　確認メモ！

chapter 49 [音楽] 生活の中の音楽と豊かに関わる資質・能力を育成

音楽科の目標と内容は低学年・中学年・高学年の2学年ごとのまとまりで示されており、内容についてはそれぞれ「A 表現」「B 鑑賞」で構成されている。

音楽科—学習指導要領①

【目標】

　表現及び鑑賞の活動を通して，音楽的な見方・考え方を働かせ，生活や社会の中の音や音楽と豊かに関わる資質・能力を次のとおり育成することを目指す。

(1)　曲想と 1.音楽の構造 などとの関わりについて理解するとともに，表したい音楽表現をするために必要な技能を身に付けるようにする。

(2)　音楽表現を工夫することや，音楽を味わって聴くことができるようにする。

(3)　音楽活動の楽しさを体験することを通して，音楽を愛好する 2.心情 と音楽に対する 3.感性 を育むとともに，音楽に親しむ態度を養い，豊かな 4.情操 を培う。

【各学年の目標】

		第1学年及び第2学年	第3学年及び第4学年	第5学年及び第6学年
「知識及び技能」の習得		(1)　曲想と音楽の構造などとの関わりについて 5.気付く とともに，		(1)　曲想と音楽の構造などとの関わりについて理解するとともに，
		音楽表現を楽しむために必要な歌唱，器楽，音楽づくりの技能を身に付けるようにする。	表したい音楽表現をするために必要な歌唱，器楽，音楽づくりの技能を身に付けるようにする。	
表現力等」の育成	「思考力，判断力，	(2)　音楽表現を考えて表現に対する思いをもつことや，	(2)　音楽表現を考えて表現に対する思いや 6.意図 をもつことや，	
		曲や演奏の楽しさを見いだしながら音楽を味わって聴くことができるようにする。	曲や演奏の 7.よさ などを見いだしながら音楽を味わって聴くことができるようにする。	
人間性等」の涵養	「学びに向かう力，	(3)　楽しく音楽に関わり，協働して音楽活動をする楽しさを感じながら， 8.身の回りの 様々な音楽に親しむとともに，	(3)　進んで音楽に関わり，協働して音楽活動をする楽しさを感じながら，様々な音楽に親しむとともに，	(3)　主体的に音楽に関わり，協働して音楽活動をする楽しさを 9.味わいながら ，様々な音楽に親しむとともに，
		音楽経験を生かして生活を明るく潤いのあるものにしようとする態度を養う。		

【指導計画の作成】

▶題材など内容や時間のまとまりを見通して，その中で育む資質・能力の育成に向けて，児童の主体的・対話的で深い学びの実現を図るようにすること。その際，10. 音楽的 な見方・考え方を働かせ，他者と協働しながら，11. 音楽表現 を生み出したり音楽を聴いてそのよさなどを見いだしたりするなど，思考，12. 判断 し，13. 表現 する一連の過程を大切にした学習の充実を図ること。

▶各学年の内容の〔共通事項 (→P.198参照)〕は，表現及び鑑賞の学習において共通に必要となる資質・能力であり「A 表現」及び「B 鑑賞」の指導と併せて，十分な指導が行われるよう工夫すること。

▶国歌「君が代」は，いずれの学年においても 14. 歌える よう指導すること。

【内容の取扱い】(その1)

▶音楽によって喚起されたイメージや感情，音楽表現に対する思いや意図，音楽を聴いて感じ取ったことや想像したことなどを伝え合い 15. 共感 するなど，音や音楽及び 16. 言葉 によるコミュニケーションを図り，音楽科の特質に応じた 17. 言語活動 を適切に位置付けられるよう指導を工夫すること。

▶音楽との 18. 一体感 を味わい，想像力を働かせて音楽と関わることができるよう，指導のねらいに即して 19. 体を動かす 活動を取り入れること。

▶児童が様々な感覚を働かせて音楽への理解を深めたり，主体的に学習に取り組んだりすることができるようにするため，20. コンピュータ や教育機器を効果的に活用できるよう指導を工夫すること。

▶児童が学校内及び公共施設などの学校外における音楽活動とのつながりを意識できるようにするなど，児童や学校，地域の実態に応じ，生活や 21. 社会 の中の音や音楽と主体的に関わっていくことができるよう配慮すること。

▶表現したり鑑賞したりする多くの曲について，それらを創作した著作者がいることに気付き，学習した曲や自分たちのつくった曲を 22. 大切 にする態度を養うようにするとともに，それらの著作者の創造性を 23. 尊重 する意識をもてるようにすること。また，このことが，24. 音楽文化 の継承，発展，創造を支えていることについて理解する素地となるよう配慮すること。

• second try •

年 月 日( )

: ～ :

☀ ☁ ☂ ( )

am・pm ℃

😊 😐 😟 😣 😫

• first try •

年 月 日( )

: ～ :

☀ ☁ ☂ ( )

am・pm ℃

😊 😐 😟 😣 😫

second try	first try
1.	1.
2.	2.
3.	3.
4.	4.
5.	5.
6.	6.
7.	7.
8.	8.
9.	9.
10.	10.
11.	11.
12.	12.
13.	13.
14.	14.
15.	15.
16.	16.
17.	17.
18.	18.
19.	19.
20.	20.
21.	21.
22.	22.
23.	23.
24.	24.
25.	25.

➕ プラスチェック！

□ 「音楽的な見方・考え方」とは，音楽に対する感性を働かせ，音や音楽を，音楽を形づくっている要素とその働きの視点で捉え，自己のイメージや感情，生活や文化などと関連づけることである。

＊このページで覚えた知識を教師になってどう活かしたい？

＊あ！あれ何だっけ？ 確認メモ！

「A 表現」の構成は「歌唱」「器楽」「音楽づくり」（→P.196参照）。指導計画の作成や内容の取扱いについては，出題されやすいので注意しよう。

音楽科―学習指導要領②

【歌唱教材（共通教材）】

第1学年	第3学年	第5学年
『うみ』（文部省唱歌） 　林柳波 作詞　　井上武士 作曲 『かたつむり』（文部省唱歌） 『日のまる』（文部省唱歌） 　高野辰之 作詞　　岡野貞一 作曲 『 1. ひらいたひらいた 』（わらべうた）	『うさぎ』（日本古謡） 『茶つみ』（文部省唱歌） 『 2. 春の小川 』（文部省唱歌） 　高野辰之 作詞　　岡野貞一 作曲 『ふじ山』（文部省唱歌） 　巌谷小波 作詞	『こいのぼり』（文部省唱歌） 『子もり歌』（日本古謡） 『スキーの歌』（文部省唱歌） 　林柳波 作詞　　橋本国彦 作曲 『冬げしき』（文部省唱歌）
第2学年	**第4学年**	**第6学年**
『かくれんぼ』（文部省唱歌） 　林柳波 作詞　　下総皖一 作曲 『春がきた』（文部省唱歌） 　高野辰之 作詞　　岡野貞一 作曲 『虫のこえ』（文部省唱歌） 『夕やけこやけ』 　中村雨紅 作詞　　草川信 作曲	『さくらさくら』（日本古謡） 『とんび』 　葛原しげる 作詞　　梁田貞 作曲 『まきばの朝』（文部省唱歌） 　船橋栄吉 作曲 『もみじ』（文部省唱歌） 　高野辰之 作詞　　岡野貞一 作曲	『 3. 越天楽今様 』（日本古謡） 　慈鎮和尚 作歌 　（歌詞は第2節まで） 『おぼろ月夜』（文部省唱歌） 　高野辰之 作詞　　岡野貞一 作曲 『ふるさと』（文部省唱歌） 　高野辰之 作詞　　岡野貞一 作曲 『われは海の子』（文部省唱歌） 　（歌詞は第3節まで）

【鑑賞教材】

第1学年及び第2学年	第3学年及び第4学年	第5学年及び第6学年
ア　我が国及び諸外国の 4. わらべうた や遊びうた，行進曲や踊りの音楽など体を動かすことの快さを感じ取りやすい音楽，日常の生活に関連して情景を思い浮かべやすい音楽など，いろいろな種類の曲。	ア　和楽器の音楽を含めた我が国の音楽，6. 郷土の音楽，諸外国に伝わる民謡など生活との関わりを捉えやすい音楽，劇の音楽，人々に長く親しまれている音楽など，いろいろな種類の曲。	ア　和楽器の音楽を含めた我が国の音楽や 9. 諸外国の音楽 など文化との関わりを捉えやすい音楽，人々に長く親しまれている音楽など，いろいろな種類の曲。
イ　音楽を形づくっている要素の働きを感じ取りやすく，5. 親しみ やすい曲。	イ　音楽を形づくっている要素の働きを感じ取りやすく，聴く 7. 楽しさ を得やすい曲。	イ　音楽を形づくっている要素の働きを感じ取りやすく，聴く 10. 喜び を深めやすい曲。
ウ　楽器の音色や人の声の特徴を捉えやすく親しみやすい，いろいろな演奏形態による曲。	ウ　楽器や人の声による演奏表現の違いを聴き取りやすい，8. 独奏，重奏，独唱，重唱を含めたいろいろな演奏形態による曲。	ウ　楽器の音や人の声が重なり合う響きを味わうことができる，11. 合奏，合唱を含めたいろいろな演奏形態による曲。

【内容の取扱い】(その2)

▶和音の指導に当たっては，合唱や合奏などの活動を通して和音の もつ 12. 表情 を感じ取ることができるようにすること。また， 長調及び短調の曲においては， Ⅰ，Ⅳ，Ⅴ及びⅤ₇などの 13. 和音 を中心に指導すること。

▶我が国や郷土の音楽の指導に当たっては，そのよさなどを感じ 取って表現したり鑑賞したりできるよう， 14. 音源 や 15. 楽譜 等の示し方，伴奏の仕方，曲に合った歌い方や楽器の演奏の仕方 などの指導方法を工夫すること。

▶歌唱の指導に当たっては，相対的な音程感覚を育てるために，適 宜， 16. 移動ド唱法 を用いること。また，変声以前から自分の声 の特徴に関心をもたせるとともに， 17. 変声期 の児童に対して 適切に配慮すること。

▶合奏で扱う楽器については， 18. 各声部 の役割を生かした演奏 ができるよう，楽器の特性を生かして選択すること。

▶音楽づくりの指導に当たっては， 19. 音遊び や即興的な表現で は，身近なものから多様な音を探したり，リズムや旋律を 20. 模倣 したりして，音楽づくりのための発想を得ることができるよ う指導すること。その際，適切な条件を設定するなど，児童が無 理なく音を選択したり組み合わせたりすることができるよう指導 を工夫すること。

▶拍のないリズム，我が国の音楽に使われている音階や調性にとら われない音階などを児童の実態に応じて取り上げるようにするこ と。

▶鑑賞の指導に当たっては， 21. 言葉 などで表す活動を取り入れ， 曲想と音楽の構造との関わりについて気付いたり理解したり，曲 や演奏の楽しさやよさなどを見いだしたりすることができるよう 指導を工夫すること。

▶各学年の〔共通事項〕に示す「音楽を形づくっている要素」につ いては，児童の発達の段階や指導のねらいに応じて，次のア及び イから適切に選択したり関連付けたりして指導すること。

ア 音楽を特徴付けている要素……音色， 22. リズム ，速度， 旋律， 23. 強弱 ，音の重なり，和音の響き，音階，調，拍， フレーズなど

イ 音楽の仕組み…… 24. 反復 ，呼びかけとこたえ， 25. 変化 ， 音楽の縦と横との関係など

• second try •

年 月 日( )
🕐 ： ～ ：
☀ ☁ ☂ ( )
✎ am・pm ℃
😀 😐 🙁 😣 😫

1.
2.
3.
4.
5.
6.
7.
8.
9.
10.
11.
12.
13.
14.
15.
16.
17.
18.
19.
20.
21.
22.
23.
24.
25.

• first try •

年 月 日( )
🕐 ： ～ ：
☀ ☁ ☂ ( )
✎ am・pm ℃
😀 😐 🙁 😣 😫

1.
2.
3.
4.
5.
6.
7.
8.
9.
10.
11.
12.
13.
14.
15.
16.
17.
18.
19.
20.
21.
22.
23.
24.
25.

✚ プラスチェック！

☐ 音楽づくりの活動は，既存の作品を創意工夫して表 現する活動を含めない。

☐ 変声期の指導：変声期を迎える前から，変声は成長 の証であること，時期や変化には個人差があること などを指導しておく。

＊このページで覚えた知識を教師になってどう活かしたい？

＊あ！あれ何だっけ？　確認メモ！

共通教材―①（ト音・ヘ音, 音階）

◇次の楽譜を見て，下の問いに答えなさい。

(1) この曲の題名は 1.夕やけこやけ で， 2.第2学年 の共通教材である。

(2) この曲を1オクターブ下げて第1小節のみ書きなさい。

▶ト音記号，ヘ音記号

※ 音名（ハ，ニ，ホ…）が同じで，高さが異なる2音の隔りを**オクターブ**という。例えば，ハとハは1オクターブ違う音となる。

◇次の楽譜を見て，下の問いに答えなさい。

(1) この曲の題名は 3.子もり歌 で， 4.第5学年 の共通教材である。

(2) ㋐，㋑，㋒，㋓，㋔の音符，休符の名称を答えなさい。

㋐ 5.4分音符　　　㋑ 6.8分休符　　　㋒ 7.8分音符

㋓ 8.付点2分音符　　　㋔ 9.4分休符

(3) 次の休符を長さの長い順に並べなさい。

ⓐ 𝄽　 ⓑ ▬　 ⓒ 𝄾　 ⓓ ▬　 ⓔ 𝄾　 ➡ ⓑ−ⓓ−ⓐ−ⓒ−ⓔ

◇次の記号の読みと意味を答えなさい。

(1) ♯……読み 10.シャープ ，意味 11.半音上げる

(2) ♭……読み 12.フラット ，意味 13.半音下げる

(3)　♮　……読み　14.ナチュラル , 意味　15.もとに戻す

(4)　∨　……読み　16.ブレス , 意味　17.息つぎ

►♯と♭

┌─ 18.調号 として用いられるときは，その**曲全体**に影響が及ぶ。

└─ 19.臨時記号 として用いられるときは，その**小節内**に影響が及ぶ。

　曲の途中で音符の左についた♯や♭を**臨時記号**といい，𝄞などの右に書かれた♯や♭を**調号**という。

►臨時記号は小節内

◆次の楽譜を見て，下の問いに答えなさい。

(1)　この曲の題名は 20.ふるさと で， 21.第6学年 の共通教材である。

(2)　この曲は，22.ト長 調である。

►長音階と短音階

(1)　**長音階**……オクターブ中に全音全音半音全音全音全音半音とならんだ音階。

(2)　**短音階**……オクターブ中に全音半音全音全音半音全音全音とならんだ音階。

〔長調と短調の区別〕

○**長調**……明るく快活で，23.ドミソ のどれかの音から始まり，終止音は**ド**が多い。

○**短調**……暗くて，重々しく，さびしく，やわらかいものが多く，24.ラドミ のどれかの音から始まり，和声短音階の場合**ソ**の音（第7音）が半音上がる。

• second try •		• first try •	
年　月　日（　）		年　月　日（　）	
🕐　：　〜　：		🕐　：　〜　：	
☀ ☁ ☂（　　）		☀ ☁ ☂（　　）	
✎ am・pm　　℃		✎ am・pm　　℃	
😃 🙂 😐 🙁 😫		😃 🙂 😐 🙁 😫	

1.	1.
2.	2.
3.	3.
4.	4.
5.	5.
6.	6.
7.	7.
8.	8.
9.	9.
10.	10.
11.	11.
12.	12.
13.	13.
14.	14.
15.	15.
16.	16.
17.	17.
18.	18.
19.	19.
20.	20.
21.	21.
22.	22.
23.	23.
24.	24.
25.	25.

✚ プラスチェック！

□主音とは，音階のはじめの音で長調はド，短調はラである。

□音符・休符については，単にその名称や意味を知るだけでなく，表現や鑑賞の活動の中で，その意味や働きを理解したり，用いたりするようにする。

＊このページで覚えた知識を教師になってどう活かしたい？

＊あ！あれ何だっけ？　確認メモ！

音名，階名，長調と短調の違いは？

長調と短調は曲のイメージでもわかる。音符や休符，記号については頻出の基本事項のため，（共通事項（→P.227参照））に示されているものは確実に押さえておこう。

共通教材―②(拍子,音名と階名,調)

◆次の楽譜を見て，下の問いに答えなさい。

※　∨はブレスを入れる位置。

(1)　この曲の題名は [1. スキーの歌] で，[2. 第5学年] の共通教材である。

(2)　⑦の部分に入るこの曲の拍子は $\frac{4}{4}$ である。

▶拍子

$$\frac{4}{4} = \frac{1小節に4拍ある}{4分音符（♩）を1拍と数えたとき} ◀ 小節に入る下の音符の数 \\ ◀ 音符の種類$$

＊8分の6拍子は2拍子系であり小節のまん中で2等分できるが，4分の3拍子は3拍子系であるので2等分できない。

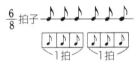

◆次の楽譜を見て，下の問いに答えなさい。

(1)　この曲の題名は [4. もみじ] で，[5. 第4学年] の歌唱共通教材である。

(2)　⑦，⑦，⑦の音名と階名を答えなさい。

⑦ 音名 [6. ヘ]，階名 [7. ド]　⑦ 音名 [8. ハ]，階名 [9. ソ]

⑦ 音名 [10. ハ]，階名 [11. ソ]

▶音名と階名

○音名……ハ，ニ，ホ，ヘ〜を用いた固定的名称で何調を用いても変わることはない。

○階名……音名に対し，歌うときに用いるドレミファソラシをいい，調で変わる。（**移動ド唱法**）

長調　➡　主音が [ド]
短調　➡　主音が [ラ] になる。

○調の見当のつけ方……調号（♯，♭）がいくつかあるときには，一番右にある♯の位置が**シ**（♭の場合は**ファ**）。

階名：シ　ド　ラ
音名：嬰ト　イ嬰ヘ

イ音がド，嬰ヘがラなので
長調ならイ長調，短調なら
嬰ヘ短調。

ハ長調　　　　　　　　12. イ 短調

13. ト 長調　　　　　　　14. ホ 短調

15. ニ 長調　　　　　　　16. ロ 短調

17. イ 長調　　　　　　　18. 嬰ヘ 短調

19. ヘ 長調　　　　　　　20. ニ 短調

21. 変ロ 長調　　　　　　22. ト 短調

23. 変ホ 長調　　　　　　24. ハ 短調

• second try •

年 月 日（ ）
🕐 　：　～　：
☀ ☁ ☂ （　　）
✏ am・pm 　℃
😀 😐 😣 😖 😫

• first try •

年 月 日（ ）
🕐 　：　～　：
☀ ☁ ☂ （　　）
✏ am・pm 　℃
😀 😐 😣 😖 😫

second try	first try
1.	1.
2.	2.
3.	3.
4.	4.
5.	5.
6.	6.
7.	7.
8.	8.
9.	9.
10.	10.
11.	11.
12.	12.
13.	13.
14.	14.
15.	15.
16.	16.
17.	17.
18.	18.
19.	19.
20.	20.
21.	21.
22.	22.
23.	23.
24.	24.
25.	25.

✚ **プラスチェック！**

□ 長調の場合は♯がひとつつくごとに，トニイホロヘハ，♭がひとつつくごとにヘロホイニトハと変化する。

□ 主音に♭がつく場合その調を「変〇長（短）調」といい，主音に♯がつく場合，その調を「嬰〇長（短）調」という。

＊このページで覚えた知識を教師になってどう活かしたい？

＊あ！あれ何だっけ？　確認メモ！

日本の伝統的な音楽を扱うことも増えている

和音では伴奏のつけ方などが出題されることがある。Ⅰ（主和音），Ⅳ（下属和音），Ⅴ（属和音），Ⅴ₇（属七）の和音と記号を押さえておこう。

共通教材─③（日本の音階, 移調・転調, 和音）

◇次の楽譜を見て，下の問いに答えなさい。

(1) Aの曲の題名は 1. さくらさくら で，2. 第4学年 の共通教材である。

(2) Bの曲の題名は 3. かくれんぼ で，4. 第2学年 の共通教材である。

(3) A，Bのうち，陰旋法の曲は 5. A である。

▶日本の音階

○**陽旋法**は，隣接した音に 6. 半音 の組み合わせがない。『ひらいたひらいた』（わらべうた），『子もり歌』（日本古謡）など。

○**陰旋法**は，隣接した音に 7. 2か所 半音をもつ。『うさぎ』『さくらさくら』（日本古謡）など。

◇次の楽譜を見て，下の問いに答えなさい。

(1) この曲は，8. ヘ長 調である。

(2) この曲の第1小節を別の調号に移調した場合，次のようになる。

▶移調と転調

移調……ある調から，曲全体を何度か上げたり下げたりすること。

転調……曲の途中から調が変わっていくこと。

※　移調する前に，原調の**階名**を考える。（階名は調が変わって
　も変化しない）

◆次の楽譜を見て，下の問いに答えなさい。

(1)　この曲の題名は 9.とんび で，10.第4学年 の共通教材であ
　る。

(2)　この曲の各小節に，Ⅰ，Ⅳ，Ⅴの和音名を記しなさい。
　　1小節 11.Ⅰ　　2小節 12.Ⅳ　　3小節 13.Ⅰ　　4小節 14.Ⅴ

▶和音

〔主要三和音〕

長調の和音 （ハ長調）	🎼	🎼	🎼	🎼
階　名	ドミソ	ドファラ	シレソ	シレファソ
和音名	Ⅰ（主和音）	Ⅳ（下属和音）	Ⅴ（属和音）	Ⅴ₇（属七）
階　名	ラドミ	ラレファ	ソシミ	ソシレミ
短調の和音 （イ短調）	🎼	🎼	🎼	🎼

○**協和音程** ①完全…完全1度，完全4度，完全5度，完全8度
　　　　　　②不完全…長（短）3度，長（短）6度

○**不協和音程**…協和音程以外

• second try •

| 年　月　日（　） |
| 🕐　：　～　： |
| ☀ ☁ ☔（　　） |
| 🖊 am・pm　　℃ |
| 😄 😊 😟 😣 😫 |

1.
2.
3.
4.
5.
6.
7.
8.
9.
10.
11.
12.
13.
14.
15.
16.
17.
18.
19.
20.
21.
22.
23.
24.
25.

• first try •

| 年　月　日（　） |
| 🕐　：　～　： |
| ☀ ☁ ☔（　　） |
| 🖊 am・pm　　℃ |
| 😄 😊 😟 😣 😫 |

1.
2.
3.
4.
5.
6.
7.
8.
9.
10.
11.
12.
13.
14.
15.
16.
17.
18.
19.
20.
21.
22.
23.
24.
25.

➕ プラスチェック！

□和楽器による音楽…雅楽，歌舞伎，狂言，文楽の一
　場面などの音楽，民謡，祭り囃子などの郷土の音楽，
　など。

□口唱歌…くちしょうが。和楽器の伝承において用い
　られてきた学習法。リズムや旋律をチン・トン・シャ
　ンなどの言葉で置き換え唱える。

＊このページで覚えた知識を教師になってどう活かしたい？

＊あ！あれ何だっけ？　確認メモ！

ピアノ伴奏は身につけたい技能のひとつ

ピアノやリコーダーなどの演奏について把握しておこう。運指など実際に行ってみる機会が
あると望ましい。また，強弱記号や速度記号について名称と意味を押さえておこう。

共通教材 — ④ （鍵盤, リコーダー, 終止形）

◆次の楽譜を見て，下の問いに答えなさい。

(1) この曲の題名は `1. 冬げしき` で， `2. 第5学年` の共通教材である。

(2) この曲をピアノで弾くとき，⑦は下図の `3. ⑬` の鍵盤を，⑦は `4. ⑪` の鍵盤を押さえる。

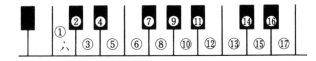

(3) ①この曲をリコーダーで吹くとき，⑦は下図の `5. ⓓ` のように，⑦は `6. ⓑ` のように穴を指で押
さえる。

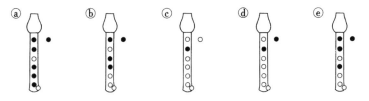

②`7. タンギング` とは，tu, tu, tu, …と舌で息を切りながら送り込み笛を吹くこと。

③高音部を吹くときのうら穴のあけ方で正しいものは下図の `8. ⑦` である。

◆次の楽譜を見て，下の問いに答えなさい。

(1) この曲の題名は `9. おぼろ月夜` で， `10. 第6学年` の共通教材である。

(2) ⑦の部分に入るこの曲の拍子は $\boxed{11. \dfrac{3}{4}}$ である 。

(3) この曲は， `12. 弱` 起である。

〔強起と弱起〕

強起……小節の 13.第1拍 （強拍）からはじまる。

弱起……小節の弱拍からはじまる。

◆次の楽譜を見て，下の問いに答えなさい。

(1) この曲の題名は 14.春の小川 で， 15.第3学年 の歌唱共通教材である。

(2) ⑦, ⑦, ⑦の記号の名称と意味を答えなさい。

⑦ 名称 16. メゾフォルテ
意味 17. やや強く

⑦ 名称 18. クレッシェンド
意味 19. だんだん強く

⑦ 名称 20. スラー
意味 21. なめらかに

(3) Ⓐには下の③～ⓓのうち 22.ⓑ の小節が，Ⓑには 23.ⓓ の小節が入る。

▶終止形……主和音ではじまって主和音で終わるあいだに，
24. Ⅳ ， 25. Ⅴ の和音をおいてつないだもの。

① Ⅰ－Ⅳ－Ⅰ
② Ⅰ－Ⅴ－Ⅰ
③ Ⅰ－Ⅳ－Ⅴ－Ⅰ
④ Ⅰ－Ⅳ－Ⅰ－Ⅴ－Ⅰ

• second try •
年 月 日（ ）
🕐 ： ～ ：
☀ ☁ ☔ （ ）
✏ am・pm ℃
😄 😐 😟 😣 😫

• first try •
年 月 日（ ）
🕐 ： ～ ：
☀ ☁ ☔ （ ）
✏ am・pm ℃
😄 😐 😟 😣 😫

second try	first try
1.	1.
2.	2.
3.	3.
4.	4.
5.	5.
6.	6.
7.	7.
8.	8.
9.	9.
10.	10.
11.	11.
12.	12.
13.	13.
14.	14.
15.	15.
16.	16.
17.	17.
18.	18.
19.	19.
20.	20.
21.	21.
22.	22.
23.	23.
24.	24.
25.	25.

➕ プラスチェック！

□ 歌唱教材では，歌詞を問われる場合もある。

□ リコーダー…ジャーマン式とバロック式がある。

□ 小学校ではソプラノリコーダーが扱われる。

＊このページで覚えた知識を教師になってどう活かしたい？

＊あ！あれ何だっけ？ 確認メモ！

音楽記号は伴奏を豊かに表現する際にも役立つ知識

表現の活動で学んだことを鑑賞の活動に生かすなど，相互の関連に十分留意した指導が大切である。速度記号は遅い順に並べられるなど多角的に覚えておこう。

鑑賞教材—①（三連符，舞曲）

◇次の楽譜を見て，下の問いに答えなさい。

(1) この曲の題名は 1. 赤とんぼ で，作曲者は 2. 山田耕筰 である。

(2) 第1小節と第2小節を階名で答えなさい。 3. ソドドレ ｜ 4. ミソドラソ

(3) この曲をピアノで弾くとき，どの鍵盤を押さえたらよいか，下図の丸付番号で答えなさい。

5. ⑥⑪⑪⑬ ｜ ⑮⑱㉓⑳⑱ ｜ ⑳⑪⑪⑬ ｜ ⑮

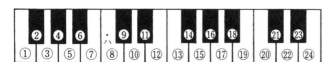

(4) Ⓐには ⓐクレッシェンド，ⓑデクレッシェンド のうち， 6. ⓑ が入る。

◇次の楽譜を見て，下の問いに答えなさい。

(1) この曲の題名は 7. おもちゃの兵隊 で，作曲者は 8. イェッセル である。

(2) この曲の㋐に入る拍子は 9. $\frac{2}{4}$ である。

(3) ㋑は 10. 三連符 といい，2等分すべき音符の長さを3等分した音符である。

◇次の楽譜を見て，下の問いに答えなさい。

(1) この曲は 11. ベートーヴェン の作曲した 12. メヌエット である。

(2) メヌエットとはフランスの宮廷で盛んに行われた 13. 3 拍子の舞曲のことである。

(3) この曲は 14. ト長 調である。

•second try•				
年　月　日（　）				
⏰ ：　～　：				
☀ ☁ ☂（　）				
🌡 am・pm　　℃				
😀 😐 🙁 😣 😫				

•first try•				
年　月　日（　）				
⏰ ：　～　：				
☀ ☁ ☂（　）				
🌡 am・pm　　℃				
😀 😐 🙁 😣 😫				

▶舞曲の種類

┬ メヌエット……フランスの宮廷で発達した**3拍子**の舞曲。

├ 15. ガボット ……16世紀南東フランスに起こった $\frac{2}{2}$ あるいは $\frac{4}{4}$ 拍子の舞曲。

└ 16. ワルツ ……19世紀ドイツに起こった3拍子の舞曲。

◇次の楽譜を見て，下の問いに答えなさい。

（1）　この曲の題名は 17. ポロネーズ で，作曲者は 18. バッハ である。

（2）　Moderatoの読みは 19. モデラート で， 20. 中ぐらいの速さで という意味である。

（3）　この曲を鑑賞するねらいとして， 21. フルート の音色に親しませることがある。

▶速さを表す記号

Adagio	ゆるやかに	Presto	急速に
Largo	幅広くゆるやかに	Vivace	活発に，速く
Andante	歩くようにほどよくゆっくり	ritardando [rit.]	だんだん遅く
Moderato	中ぐらいの速さで	accelerando [accel.]	だんだん速く
Allegretto	やや速く	a tempo	もとの速さで
Allegro	軽快に速く	lento	遅く

◇次の文は，鑑賞教材について解説したものです。何という曲についてのものか答えなさい。

（1）　この曲は「夜明け」「嵐」「静けさ」「スイス軍の行進」の4つの部分からできている。… 22. ウィリアム・テル序曲

（2）　この曲はノルウェーの作家イプセンが伝説をもとに書いた劇のためにつくられた。「朝」の旋律はモロッコ海岸のすがすがしい朝を表している。… 23. ペール・ギュント

（3）　この歌劇は，今ではほとんど上演されることがなく，あらすじもはっきりしない。初めのトランペットの合図，ギャロップのリズムなどに特徴がある。… 24. 軽騎兵

1.	1.
2.	2.
3.	3.
4.	4.
5.	5.
6.	6.
7.	7.
8.	8.
9.	9.
10.	10.
11.	11.
12.	12.
13.	13.
14.	14.
15.	15.
16.	16.
17.	17.
18.	18.
19.	19.
20.	20.
21.	21.
22.	22.
23.	23.
24.	24.
25.	25.

➕ **プラスチェック！**

□鑑賞に当たっては，視聴覚教材を活用して演奏している場面を見たり，音楽に合わせて演奏のまねをしたりするなど，演奏のよさや楽しさに気づくように配慮することも必要である。

＊このページで覚えた知識を教師になってどう活かしたい？

＊あ！あれ何だっけ？　確認メモ！

鑑賞教材─②（声楽曲・器楽曲）

◇次の各問いに答えなさい。

(1) 「踊る子猫」の作曲者は， 1. アメリカ の 2. アンダーソン である。

(2) この曲を鑑賞するねらいには，猫の鳴き声の擬態など， 3. バイオリン の音色に親しませることがある。

(3) 次の各記号の名称と意味を答えなさい。

○(ア)の名称は 4. スタッカート で， 5. 音を短く切る という意味である。
○(イ)の名称は 6. フェルマータ で， 7. その音を伸ばす という意味である。
○(ウ)の名称は 8. テヌート で， 9. 音の長さを十分伸ばす という意味である。
○(エ)の名称は 10. アクセント で， 11. その音を強く という意味である。
○(オ)の名称は 12. タイ で， 13. 1つの音にまとめて伸ばす という意味である。
○(カ)の名称は 14. スラー で， 15. なめらかに という意味である。

◇次の楽譜を見て，下の問いに答えなさい。

(1) この曲の題名は 16. ホルン協奏曲 で，作曲者は 17. モーツァルト である。

(2) この曲を鑑賞するねらいには， 18. ホルン の音色に親しませることがある。

(3) この曲は， 19. 二長 調である。

(4) (ア)，(イ)，(ウ) の音名と階名を答えなさい。

(ア)音名 → 嬰ヘ，階名 → ミ　　(イ)音名 → 嬰ハ，階名 → シ

(ウ)音名 → ホ，　階名 → レ

(5) この曲の平行調は 20. ロ短調 ，同主調は 21. 二短調 である。

□
□

▶平行調と同主調

　平行調……同じ 22. 調号

　同主調……同じ 23. 主音

（ハ長調の場合の関係性）

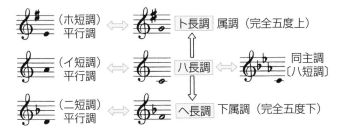

（ホ短調）平行調 ⟷ ト長調 属調（完全五度上）

（イ短調）平行調 ⟷ ハ長調 ⟷ 同主調〔ハ短調〕

（ニ短調）平行調 ⟷ ヘ長調 下属調（完全五度下）

▶声楽曲と器楽曲

声楽曲	合唱曲	ミサ	キリスト教教会の礼拝の儀式のためにつくられたもの。
		レクイエム	鎮魂曲ともいい，死者の霊をなぐさめるためのもの。
	歌劇（オペラ）		音楽を使った劇のことで管弦楽，バレエも加わる。
	オペレッタ		歌劇に対話を用いてこっけいな内容にしたもの。
器楽曲	行進曲（マーチ）		野外を行進するための楽曲。
	変奏曲（バリエーション）		主題をつぎつぎと変化させてまとまった曲にしたもの。
	交響曲（シンフォニー）		24. 管弦楽 で演奏するためのソナタの曲。
	協奏曲（コンチェルト）		25. 独奏楽器 と管弦楽で協奏するソナタの曲。
	ソナタ		ソナタ形式の楽曲を含み，ふつう4楽章からできている。
	ソナチネ		ソナタの形を小さくしたもの。

・second try・

年　月　日（　）
🕐　：　～　：
☀ ☁ ☂（　　）
🖊 am・pm　　℃
😀 😐 😟 😣 😫

1.
2.
3.
4.
5.
6.
7.
8.
9.
10.
11.
12.
13.
14.
15.
16.
17.
18.
19.
20.
21.
22.
23.
24.
25.

・first try・

年　月　日（　）
🕐　：　～　：
☀ ☁ ☂（　　）
🖊 am・pm　　℃
😀 😐 😟 😣 😫

1.
2.
3.
4.
5.
6.
7.
8.
9.
10.
11.
12.
13.
14.
15.
16.
17.
18.
19.
20.
21.
22.
23.
24.
25.

➕ プラスチェック！

[さらに鑑賞曲！：歌劇『軽騎兵』]

□スッペの作曲。

□この曲の鑑賞のねらいは，トランペットの音色に親しませることがあげられる。

□イ長調の曲で，ギャロップのリズムに特徴がある。

□歌劇とは音楽による劇のことでオペラともいう。

＊このページで覚えた知識を教師になってどう活かしたい？

＊あ！あれ何だっけ？　確認メモ！

113

楽器の種類や器楽編成，演奏形態などについて把握しておこう。重奏や合奏の指導では，個々の演奏が全体の中で調和する演奏ができるようにすることが大切である。

鑑賞教材—③（独奏・演奏形態，民族楽器）

〔器楽の独奏形態〕

○独　奏（ソロ）……1人で楽器を演奏する。

○重　奏
- 二重奏（デュエット）……バイオリン二重奏，フルート二重奏など。
- ピアノ三重奏（トリオ）……ピアノ，バイオリン，1. チェロ
- 弦楽四重奏（カルテット）……第1バイオリン，第2バイオリン，2. ビオラ，3. チェロ
- ピアノ五重奏（クインテット）……ピアノ，第1バイオリン，第2バイオリン，ビオラ，チェロ

○合　奏
- 吹奏楽……管楽器，打楽器の合奏
- 管弦楽（オーケストラ）……弦楽器，管楽器，4. 打楽器 の合奏

〔声楽の演奏形態〕

- 独唱（ソロ）……1人で歌うこと。
- 5. 斉唱 ……1つの節（ふし）を大勢で歌うこと（ユニゾン）。
- 6. 重唱 ……2つ以上の節を1人ずつで歌うこと（アンサンブル）。
- 合唱……2つ以上の節を大人数で歌うこと（コーラス）。

合唱
- 7. 同声 合唱
  - 女声合唱
    - 女声二部合唱（ソプラノ，アルト）
    - 女声三部合唱（ソプラノ，メゾソプラノ，アルト）
  - 男声合唱
    - 男声三部合唱（テノール，バリトン，バス）
    - 男声四部合唱（第一テノール，第二テノール，バリトン，バス）
- 8. 混声 合唱
  - 混声三部合唱（ソプラノ，アルト，男声）
  - 混声四部合唱（ 9. ソプラノ ， 10. アルト ， 11. テノール ， 12. バス ）

○混声四部合唱

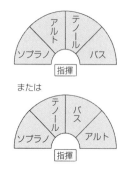

または

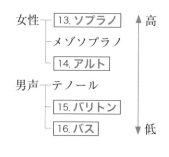

女性
- 13. ソプラノ ↑高
- メゾソプラノ
- 14. アルト

男声
- テノール
- 15. バリトン
- 16. バス ↓低

□
□

◇次の楽器は，どこの国の楽器か答えなさい。

►民族楽器

①アルペンホルン － 17. スイス　②バグパイプ － 18. イギリス

③シタール － 19. インド　④ギター － 20. スペイン

⑤ナイ － 21. ルーマニア

⑥ツィンバロム（ン） － 22. ハンガリー

⑦胡弓 － 23. 中国

◇次の問いに答えなさい。

►和楽器

〔箏〕一般には琴と呼ばれている。桐で作られた胴に 24. 13 本
の弦が張られている楽器。調弦は 25. 柱 を動かして行う。右
手の３本の指（親指，人差指，中指）に爪をつけ弦をひき，左
手で弦を押したり引いたりする。

◇次のアルファベットを演奏する順にならべなさい。

(1)
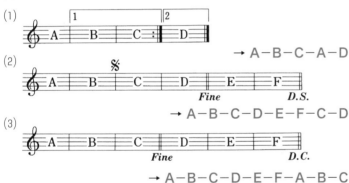

→ A－B－C－A－D

(2)

→ A－B－C－D－E－F－C－D

(3)

→ A－B－C－D－E－F－A－B－C

(4)
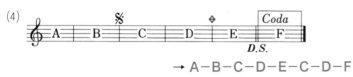

→ A－B－C－D－E－C－D－F

►反復記号

D.S.（ダル・セーニョ） ➡ 𝄋 のところに戻る

D.C.（ダ・カーポ） ➡ はじめに戻る

⊕（コーダマーク） ➡ コーダへとぶ

Fine（フィーネ） ➡ おわり

• second try •　　• first try •

年 月 日（ ）	年 月 日（ ）
🕐 ： ～ ：	🕐 ： ～ ：
☀ ☁ ☔ （ ）	☀ ☁ ☔ （ ）
✏ am・pm ℃	✏ am・pm ℃
😀 🙂 ☹ 😦 😫	😀 🙂 ☹ 😦 😫

1.
2.
3.
4.
5.
6.
7.
8.
9.
10.
11.
12.
13.
14.
15.
16.
17.
18.
19.
20.
21.
22.
23.
24.
25.

➕ **プラスチェック！**

［さらに鑑賞曲！］

□『荒城の月』は滝廉太郎の作曲。

□上記の曲はロ短調の曲で，強起での始まりである。

□『白鳥』はサン＝サーンスの作曲。

□上記の曲の鑑賞のねらいには，チェロの音色に親し
ませることがあげられる。

＊このページで覚えた知識を教師になってどう活かしたい？

＊あ！あれ何だっけ？　確認メモ！

生活の中の形や色と豊かに関わる資質・能力を育成

図画工作科の目標と内容は低学年・中学年・高学年の2学年ごとのまとまりで示されており，内容についてはそれぞれ「A 表現」「B 鑑賞」で構成されている。

図画工作科―学習指導要領

【目標】

　　表現及び鑑賞の活動を通して，造形的な見方・考え方を働かせ，生活や社会の中の形や色などと豊かに関わる資質・能力を次のとおり育成することを目指す。

(1)　対象や事象を捉える 1. 造形的な視点 について自分の感覚や行為を通して理解するとともに，材料や用具を使い，表し方などを工夫して， 2. 創造的 につくったり表したりすることができるようにする。

(2)　3. 造形的なよさ や美しさ，表したいこと，表し方などについて考え，創造的に発想や構想をしたり，作品などに対する自分の見方や感じ方を深めたりすることができるようにする。

(3)　4. つくりだす喜び を味わうとともに，感性を育み，楽しく豊かな生活を創造しようとする態度を養い， 5. 豊かな情操 を培う。

【各学年の目標】

	第1学年及び第2学年	第3学年及び第4学年	第5学年及び第6学年
知識及び技能	(1)　対象や事象を捉える造形的な視点について自分の感覚や行為を通して 6. 気付く とともに，手や体全体の感覚などを働かせ材料や用具を使い，表し方などを工夫して，創造的につくったり表したりすることができるようにする。	(1)　対象や事象を捉える造形的な視点について自分の感覚や行為を通して 7. 分かる とともに，手や体全体を十分に働かせ材料や用具を使い，表し方などを工夫して，創造的につくったり表したりすることができるようにする。	(1)　対象や事象を捉える造形的な視点について自分の感覚や行為を通して 8. 理解する とともに，材料や用具を活用し，表し方などを工夫して，創造的につくったり表したりすることができるようにする。
思考力，判断力，表現力等	(2)　造形的な面白さや楽しさ，表したいこと，表し方などについて考え， 9. 楽しく 発想や構想をしたり，身の回りの作品などから自分の見方や感じ方を広げたりすることができるようにする。	(2)　造形的なよさや面白さ，表したいこと，表し方などについて考え， 10. 豊かに 発想や構想をしたり，身近にある作品などから自分の見方や感じ方を広げたりすることができるようにする。	(2)　造形的なよさや美しさ，表したいこと，表し方などについて考え， 11. 創造的に 発想や構想をしたり，親しみのある作品などから自分の見方や感じ方を深めたりすることができるようにする。
学びに向かう力，人間性等	(3)　12. 楽しく 表現したり鑑賞したりする活動に取り組み，つくりだす喜びを味わうとともに，形や色などに関わり楽しい生活を創造しようとする態度を養う。	(3)　13. 進んで 表現したり鑑賞したりする活動に取り組み，つくりだす喜びを味わうとともに，形や色などに関わり楽しく豊かな生活を創造しようとする態度を養う。	(3)　14. 主体的に 表現したり鑑賞したりする活動に取り組み，つくりだす喜びを味わうとともに，形や色などに関わり楽しく豊かな生活を創造しようとする態度を養う。

【指導計画の作成】

▶題材など内容や時間のまとまりを見通して，その中で育む資質・能力の育成に向けて，児童の主体的・対話的で深い学びの実現を図るようにすること。その際， 15. 造形的 な見方・考え方を働かせ，表現及び鑑賞に関する資質・能力を相互に関連させた学習の充実を図ること。

▶各学年の内容の「A 表現」及び「B 鑑賞」の指導については相互の関連を図るようにすること。ただし「 16. B 鑑賞 」の指導については，指導の効果を高めるため必要がある場合には，児童や学校の実態に応じて， 17. 独立 して行うようにすること。

▶各学年の内容の〔共通事項（→P.201参照）〕は，表現及び鑑賞の学習において共通に必要となる資質・能力であり，「A 表現」及び「B 鑑賞」の指導と併せて，十分な指導が行われるよう工夫すること。

▶各学年の内容の「A 表現」の指導については，適宜 18. 共同 してつくりだす活動を取り上げるようにすること。

▶各学年の内容の「B 鑑賞」においては， 19. 自分たちの作品 や美術作品などの特質を踏まえて指導すること。

▶低学年においては，児童が主体的に自己を発揮しながら学びに向かうことが可能となるようにすることを踏まえ，他教科等との関連を積極的に図り，指導の効果を高めるようにするとともに，幼稚園教育要領等に示す幼児期の終わりまでに育ってほしい姿との関連を考慮すること。特に，小学校入学当初においては， 20. 生活科 を中心とした合科的・関連的な指導や，弾力的な時間割の設定を行うなどの工夫をすること。

▶ 21. 障害 のある児童などについては，学習活動を行う場合に生じる困難さに応じた指導内容や指導方法の工夫を計画的，組織的に行うこと。

▶第1章総則に示す道徳教育の目標に基づき，道徳科などとの関連を考慮しながら，第3章特別の教科道徳に示す内容について， 22. 図画工作科 の特質に応じて適切な指導をすること。

• second try •

年　月　日（　）

🕐　：　〜　：

☀ ☁ ☂（　　）

✏ am・pm　　℃

😄 🙂 😕 😣 😫

1.
2.
3.
4.
5.
6.
7.
8.
9.
10.
11.
12.
13.
14.
15.
16.
17.
18.
19.
20.
21.
22.
23.
24.
25.

• first try •

年　月　日（　）

🕐　：　〜　：

☀ ☁ ☂（　　）

✏ am・pm　　℃

😄 🙂 😕 😣 😫

1.
2.
3.
4.
5.
6.
7.
8.
9.
10.
11.
12.
13.
14.
15.
16.
17.
18.
19.
20.
21.
22.
23.
24.
25.

➕ プラスチェック！

□取り扱う材料・用具については，手の働きなどの発達との関わりから，内容の取扱いに，学年に応じて示されている（→P.203参照）。

＊このページで覚えた知識を教師になってどう活かしたい？

＊あ！あれ何だっけ？　確認メモ！

絵画—①（発達段階, 描画, 版画, 凸版）

【発達段階】

a． 1.錯画 （なぐりがき）期……2〜3歳頃からはじまるなぐりがきの時期。

　　⬇ （スクリブル）

b． 2.象徴 期……円や線などによって何かを表そうとする時期。

　　⬇ （意味づけ期）

c． カタログ期……**パターン化**された図形が繰り返される時期。

　　⬇

d． 図式期……{ ㋐ 3.展開図描法 ……真上から物を見たように描く。

　　　　　　　㋑ 4.レントゲン描法 ……物の中が透視されたように描く。

　　⬇

e． 写実期

【描　画】

○ 5.クロッキー ……フランス語の「速写」という意味で，短時間のうちに，対象の動きや重心をとらえて描くこと。

○ 6.デッサン ……物の形や特徴を線や**明暗**をつけて描くこと。**素描**ともいう。

○ 7.レイアウト ……文字やイラストを配置・構成すること。

○ ラフスケッチ……構想を練る段階でアイデアを大まかに表すこと。

○ 8.空気遠近 法……**遠く**のものをぼかし，**近く**のものをはっきり描く。

【版　画】

◆凸版，凹版，孔版，平版について，ⓐ〜ⓓの中から刷り方を，㋐〜㋕の中から具体例を，それぞれ記号で答えなさい。

[刷り方]

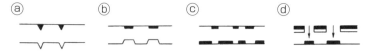

ⓐ　　　　　　ⓑ　　　　　　ⓒ　　　　　　ⓓ

[具体例]

㋐ドライポイント　　㋑リノリウム版　　㋒エッチング

㋓シルクスクリーン　㋔リトグラフ　　　㋕ステンシル

㋖謄写版　　　　　　㋗メゾチント　　　㋘デカルコマニー

	凸版	凹版	孔版	平版
刷り方	ⓑ	ⓐ	ⓓ	ⓒ
具体例	㋑	㋐, ㋒, ㋗	㋓, ㋕, ㋖	㋔, ㋙

[凸　版]
(1)　種類

　○紙版画

　┌ア　切り取り紙版画……作りたい絵の形を何枚か切り取り，そ
　│　　れらを組み合わせて版にしたもの。
　└イ　9.台紙つき 紙版画……紙から切り取った形を，台紙に
　　　貼って版にしたもの。

　○木版画

　┌ア　10.板目 木版……木を**縦**に切断した面を使う。日本で発
　│　　達。**浮世絵**などに用いた。材料は，**朴**（ホウ），11.桂（カツ
　└　　ラ）など。
　　イ　12.木口 木版……木を**横**に切断した面を使う。西洋で発
　　　達。細かい表現に適している。材料は 13.ツゲ やツバキな
　　　ど。

(2)　版木の名称

木口
板目

板目（板）

木口（板）

(3)　彫り方
　　┌14.陽 刻……線の部分を残して彫り込む。
　　└15.陰 刻……線の部分を彫り込む。

(4)　製作の順序
　　①下絵を描く（左右が逆になることに注意する）。
　　②下絵を版木に写す。
　　③彫る。{○彫るときは，**板**の方をまわす。
　　　　　　 ○片方の手で刀身を必ず**押さえて**彫る。
　　④試し刷り
　　⑤修正
　　⑥本刷り

➕ **プラスチェック！**

□クレヨン…おもとして線画に用いる。
□クレヨン，パスは，描画材としては用具であるが，
　形や色を持つ材料のひとつとしても考えることがで
　きる。

＊このページで覚えた知識を教師になってどう活かしたい？

＊あ！あれ何だっけ？　確認メモ！

絵画—②（凹版，孔版・平版）

▶彫刻刀

形	名称	用　途	版木
	1. 切り出し 版木刀	輪かくや細かい線，文字などを彫るのに用いる。右きき用，左きき用がある。	㋐
	2. 平刀 あいすき	ゴツゴツした線や不必要なデコボコをすきとる。**板ぼかしの表現**にも用いる。	㋑
	3. 丸刀 こますき	太い線や広い面を彫ったり掘り下げるのに用いる。	㋒
	三角刀	鋭い線などを一気に彫るのに用いる。	㋓

（版木）

　　㋐　　　　　㋑　　　　㋒　　　　㋓

▶バレン

　下の図の中で，バレンの正しい使い方をしているものは ㋒ である。

　　㋐　　　　　　㋑　　　　　　㋒　　　　　　㋓
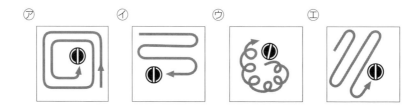

[凹　版]

　○**エッチング**……凹版の代表的な技法で**間接法**と呼ばれる。

　　①銅板・亜鉛板の表裏に 4. グランド （**腐蝕**を防ぐ薬品）を塗り，ろうそくなどで黒くいぶしておく（線をわかりやすくするため）。

　　②版に下絵を 5. ニードル で，ひっかくように描く。

　　③ 6. 希硝酸 に浸し描いた部分を腐蝕させ水で洗う。

　　④グランドを揮発油でふきとり，**タンポ**でインクをつめ平面をふきとる。

　　⑤湿らせた刷り紙を版面に置き， 7. フェルト をかぶせてプレス機で印刷する（プレス機はゆっくり回す）。

ニードル

○ **ドライポイント**……凹版の中では最も**簡単**な方法。薬品に浸さないためドライポイントと呼ばれる。

①版として透明な 8.塩化ビニル板 やセルロイド板を使う。

②下絵の上に版を置きフェルトペンなどで写す。

③版を裏返して 9.ニードル で直接ひっかくように彫る。

④刻線にインクをつめ平面をふきとる。

⑤刷る。

○ **メゾチント**……**直接法**の凹版で微妙な表現ができる。

▶ 孔版と平版

10.孔版 は，**スキージー**などを使い，版の穴を通して下の紙にインクを押す方法。 11.平版 は，版に凹凸をつけずに，油と水が反発し合うことを利用してインクのつかない面を作る方法。

○ 12.シルクスクリーン ……**多色刷り**が容易で，できあがりが新鮮な孔版。

①下絵にワックスを塗り，ニス原紙（片面にニスが塗ってある紙）をニス面を上にして貼り付ける。

②カッターでニス原紙を切り取る。

③ニス原紙の上にシルクを置き，アイロン（100 ～ 120℃）で加熱しニスと**シルク**（スクリーン）を密着させる。

④インクをつけ， 13.スキージー （ゴム製のへら）を角度を一定にし押さえ刷り込む。

○ 14.ステンシル ……**型染め**が起源といわれ，**かっぱ版**ともいわれる孔版。

○ 15.リトグラフ ……筆の線がそのまま表せる最も描写的な方法（平版）。

①亜鉛（ジンク）板，アルミ板などにクレヨンやとき墨で絵を描く。

② 16.アラビアゴム液 を全面に塗り１日おいて乾かす（水と油の反発作用を利用し，描画してない部分に油性のインクがつかないようにする）。

③ゴム液を水で洗い流す。

④版にスポンジで水分を与えながら，インクをつける。

⑤**水気**をなくさず，インクをつけプレス機で刷る。

• second try •

年 月 日（ ）
🕐 ： ～ ：
☀ ☁ ☂ （ ）
✏ am・pm ℃
😀 🙂 😟 😣 😴

1.
2.
3.
4.
5.
6.
7.
8.
9.
10.
11.
12.
13.
14.
15.
16.
17.
18.
19.
20.
21.
22.
23.
24.
25.

• first try •

年 月 日（ ）
🕐 ： ～ ：
☀ ☁ ☂ （ ）
✏ am・pm ℃
😀 🙂 😟 😣 😴

1.
2.
3.
4.
5.
6.
7.
8.
9.
10.
11.
12.
13.
14.
15.
16.
17.
18.
19.
20.
21.
22.
23.
24.
25.

➕ プラスチェック！

□第１学年から第３学年までは紙版画，第４学年からは木版画を扱う。

□凹版で使用するタンポ（叩く道具）は，線にインクをつけるときはねじ込むように，面にインクをつけるときは叩くように使用する。

*このページで覚えた知識を教師になってどう活かしたい？

*あ！あれ何だっけ？ 確認メモ！

立体(彫塑，粘土・石こう・焼き物)

【彫塑】

　物をくっつけたり，削りとったりしながらかたまりで表現することを**彫塑**という。木や石などを削って形をつくることを**彫刻**（ 1. カービング ），粘土などをくっつけて形をつくることを**塑造**（ 2. モデリング ）という。

【塑造】

➤粘土

〔粘土の取り扱い〕

- ○練る目的……粘土の中の空気をぬく（焼くときの**割れ**防止），柔らかくする，質を均一にする。
- ○練り方……たたみ込むように押しながら練る。
- ○保存……濡れぞうきんなどをまいた上からビニール袋などをかぶせる。
- ○乾いて固くなった粘土も，水につけて練るとまた使うことができる。
- ※　粘土には，土粘土，油粘土，紙粘土などいろいろな種類があるが，低学年では両手を十分に働かせ，感触や手ごたえを楽しめる 3. 土粘土 に親しませることが重要である。

〔心棒〕

- ○塑造の骨格をつくり粘土の重みを支える。
- ○心棒はしっかり固定しなければならないが，あとではずすことを考えなければならない。
- ○粘土のつきをよくしたり，たるみを防ぐため心棒に 4. シュロ縄 をまきつける。

➤石こう

〔石こうの取扱い〕

- ○石こうは固まる速度が**はやい**。
- ○ 5. 湿り気 を防ぐため，空き缶やビニール袋に入れて保存する。

〔石こうの溶き方〕

- ○ボウルに水を入れ，石こうをふりかけるように入れる。

  　　　　石こう：水 ＝ 6. 1 ： 7. 1 の割合
- ○石こうを**泡立てない**ようにていねいにかきまぜる。

  　注意

  ①固まりかけた石こうに水をたしたりしてはならない。

  ②石こう液がうすいからといって石こうを加えてはならない。

  ③石こうは少なめに溶く。

▶ 8. レリーフ （浮き彫り）

丸彫りと違って，平面に立体感を出し 9. 正面 から**鑑賞**する。 10. 光の方向 によって生まれる明暗の美しさをもつ。

〔浮き彫りの種類〕

厚みの違いによって，**高肉彫り**，**中肉彫り**， 11. 薄肉彫り に分けられる。

▶ 焼き物

—制作順序—

| 成 形 | ➡ | 素焼き | ➡ | 絵つけ | ➡ | 施 釉(せゆう) | ➡ | 本焼き |

乾 燥 ↑（成形→素焼き間）   乾 燥 ↑（絵つけ→本焼き間）

〔成形〕

12. 手びねり   13. ひもづくり   14. 板づくり

〔乾燥〕

○日陰で，ゆっくり 15. 1 ～ 16. 3 週間ほど乾燥させる。

○粘土は乾燥すると 17. 収縮 する（乾燥・本焼きで約10～20%収縮）。

〔素焼き〕（テラコッタ）

○火のあがりを考え，あまりつめすぎない。

○**弱火**で作品の水分を十分にとる。➡あぶり時間を十分にとる。

○徐々に温度をあげ 18. 800 ℃で6～8時間くらい焼く（焼きはじめは，水分をとるため，窯のふたはとっておく）。

〔絵つけ〕

○焼き物用の絵の具と 19. ふのり液 を乳ばちに入れて溶く。

○絵の具どうしを混ぜない。　○厚くかかない。

〔施 釉〕（うわぐすりをかける）

○吸水性をなくす。　○表面を滑らかにする。

○施釉後，十分 20. 乾燥 させる。

〔本焼き〕

○**ツク**や**トチ**を使って接触しないようにする。

○あぶった後， 21. 1200 ～ 22. 1300 ℃で1～2時間ぐらい焼く。

• second try •
年 月 日（ ）
🕐 ： ～ ：
☀ ☁ ☂（ ）
🌡 am・pm 　℃
😀 😐 😥 😠 🤧

• first try •
年 月 日（ ）
🕐 ： ～ ：
☀ ☁ ☂（ ）
🌡 am・pm 　℃
😀 😐 😥 😠 🤧

second try	first try
1.	1.
2.	2.
3.	3.
4.	4.
5.	5.
6.	6.
7.	7.
8.	8.
9.	9.
10.	10.
11.	11.
12.	12.
13.	13.
14.	14.
15.	15.
16.	16.
17.	17.
18.	18.
19.	19.
20.	20.
21.	21.
22.	22.
23.	23.
24.	24.
25.	25.

✚ **プラスチェック！**

□ 板づくりの接合には，どべ（粘土を水でゆるく溶いたもの）をつけるとよい。

□ 焼き物の収縮を少なくするために，シャモットという，あらかじめ焼成した粘土が粉状になった材料を入れることもある。

＊このページで覚えた知識を教師になってどう活かしたい？

＊あ！あれ何だっけ？　確認メモ！

chapter 62

[図画工作]

特殊技法を知ることで制作・表現の幅が広がる

色彩に関する知識については確実に押さえておこう。特殊技法について，その作成方法と表現できる特徴について確認しておこう。

特殊技法・色彩

【特殊技法】

- ○ 1. デカルコマニー ……吸水性の少ない紙に絵の具をたらし，2つ折りにして押し重ねると思いがけない対称形の絵ができる。**合わせ絵**。
- ○ 2. ドリッピング ……絵の具を紙の上にたらし息を吹きかけて絵の具を散らす。**吹き流し**。
- ○ 3. マーブリング ……水面に浮かせた絵の具を吸水性の紙で写しとる。**墨流し**。
- ○ 4. コラージュ ……絵の具のかわりに紙や布を貼りつける。**貼り絵**。
- ○ 5. フロッタージュ ……木目や石，貨幣やメダルなど凸凹のある表面の地肌を，鉛筆やクレヨンなどで写しとる。**こすり出し**。
- ○ **スクラッチ**……クレヨンなどで色を重ねてぬり，へらなどでひっかき下の色を出す。**ひっかき絵**。
- ○ **バチック**……ろうやクレヨンでかいた下絵の上に水彩絵の具を塗り，はじく性質を利用する**はじき絵**。

【色彩】

▶色の分類……すべての色は**有彩色**と**無彩色**に分けられる。

○ 色の三要素

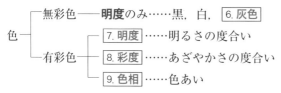

- ○ 10. 純 色……同じ色相で最も彩度が高い色
- ○ 11. 清 色……純色に白あるいは黒が混ざった色
- ○ 12. 濁 色……純色に灰色が混ざった色

▶12色相環

12色相環の中で，最も**明度**が高いのは黄色，最も**彩度**が高いのは赤色である。

- ㋐ 13. 青緑
- ㋑ 14. 緑(みの)青
- ㋒ 15. 青紫
- ㋓ 16. 黄(みの)橙

○ 17. 補色 ……色相の最も**遠い**色（12色相環で向かい合った位置にある色）のこと。この2色を並べるとあざやかで目立つ配色になり，この2色を混ぜ合わせると 18. 無彩 色になる。

暖色……暖かく感じる色。12色相環では，赤，（赤みの）橙，黄（みの）橙，黄

○ 寒色……冷たく感じる色。12色相環では，青緑，緑（みの）青，青

中性色……暖色，寒色以外の色

▶色の三原色・光の三原色

○色の三原色
- ㋐ 19. 黄（イエロー）
- ㋑ 20. 緑
- ㋒ 21. 黒

○光の三原色
- ㋔ 22. 緑
- ㋕ 23. 白
- ㋖ 24. 黄

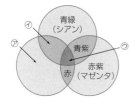
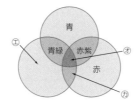

▶色の混合

○ 25. 減算 混合……**色材**を混ぜ合わせてできた色の明度は，混ぜ合わせる色の平均明度よりも**低く**なる。

○加算混合……**色光**を混ぜ合わせてできた色の明度は，混ぜ合わせる色の平均明度よりも**高く**なる。

○中間混合……混合してできた色の明度は，もとの色の平均明度になる（**並置混合**（交織り，点描など），**回転混合**（コマなど））。

▶色の対比……周囲の色の影響で，その中の色が違って見えること。

㋐ 明度対比	㋑ 彩度対比	㋒ 色相対比	㋓ 補色対比
黒 灰	赤 ピンク	青 紫	青紫 黄
中の灰色が実際より明るく見える。	中のピンクは実際よりも地味に見える。	中の紫が赤みがかって見える。	全体があざやかさを増す。

● second try / ● first try

年 月 日（ ）
1.〜25.

➕ **プラスチェック！**

□トーン（色調）…色の明暗・濃淡・強弱といった属性を含んだ色の調子を表す表現。
□黄と黒の組み合わせが最も明視度が高い。

＊このページで覚えた知識を教師になってどう活かしたい？

＊あ！あれ何だっけ？　確認メモ！

125

工具の扱いは最も出題頻度が高く，安全のためにも最重要事項である。のこぎり，糸のこ，きり，げんのう，などの名称や取扱いについて正確に把握しておこう。

工具（のこぎり, 糸のこ, かなづち, きり）

【のこぎり】

下の刃のかたちは，それぞれ縦びき（A），横びき（B），どちらののこぎりか。

▶刃のかたち

 のみのような刃 　1.縦 びきのこぎり

 小刀のような刃 　2.横 びきのこぎり

▶切る方向

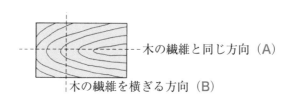

木の繊維と同じ方向（A）

木の繊維を横ぎる方向（B）

▶のこぎりの角度

ふつう 30度 （B）　　ふつう 20度 （A）

▶のこぎりの使い方

○のこぎりの刃と板の角度は，柔らかい板材，薄い板材のときには 3.小さく ，堅い板材，厚い板材のときには 4.大きく する。

○のこぎりは 5.引く ときに切れる。

【糸のこ】

○曲線や中身を切り抜くときに使う。

○糸のこの刃の付け方として正しいものは右図において 6.ⓐ である。（図は下が手元とする）

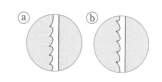

▶電動糸のこ

①刃を折る原因となるので，一度スイッチを入れたら，むやみに切らない。 7.方向 をかえるときも**動かしたままでかえる。**

②刃の近くに手を置き押さえ，**ゆっくり切りすすむ。**

③形を切り抜くときは， 8.きり で穴をあけてから刃を通す。

④2枚の板を同じ形に切るときは，板を粘着テープでとめてから切る。

【かなづち（げんのう）とくぎ】

► くぎの打ち方

くぎを打つときには，始めに 9. 平面 のほうで打ち，打ち終わりは 10. 凸面 で打つ。

○下の図の中で，げんのうの正しい持ち方を示したものは ⑦ である。

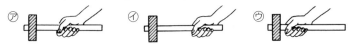

⑦　　　　　　⑦　　　　　　⑦

► くぎ

①厚い板と薄い板を結合するときは，11. 薄い板 のほうからくぎを打ちつける。

②打ちつけるくぎの長さは，板の厚さの 12. 2 ～ 13. 2.5 倍のものを使う。

③板が薄いときは角度をつけて打つ。

【きりの種類】

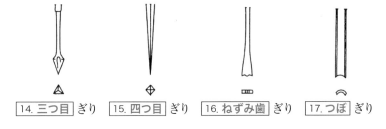

14. 三つ目 ぎり　　15. 四つ目 ぎり　　16. ねずみ歯 ぎり　　17. つぼ ぎり

【かんな】

○刃を抜くときには 18. 台がしら をたたく。

○かんなは，削る板に押しつけるようにして，上から下へひきおろす。

【その他の用具】

○紙やすりは，番号が大きいほど目が 19. 細かく ，切るときには 20. 手 で切る。

○クリアラッカーは 21. シンナー でとく。

○針金の細かい細工には 22. ラジオペンチ を使う。

○筆は番号が大きくなるほど 23. 太く なる。

○のみは 24. 刃表 のほうが深く削ることができる。

• second try •　• first try •

年　月　日（　）　　　　年　月　日（　）
🕐 ：　～　：　　　　🕐 ：　～　：
☀ ☁ ☂（　　　）　　☀ ☁ ☂（　　　）
🌡 am・pm　　℃　　🌡 am・pm　　℃
😀 😐 😟 😣 😫　　　😀 😐 😟 😣 😫

second try	first try
1.	1.
2.	2.
3.	3.
4.	4.
5.	5.
6.	6.
7.	7.
8.	8.
9.	9.
10.	10.
11.	11.
12.	12.
13.	13.
14.	14.
15.	15.
16.	16.
17.	17.
18.	18.
19.	19.
20.	20.
21.	21.
22.	22.
23.	23.
24.	24.
25.	25.

✚ プラスチェック！

□電動糸のこ刃の取りつけ…刃の下をとめる →板に通す →刃の上をとめる，という順序で行う。

□きりは，少しずつもみ下ろす。ペットボトルなど丸いものに穴をあけるときは下に雑巾を敷く。

□針金は，安全のために，先端にビニールテープをまいたり，丸めたりしておく。

＊このページで覚えた知識を教師になってどう活かしたい？

＊あ！あれ何だっけ？　確認メモ！

画家と作品を多く知ることは鑑賞指導の幅を広げる

鑑賞は，自分の視覚・触覚・聴覚など様々な感覚や行為に基づいた能動的な活動であるともいえる。西洋美術史は，主な画家・作品・流派を確認しておこう。

鑑賞——①(西洋美術史)

【原始】

スペインの**アルタミラ**洞窟壁画，フランスの**ラスコー**洞窟壁画

【古代】

エジプトのピラミッド，スフィンクス，ギリシアの 1. パルテノン 神殿，ローマの**コロセウム**

【中世】

ビザンティン……モザイクに特色。アギア・ソフィア大聖堂等。

ロマネスク……石造天井，石づくりの半円アーチが特徴。 2. ピサ大聖堂 （伊）等。

ゴシック……高い尖塔，ステンドグラスに特色。 3. ノートルダム大聖堂 （仏）等。

【ルネサンス】

4. ボッティチェッリ 『ヴィーナスの誕生』，**レオナルド＝ダ＝ヴィンチ**『最後の晩餐』『モナ＝リザ』，

5. ミケランジェロ 『ダヴィデ像』『最後の審判』，ラファエロ『美しき女庭師』

【17，18世紀の美術】

▶ 6. バロック 〈豪壮，艶麗を特徴とする絶対王政象徴の美術〉

ヴェルサイユ宮殿（ルイ14世），**エル＝グレコ**『オルガス伯の埋葬』，ベラスケス『ラス・メニーナス』，**ルーベンス**『三美神』，**レンブラント**（光の画家）『夜警』

▶ 7. ロココ 〈フランスを中心とした貴族的で華麗な美術〉

ワトー『シテール島の巡礼』，ゴヤ『裸のマハ』

【近代美術】

▶ 8. 新古典 主義〈統一と調和を重んじ理想美を追求〉

アングル『グランド・オダリスク』，ダヴィッド『ナポレオンとジョゼフィーヌの戴冠式』

▶ 9. ロマン 主義〈感情的で動きが激しい表現〉

ドラクロワ『民衆を率いる自由の女神』，ジェリコー『メデューズ号の筏(いかだ)』

▶ 10. バルビゾン 派〈自然主義。自然の風景を素直に表現〉

11. ミレー 『晩鐘』『落穂拾い』，コロー『真珠の女』『モルトフォンテーヌの想い出』

▶ 12. レアリスム 〈写実主義。鋭い洞察と観察で客観的な現象をそのまま表現〉

ドーミエ『三等列車』『洗濯女』，クールベ『オルナンの埋葬』

▶ 13. 印象 派〈光や大気の変化する様子を描く。筆触分割〉

14. マネ 『草上の昼食』『笛を吹く少年』， 15. モネ 『印象—日の出—』『睡蓮』， 16. ドガ 『舞台の踊り子』， 17. ルノワール 『ムーラン・ド・ラ・ガレットの舞踏会』

• second try •		• first try •	
年　月　日（　）		年　月　日（　）	
⏰ ：　〜　：		⏰ ：　〜　：	
☼ ☁ ☂（　）		☼ ☁ ☂（　）	
✎ am・pm　　℃		✎ am・pm　　℃	
😊 😐 😟 😣 😫		😊 😐 😟 😣 😫	

▶新印象派〈印象派の色彩理論を科学的に追求，点描による技法〉

　スーラ『グランド・ジャット島の日曜日の午後』，シニャック

▶**ポスト印象派**〈後期印象派。自然現象にとらわれず，より本質的なものを表現〉

　18. セザンヌ （近代絵画の父）『サント・ヴィクトワール山』『リンゴとオレンジのある静物』，19. ゴッホ 『ひまわり』『星月夜』，**ゴーギャン**（ゴーガン）『タヒチの女』，ロートレック『ムーラン・ルージュのダンス』

【現代美術】

▶**アヴァンギャルド**〈文化・芸術・政治分野において前衛的，革新的，実験的な立場をとる人々やその作品〉

▶**バウハウス**〈ドイツに設立された，建築をはじめ美術，工芸，彫刻，舞台など総合的な造形の教育を試みた美術学校〉

▶**アール・ヌーヴォー**〈フランス語で新しい芸術の意。19世紀末から国際的に流行した装飾の様式。ガウディ〉

▶**フォーヴィスム**（野獣派）〈激しい感情を大胆に原色で表現。浮世絵，ゴッホ，ゴーギャンの影響〉

　20. マティス 『帽子の女』，デュフィ，ルオー，ブラマンク

▶**キュビスム**（立体派）〈自然を分解して面に再構成して表現〉

　21. ピカソ 『ゲルニカ』，ブラック，レジェ

▶**未来派**〈伝統を否定し運動性をもつ美を追求〉

　ボッチョーニ，バッラ

▶ 22. ダダ(ダダイスム) 〈第一次大戦から戦後にかけ西欧でおこった文学・芸術上の反抗運動〉

　アルプ，エルンスト

▶**シュルレアリスム**（超現実主義）〈ダダイスムの反動。無意識や夢の世界を表現〉

　ミロ『オランダの室内』，23. ダリ 『記憶の固執』（柔らかい時計），24. キリコ 『吟遊詩人』

▶**エコール・ド・パリ**（パリ派）〈第一次大戦頃から1930年代にかけてパリで活躍した外国人画家たち。〉

　シャガール，25. モディリアニ 『裸婦』，**ユトリロ**，**藤田嗣治**，スーティン

▶**象徴主義**

　ムンク『叫び』，クリムト『接吻』

1.	1.
2.	2.
3.	3.
4.	4.
5.	5.
6.	6.
7.	7.
8.	8.
9.	9.
10.	10.
11.	11.
12.	12.
13.	13.
14.	14.
15.	15.
16.	16.
17.	17.
18.	18.
19.	19.
20.	20.
21.	21.
22.	22.
23.	23.
24.	24.
25.	25.

✚ プラスチェック！

□黄金比…「1：1.618」。古来より最も美しいと感じる比率とされてきた。

□新印象派のスーラは並置混合を用いて描いた。

□バルビゾン派とレアリスムは区別なく捉えている場合もある。

＊このページで覚えた知識を教師になってどう活かしたい？

＊あ！あれ何だっけ？　確認メモ！

日本の作家や作品は伝統文化にもつながる知識に

日本美術史は，とくに近現代の画家と作品について押さえておこう。また，図画教育に関する主な人物についても確認しておこう。

鑑賞—②（彫刻等，日本の絵画）

【彫刻】

▶具象彫刻

[1. ロダン] 『カレーの市民』『考える人』，ブールデル『弓をひくヘラクレス』『アポロンの首』，マイヨール『イル・ド・フランス』『地中海』

▶抽象彫刻

○ [2. ムーア] …『母と子』，アルプ…『鳥の骨格』，マリーニ…『馬と騎手』，ジャコメッティ…『指差す男』
○ カルダー…モビール（動く彫刻）

【人物】

○ [3. フェノロサ] ……明治11年に来朝したアメリカ人。旧物破壊の風潮の中で衰えた古美術の復興に努めた。とくに，浮世絵の真価を発見し日本画復興を唱え，東京美術学校の設立に尽くした。

○ [4. 岡倉天心] ……東京美術学校の初代校長。『東洋の理想』『茶の本』など英文著書で [5. 東洋美術] の理解普及をはかった。後に，日本美術院を創立した。

○ フォンタネージ……明治9年に日本政府に招かれて来朝したイタリアの画家。工部美術学校を設立し，西洋写実表現を伝えた。

○ ラグーザ……明治9年に日本政府に招かれて来朝したイタリアの彫刻家。日本に [6. 西欧彫技] の伝統を初めて紹介した。

【図画教育】

○ チゼック……オーストリアの教授。子供の中にある精神的イメージを解放し，創造的衝動を伸ばそうとした。これは，世界の進歩的図画教育の根本の精神になっている。「子供たちをして成長せしめよ，発達させ，成熟せしめよ」。

○ [7. 山本 鼎（かなえ）] ……臨画教育により個性的表現が塞がれてしまうことを恐れ，「自由画」を唱えた。これは子供が直接目で見たものを描くことや，心の中にあるものを素直に表現させようというものである。[8. 臨画] とは描写の一種で，原画を見ながら写す方法で，技法だけの模倣に流れた。

○ ヴィクター・ローウェンフェルド……著書に『美術による人間形成』があり，[9. 児童] の美術教育の研究で知られる。

○ ハーバート・リード……個性を伸ばそうとする美術教育をめざした。

• second try •

年 月 日（　）
🕐 　：　～　：
☀ ☁ ☂（　　）
🖊 am・pm　　℃
😃 😊 😟 😣 😫

• first try •

年 月 日（　）
🕐 　：　～　：
☀ ☁ ☂（　　）
🖊 am・pm　　℃
😃 😊 😟 😣 😫

【 日本の絵画 】

主な作品	作者名
『源氏物語絵巻』	藤原隆能
『瓢鮎図』（ひょうねん）	如拙
『 10. 唐獅子図屏風 』	狩野永徳
『松林図屏風』『楓図』	長谷川等伯
『風神雷神図屏風』	11. 俵屋宗達
『雪松図屏風』	円山応挙
『紅白梅図屏風』	12. 尾形光琳
『弾琴美人』～錦絵	鈴木春信
『婦女人相十品』	喜多川歌麿
『中山富三郎』～役者絵	東洲斎写楽
『富嶽三十六景』	13. 葛飾北斎
『東海道五十三次』	14. 歌川広重
『舟橋蒔絵硯箱』	15. 本阿弥光悦
『鷹見泉石像』	16. 渡辺崋山
『女』 （彫刻）	17. 荻原守衛（碌山）
『墓守』 （彫刻）	18. 朝倉文夫
『老猿』 （彫刻）	19. 高村光雲
『悲母観音』	20. 狩野芳崖
『山路』『生々流転』	21. 横山大観
『落葉』『黒き猫』	菱田春草
『読書』『湖畔』	黒田清輝
『鮭』	高橋由一
『海の幸』	22. 青木繁
『収穫』	23. 浅井忠
『芳蕙』『大王岬に打ち寄せる怒濤』	藤島武二
『麗子像』	24. 岸田劉生
『桜島』	25. 梅原龍三郎
『薔薇』『金蓉』（ばら）	安井曾太郎
『名樹散椿』	速水御舟
『鯖』	竹内栖鳳

1.	1.
2.	2.
3.	3.
4.	4.
5.	5.
6.	6.
7.	7.
8.	8.
9.	9.
10.	10.
11.	11.
12.	12.
13.	13.
14.	14.
15.	15.
16.	16.
17.	17.
18.	18.
19.	19.
20.	20.
21.	21.
22.	22.
23.	23.
24.	24.
25.	25.

➕ プラスチェック！

□図画教育…絵や画，図案や製図，彫塑などの技法や造形活動を通じて，創造性や情操，人間的な成長を図る教育を指す。

＊このページで覚えた知識を教師になってどう活かしたい？

＊あ！あれ何だっけ？　確認メモ！

家庭科―学習指導要領

【目標】

|1. 生活の営み| に係る見方・考え方を働かせ，衣食住などに関する |2. 実践的| ・ |3. 体験的| な活動を通して，生活をよりよくしようと工夫する資質・能力を次のとおり育成することを目指す。

(1)　家族や家庭，衣食住，消費や環境などについて，日常生活に必要な |4. 基礎的| な理解を図るとともに，それらに係る技能を身に付けるようにする。

(2)　日常生活の中から問題を見いだして課題を設定し，様々な解決方法を考え，実践を評価・改善し，考えたことを表現するなど，|5. 課題を解決する力| を養う。

(3)　家庭生活を大切にする心情を育み，家族や地域の人々との関わりを考え，|6. 家族の一員| として，生活をよりよくしようと工夫する実践的な態度を養う。

【指導計画の作成】

▶題材など内容や時間のまとまりを見通して，その中で育む資質・能力の育成に向けて，児童の主体的・対話的で深い学びの実現を図るようにすること。その際，生活の営みに係る見方・考え方を働かせ，知識を |7. 生活体験| 等と関連付けてより深く理解するとともに，|8. 日常生活| の中から問題を見いだして様々な解決方法を考え，他者と意見交流し，実践を |9. 評価| ・|10. 改善| して，新たな課題を見いだす過程を重視した学習の充実を図ること。

▶内容の「Ａ　家族・家庭生活」から「Ｃ　消費生活・環境」までの各項目 (→P.205〜参照) に配当する授業時数及び各項目の履修学年については，児童や学校，地域の実態等に応じて各学校において適切に定めること。その際，「Ａ　家族・家庭生活」の(1)（「自分の成長と家族・家庭生活」）のアについては，第４学年までの学習を踏まえ，２学年間の学習の見通しをもたせるために，|11. 第5学年の最初| に履修させるとともに，「Ａ　家族・家庭生活」，「Ｂ　衣食住の生活」，「Ｃ　消費生活・環境」の学習と関連させるようにすること。

▶内容の「Ａ　家族・家庭生活」の(4)（「家族・家庭生活についての課題と実践」）については，実践的な活動を家庭や地域などで行うことができるよう配慮し，２学年間で一つ又は二つの課題を設定して履修させること。その際，「Ａ　家族・家庭生活」の(2)（「|12. 家庭生活と仕事|」）又は(3)（「家族や地域の人々との関わり」），「Ｂ　衣食住の生活」，「Ｃ　消費生活・環境」で学習した内容との関連を図り，課題を設定できるようにすること。

▶題材の構成に当たっては，児童や学校，地域の実態を的確に捉えるとともに，内容相互の関連を図り，指導の効果を高めるようにすること。その際，他教科等との関連を明確にするとともに，13.中学校 の学習を見据え，系統的に指導ができるようにすること。

【内容の取扱い】

▶指導に当たっては，衣食住など生活の中の様々な言葉を 14.実感 を伴って理解する学習活動や，自分の生活における課題を解決するために言葉や図表などを用いて生活をよりよくする方法を考えたり，説明したりするなどの学習活動の充実を図ること。

▶指導に当たっては，コンピュータや 15.情報通信ネットワーク を積極的に活用して，実習等における情報の収集・整理や，実践結果の 16.発表 などを行うことができるように工夫すること。

▶生活の 17.自立の基礎 を培う基礎的・基本的な知識及び技能を習得するために，調理や製作等の手順の根拠について考えたり，実践する喜びを味わったりするなどの 18.実践的 ・ 19.体験的 な活動を充実すること。

▶学習内容の定着を図り，一人一人の個性を生かし伸ばすよう，児童の特性や生活体験などを把握し，技能の習得状況に応じた 20.少人数指導 や教材・教具の工夫など 21.個に応じた指導 の充実に努めること。

▶家庭や地域との連携を図り，児童が身に付けた知識及び技能などを 22.日常生活 に活用できるよう配慮すること。

【実習の指導】

▶施設・設備の安全管理に配慮し，学習環境を整備するとともに，熱源や用具，機械などの取扱いに注意して 23.事故防止 の指導を徹底すること。

▶服装を整え，24.衛生 に留意して用具の手入れや保管を適切に行うこと。

▶調理に用いる食品については，生の魚や肉は扱わないなど，安全・衛生に留意すること。また，25.食物アレルギー についても配慮すること。

• second try •

| 🕐 | ： | 〜 | ： |

☀ ☁ ☂ （　　　）

🖊 am・pm　　　　℃

😄 😐 😣 😖 😫

1.
2.
3.
4.
5.
6.
7.
8.
9.
10.
11.
12.
13.
14.
15.
16.
17.
18.
19.
20.
21.
22.
23.
24.
25.

• first try •

| 🕐 | ： | 〜 | ： |

☀ ☁ ☂ （　　　）

🖊 am・pm　　　　℃

😄 😐 😣 😖 😫

1.
2.
3.
4.
5.
6.
7.
8.
9.
10.
11.
12.
13.
14.
15.
16.
17.
18.
19.
20.
21.
22.
23.
24.
25.

✚ プラスチェック！

☐ 食物アレルギーに関しては，正確な情報の把握に努め，発症の原因となりやすい食物の管理や，発症した場合の緊急時対応について事前確認を行う。

☐ 食品によっては直接口に入れなくても，手に触れたり調理したときの蒸気を吸ったりすることでアレルギーを発症する場合もあるため十分配慮する。

＊このページで覚えた知識を教師になってどう活かしたい？

＊あ！あれ何だっけ？　確認メモ！

衣服の役割や手入れ，繊維の種類や特徴について把握しておこう。衣服の選び方・着方や水を無駄にしない洗濯のしかたなど，環境に配慮した生活に関連する指導も考えられる。

衣服と生活―①（衣服，アイロン）

【衣服】

▶衣服の働き

①保健衛生上（暑さ・寒さを防ぐ，清潔を保つ，身体の保護）　②生活活動上（運動・作業をしやすく）　③ 1. 社会生活 上（所属を表す，TPO，自分らしさの表現）

▶下　着

┌ 肌着……汚れや汗を吸いとり体を清潔に保つ。
└ 2. 中着 ……肌着と上着の間に着て寒さを防ぐ。

〈下着の選び方〉

┌ 布地……肌ざわりがよく，汗をよく吸いとるもの。洗濯がしやすく丈夫なもの。 3. 綿 やメリ
│　　　　　ヤスなどが最適。
├ 色………汚れが目立つもの，白または薄い色のもの。
└ 大きさ……からだに合い，適当なゆるみがあって自由に動作ができるもの。

▶あたたかい着方

○衣服に含まれる 4. 空気 の量を多くし，熱が外に伝わりにくくする（毛など）。
○いちばん外側には，体温を逃がさず，外の冷たい空気を通しにくい細かい布地のものを着る。
○そで口，えり口のつまったもの。　○直射日光の熱をよく吸収する色のもの。
○直射日光の熱をよく吸収する色には黒，緑，赤，白，黄，紫があげられ，吸収順に並べると，
　黒－紫－赤－緑－黄－白，となる。

▶涼しい着方

○からだの表面から汗や体温が逃げやすいもの。　○そで口，えり口のひらいたもの。
○うす地で織り目があらく風を通しやすいもの。　○直射日光の熱を吸収しにくいもの。

▶気持ちのよい着方

衣服の最内層温度が 5. 32 ℃前後，湿度が50％前後になるようにする。

【繊維】

▶織り方 ┌ 6. 混紡 ……2種類以上の繊維を混ぜた糸で織ること。
　　　　 └ 7. 交織 ……2種類以上の糸で織ること。

▶布の三原組織

① 8. 平 織り

（ 9. ブロード ，ギンガム）

② 10. 綾 織り

（ 11. デニム ，サージ）

③ 朱子織り

（ドスキン）

【繊維の種類】

繊維			特　徴　（○＝長所，●＝短所）
12. 天然繊維	植物繊維	綿	○吸湿性大　　　　　　　●しわになりやすい。 ○水に濡れると 13. 強 くなる。
		14. 麻	○引っ張りに強く冷感が　●染色しにくい。 　ある。　　　　　　　　●弾性に乏しい。
	動物繊維	毛	○しわになりにくい。　　●アルカリに弱い。 ○ 15. 保温性 に優れる。　●日光に弱く，黄変。
		16. 絹	○光沢がありしなやか。　●アルカリに弱い。 ○しわになりにくい。　　●日光に弱く，黄変。
化学繊維	17. 再生繊維	レーヨン	○よく染まる。　　　　　●水に濡れると 18. 弱 くなる。 ○吸湿性あり。
		19. キュプラ	○細くて光沢がある。
	半合成繊維	20. アセテート	○吸湿性，保温性あり。　●熱や摩擦に弱い。 ○絹に似ている。
	21. 合成繊維	ナイロン	○摩擦に 22. 強い 。　　●日光に弱く黄変。
		ビニロン	○ 23. 綿 に似ている。
		24. ポリエステル	○しわになりにくい。　　●再汚染しやすい。 ○混紡しやすい。
		アクリル	○ 25. 毛 に似ている。 ○軽く弾力性があり保温性がよい。

※　ウールやカシミヤなどの動物繊維，ポリエステルやアクリルなどの化学繊
　維，混紡の素材は毛玉ができやすい。

【アイロンかけ】

➤アイロンの温度と繊維の種類

	温　度	繊　維　の　種　類
高　温	180℃〜210℃	綿，麻
中　温	140℃〜160℃	毛，絹，レーヨン，ポリエステル
低　温	80℃〜120℃	ビニロン，ナイロン，アクリル

➕ プラスチェック！

□ポリエステル…再汚染防止のために，下洗いしない，
　汚れのひどいものと洗わない，他のものを洗った後
　の洗剤液で洗わない，ことに留意する。

□ビニロンのアイロンかけは給湿してはならない。

□混紡を扱う場合は，弱いほうの繊維を基準に扱う。

＊このページで覚えた知識を教師になってどう活かしたい？

＊あ！あれ何だっけ？　確認メモ！

衣服と生活―② (洗濯)

【洗濯】

▶下着の手洗い

(1) 洗濯液をつくる

○水の量……洗濯物の重さの |1. 10| ～ |2. 15| 倍の重さ。

○洗剤の量……繊維種類によって違うので |3. 標準使用量| を確認する。

アルカリ性洗剤の場合，水1ℓにつき洗剤を |4. 小さじ| 1杯（洗剤の量を多くしても，汚れを落とす力は変わらない）

〈洗剤の選び方〉

種　類		主な用途
石　け　ん		○白い綿・麻など
合成洗剤	アルカリ性合成洗剤	○白い綿・麻など ○ポリエステル・ビニロンなどの化学繊維のもの
	中性洗剤	○ |5. 毛|，絹，アセテート， |6. アクリル|

(2) 洗う

○綿の場合は |7. 手もみ| 洗い。

○ナイロンの場合は押し洗い，つかみ洗い。

(3) すすぐ

○何度も水ですすぐよりも， |8. 40| ℃くらいのお湯ですすいだほうが洗剤のおちはよい。

(4) しぼる

○綿の場合はねじりしぼり。

○ナイロンの場合は |9. 押し| しぼり。

(5) 干す

○綿の場合，白いものは日向に，色ものは**日陰**に干す。

○ナイロンの場合，白いものも色ものも |10. 日陰| に干す。

▶電気洗濯機による洗濯

○洗濯物の重さの**10 ～ 20**倍の水を使う。

○感電を防ぐため |11. アース| をつけなければならない。

洗い方のいろいろ

手もみ洗い

つかみ洗い

押しつけ洗い

振り洗い

板もみ洗い

ブラシ洗い

▶毛のセーターの洗濯

　○水の量……洗濯物の重さの 12. 20 倍分。

　○ 13. 中 性洗剤を**0.2%**の濃さで用い，
　　洗濯水は 14. 30 ℃程度のぬるま湯。｝フェルト化防止

　○洗い方…… 15. 押しつけ 洗い。

▶しみ抜き

果汁	石けん液に少量の 16. アンモニア水 を加えて洗う。
汗	17. ベンジン でとり，石けん液で洗う。
血液	次亜塩素酸ナトリウム液でとる。 18. 熱湯 を使ってはいけない。
どろ	かわいてからたたいてとる。

▶洗剤のはたらきには，浸透作用， 19. 乳化 作用，分散作用，
再汚染防止作用がある。

▶洗剤の主成分で，汚れをおとすはたらきをするものを 20. 界面
活性剤 という。

▶新JISの洗濯表示記号

洗濯処理			漂白処理		自然乾燥	
	60	液温は60℃を限度とし，洗濯機で洗濯ができる	△	塩素系及び酸素系の漂白剤を使用して漂白ができる	|	22. つり干し がよい
	60	液温は60℃を限度とし，洗濯機で弱い洗濯ができる	△	酸素系漂白剤の使用はできるが，塩素系漂白剤は使用禁止	|	日陰のつり干しがよい
	40	液温は40℃を限度とし，洗濯機で非常に弱い洗濯ができる	△	塩素系及び酸素系漂白剤の使用禁止	‖	ぬれつり干しがよい
	手洗い	液温は40℃を限度とし，手洗いができる	タンブル乾燥 ◎	タンブル乾燥ができる（排気温度上限80℃）	―	平干しがよい
	21. 洗濯禁止	家庭での	タンブル乾燥 ⊙	低い温度でのタンブル乾燥ができる（排気温度上限60℃）	＝	ぬれ平干しがよい

【ボタンつけ・スナップつけ】

　下の図で，正しいボタンのつけ方は⑰，正しいスナップのつけ
方は④である。

〔ボタン〕　　　　　　　〔スナップ〕

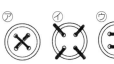

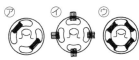

　○糸はボタンにできるだけ近い色の 23. 20 ～ 24. 30 番のカタ
ン糸を使う。

　○ボタンホールの大きさは，ボタンの直径＋ 25. **ボタンの厚み** 。

	second try		first try	
	年 月 日（ ）		年 月 日（ ）	
🕐	： ～ ：		： ～ ：	
	☀ ☁ ☂（ ）		☀ ☁ ☂（ ）	
🖊	am・pm ℃		am・pm ℃	
	😄 😐 😠 😫 😵		😄 😐 😠 😫 😵	

	second try	first try
1.		
2.		
3.		
4.		
5.		
6.		
7.		
8.		
9.		
10.		
11.		
12.		
13.		
14.		
15.		
16.		
17.		
18.		
19.		
20.		
21.		
22.		
23.		
24.		
25.		

➕ **プラスチェック！**

□電気洗濯機については，脱水に使用したり手洗いと
　比較したりする程度に扱う。

□電気洗濯機を用いる場合にも，状況によって事前に
　手洗いする意義に気づくことができるようにする。

＊このページで覚えた知識を教師になってどう活かしたい？

＊あ！あれ何だっけ？　確認メモ！

安全な実習のためには事前の指導が大切

手縫いの種類や用具の使用法について把握しておこう。ミシンについては，部位の名称と働き，トラブル時の原因や糸調子の調整方法について押さえよう。

衣服と生活—③(縫い)

【手縫い】

○縫い始める前に 1. 玉結び ，縫い終わりに 2. 玉どめ をして糸がぬけないようにする。

○縫い目が，つれないように指先で布と糸をしごくことを 3. 糸こき をするという。

○縫い目の0.2cmくらい内側を折り，表に返したときに縫い目が割れないようにすることを 4. きせをかける という。

【ミシン縫い】

▶ ミシンの各部の名称と働き

① 5. ストップモーション大ねじ ……はずみ車の動きを上軸に伝えたり切ったりする。

② 6. 送り調節器 ……縫い目（針目）の大きさを調節する。

③ 7. ドロップフィード ……送り歯の高さを上下する。うす地のとき 8. 高 く，厚地のとき 9. 低 くする。

④ 10. 上糸調節装置 ……上糸の強さを調節する。

▶ 布，針，糸の関係

薄地の布（ギンガムなど）……針 11. 9〜11 番　カタン糸 12. 60〜80 番
厚地の布（デニムなど）……針14〜16番　カタン糸50〜60番

○針は数字が大きいほど 13. 太く なる。

○糸は数字が大きいほど 14. 細く なる。

▶ ミシンの故障

故　障	原　因
動かない。重い。	○ 15. かま に糸がくい込んでいる。○油が切れている。
16. 上糸 が切れる。	○上糸のかけ方が間違っている。○上糸調子が強すぎる。○布・針・糸のつりあいが悪い。
縫い目がとぶ。	○針先が曲がっている。○針のつけ方が悪い。○布・針・糸のつりあいが悪い。
針が折れる。	○針が曲がっている。○針のつけ方が悪い。
布が送られない。	○おさえの圧力が不足している。○送り歯が低い。
上軸が回らない。	○ 17. ストップモーション大ねじ がゆるんでいる。
18. 下糸 が切れる。	○かまに糸がからみついている。○ボビンケースの調子を少し強く締めすぎ。○ボビンケースの糸の通し方が間違っている。

• second try •				
年　月　日（　）
🕐 ：　〜　：
☀ ☁ ☂（　　）
✏ am・pm 　℃
😄 😐 😣 😖 😫

• **first try** •				
年　月　日（　）
🕐 ：　〜　：
☀ ☁ ☂（　　）
✏ am・pm 　℃
😄 😐 😣 😖 😫

▶糸調子

　○糸調子は，上糸から調節し，場合によっては下糸を調節する。

　　〔上糸と下糸のつりあい〕

19. 上糸 が強すぎる。　　20. 下糸 が強すぎる。

【ししゅうのステッチ名】

21. アウトライン　　　チェーン　　　　クロス

ロングアンドショート　　ランニング　　22. レゼーデージー

【縫いしろの始末（種類）】

　①　　　　　　　②　　　　　　　③

三つ折り縫い　　　二度縫い　　　23. かがり 縫い

▶針の扱い

　○実習の始めと終わりに針の数を確認させる。紛失したら**磁石**

　　でありそうな場所を探す。

　○折れた針を捨てるときはしっかりと紙に包んで捨てる。

　○裁縫で糸を引くときには針先を下向きにする。

▶はさみの使い方

　○片手で布を押さえ，刃を 24. 大きく開き深く 入れて刃先まで

　　使って切る。

　○はさみの下側は 25. 机に当てたまま 切る。

　○渡すときは，閉じた刃の部分をしっかり握る。

　○置くときは，刃先を閉じて水平で安定した場所に置く。

second try	first try
1.	1.
2.	2.
3.	3.
4.	4.
5.	5.
6.	6.
7.	7.
8.	8.
9.	9.
10.	10.
11.	11.
12.	12.
13.	13.
14.	14.
15.	15.
16.	16.
17.	17.
18.	18.
19.	19.
20.	20.
21.	21.
22.	22.
23.	23.
24.	24.
25.	25.

➕ **プラスチェック！**

［ミシン使用時の順序］

□ベルト車にベルトをかける →針をつける →ボビン
ケースに下糸をつけてかまに入れる →上糸をかけ
る →下糸を出し上糸をそろえておさえの向こうに
出す →布をおさえの下に入れて針を刺しておさえ
をおろす。

＊このページで覚えた知識を教師になってどう活かしたい？

＊あ！あれ何だっけ？　確認メモ！

食事と生活——①（栄養素とその働き）

【栄養素とその働き】

〈栄養素〉　　〈主な働き〉

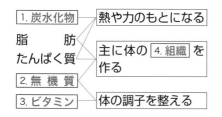

▶栄養素の分類

○ 5. 保全素 ……ビタミン，無機質などのように他の栄養素では代用できないもの。

○ 6. 熱量素 ……炭水化物，脂肪のように，体の熱量源になるもの。

○なお，たんぱく質は両方の性質を兼ね備える。

○炭水化物，たんぱく質は 1 g につき 7.4 kcal，脂質は 8.9 kcalの熱量をもつ。

【ビタミン】

（例）

ビタミン	欠乏症	働き	多く含む食品
ビタミンA	夜盲症	発育をよくする，肌あれ防止	にんじん
ビタミンB₁	かっけ	疲労を回復，糖質の代謝に働く	七分づき米
ビタミンB₂	口角炎	成長を助ける	セロリ
ビタミンC	壊血病	虫歯を予防	レモン
ビタミンD	くる病	骨や歯の発育を助ける	干ししいたけ，肝油

【栄養素の分類】

*左図で，□□□は，三色食品群。■■■は，6つの基礎食品群。

○ア……**たんぱく質**で骨や筋肉をつくる。

（魚，肉，卵，大豆，大豆製品）

○イ……**カルシウム**で骨や歯などをつくる。

（牛乳・乳製品，海藻，小魚）

○ウ……**カロテン**で体の調子を整える。

（緑黄色野菜）

○エ……**ビタミンC**で体の調子を整える。

（その他の野菜，果物）

○オ……**炭水化物**でエネルギー源。

（米，パン，めん類，いも類（ビタミン等も多く含む））

○カ……**脂質**でエネルギー源。

（油脂類）

▶食事摂取基準……国民の**健康**の維持・増進，エネルギー・栄養素欠乏症の予防，**生活習慣病**の予防，過剰摂取による健康障害の予防を目的とし，エネルギー及び各栄養素の摂取量の基準を示すものである。「日本人の食事摂取基準」を厚生労働省が発出。

► 緑黄色野菜

○食品100g中に, カロテンを $\boxed{9.\,600}$ μg以上含むものをいう。

○カロテンは, 体内でビタミン $\boxed{10.\,A}$ の働きをし, その $\boxed{11.\,3分の1}$ の効力をもつ。**脂肪**といっしょに摂ると体内で吸収されやすくなる。

► 米

○胚の部分に $\boxed{12.\,ビタミンB_1}$ を多く含んでいる。

○生のでんぷんである $\boxed{13.\,βでんぷん}$ は, 水を加え加熱すると $\boxed{14.\,αでんぷん}$ に変わり消化がよくなる。これを $\boxed{15.\,糊化}$ という。

○主な栄養素は**炭水化物**である。

► みそ

○みその主原料は, **大豆**で, 良質のたんぱく質を含んでいる。

○ $\boxed{16.\,こうじ}$ にする原料によって, 米みそ, 麦みそ, 大豆みそに分かれる。

► だし汁（うま味成分）

○にぼし（$\boxed{17.\,イノシン}$ 酸）……**水から火にかけ沸騰3～5分**煮てこす。

○かつおぶし（$\boxed{18.\,イノシン}$ 酸）……80℃くらいの湯に入れて煮立ったらすぐ下ろす。

○こんぶ（$\boxed{19.\,グルタミン}$ 酸）……水に30分つけてそのまま火にかけ, **沸騰直前**に取り出す。

► 卵

○良質のたんぱく質, 脂肪, 無機質を含んだ食品である。

○卵の各部分の割合は, 白身：黄身：殻 ＝ $\boxed{20.\,6：3：1}$。

○たんぱく質は熱を加えるとかたまる性質がある。

○マヨネーズは, 黄身の $\boxed{21.\,乳化}$ 作用を利用して作る。

► じゃがいも

○じゃがいもに含まれるビタミンC（またはB_1）は, $\boxed{22.\,熱}$ によってこわされることが比較的少ない。

○じゃがいもの**芽**には $\boxed{23.\,ソラニン}$ という毒素が含まれているので注意する。

► 小麦

○ $\boxed{24.\,グルテン}$ というねばりを出すたんぱく質が含まれ, その量によって**強力粉**（含有量12％前後）,**中力粉**（10％前後）, **薄力粉**（7％前後）に分けられる。

• second try •

年 月 日（ ）
🕐 ：　～　：
☀ ☁ ☂ （　）
🌡 am・pm　℃
😊 😐 😟 😖 😫

1.
2.
3.
4.
5.
6.
7.
8.
9.
10.
11.
12.
13.
14.
15.
16.
17.
18.
19.
20.
21.
22.
23.
24.
25.

• first try •

年 月 日（ ）
🕐 ：　～　：
☀ ☁ ☂ （　）
🌡 am・pm　℃
😊 😐 😟 😖 😫

1.
2.
3.
4.
5.
6.
7.
8.
9.
10.
11.
12.
13.
14.
15.
16.
17.
18.
19.
20.
21.
22.
23.
24.
25.

✚ **プラスチェック！**

□ ビタミンの性質…ビタミンAは, 熱に強い, 水に溶けない, 脂肪に溶ける。ビタミンCは, 熱に非常に弱い, 水によく溶ける, 脂肪に溶けない。

□ 小麦粉…麺は中力粉だが, スパゲッティやマカロニは強力粉を用いる。食パンは強力粉だが, クロワッサン, 菓子パンは中力粉を用いる。

＊このページで覚えた知識を教師になってどう活かしたい？

＊あ！あれ何だっけ？　確認メモ！

米飯，みそ汁などの調理方法や，調理器具について把握しておこう。調理・食事は生きることに直結した活動である。実際に食材を切ったり調理をしてみて理解を深めたい。

食事と生活─②（調理，調理器具）

【調理】

▶ごはんの炊き方

①米の量をはかる　……1人分の米の量は 1. 80 g（米1カップは 2. 180 ml）。

②米を洗う　……3回くらい水をかえ，手早く洗う。

③吸水させる　……米の量の重さの 3. 1.5 倍（体積の1.2倍）の水を吸水させ，30分以上おく。

新米は，**水分を多く含んでいる**ので，古米よりも水加減を少なくする。

④炊く　……初め 4. 強 火で，沸騰したら中火にする。水がひいたら弱火にして火を消して**むらす**。

米の水分は 5. 15 ％だが，炊飯により65％の水分を含むごはんとなり，重さは**2.2 ～ 2.3倍**になる。

▶みそ汁

みそ汁の塩分は 6. 1 ％のものがよい。1人分のみそ汁の量は150ccで，みそは水の重さの**10％**を使用する（みその大さじ1杯は18 g）。みそ汁は**65℃**程度がおいしいとされる。

▶生野菜

○新鮮な野菜に多く含まれる 7. ビタミンC の損失が大きいので，野菜は長い間水につけておかない。

○野菜には寄生虫の卵や農薬がついていることがあるのでよく洗う。

○フレンチソースは， 8. 酢：サラダ油：塩 ＝10：10：1を混ぜ合わせ，**食べる直前**にかける。

〈野菜の切り方〉

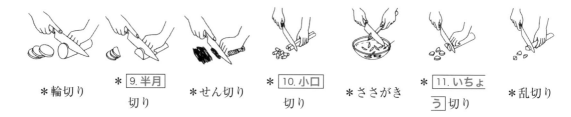

＊輪切り　　＊ 9. 半月 切り　　＊せん切り　　＊ 10. 小口 切り　　＊ささがき　　＊ 11. いちょう 切り　　＊乱切り

▶青菜の油いため

①ゆでる　……たっぷりひたるほどの水に 12. 1～2 ％の塩を入れ沸騰させる。　→青菜を入れ，ふたをしないで， 13. 強 火で1分くらいゆでる。　→水にとって冷まし，すぐざるなどにあげる（ 14. 褐変 防止）。

②いためる　……フライパンを火にかけ，材料の 15. 5 ％の油を入れる。　→薄い煙が出たら青菜を入れ，強火で短時間でいためるとビタミンCが失われにくい。　→材料の1％の塩で味をつけ火からおろす。

►ゆで卵

　　卵がかぶるくらいの水を入れ，[16. 中]火にかけ，沸騰するまで静かに箸でころがす。（水からゆでたほうが殻が割れなくてよい）　→沸騰したらふたをして沸騰が続く程度に火を弱め10〜12分ぐらいゆでる。　→卵を取り出し，すぐに水の中にひたす（**黄身の鉄が卵白の硫化水素で**[17. 硫化鉄]**となり変色**するのをふせぐ・殻をむきやすくする・ゆで過ぎ防止のため）。

【調理器具】

►計量器 ┬ 計量スプーン……小さじ[18. 5]cc，大さじ[19. 15]cc
　　　　└ 計量カップ　……200cc

►食品の重さ

（単位g）

品　名	小さじ1杯	大さじ1杯	1カップ
砂糖	3	9	120
油	4	12	160
塩，水	5	15	200
しょうゆ	6	18	240
小麦粉	3	8	110

※　用意する食品の重量 ＝ [20. 摂取重量] × $\dfrac{100}{100 - [21. 廃棄率]}$

【缶詰表示】

```
MOYS
230916
ABCD
```

この缶詰は，
みかん（MO）のシロップ漬け（Y）の小粒（S）。
賞味期限は，2023年9月16日。

※　形態……Lは大，Mは中，Sは小，Tは[22. 特小]を意味する。

【マーク】（表記文字の省略あり）

[23. JASマーク]

（日本農林規格）

[24. JISマーク]

（日本産業規格）

[25. 特別用途食品マーク]

➕ プラスチェック！

☐ ワカメは水で戻すと体積が7倍になる。

☐ 新しい卵は，表面がざらざらしていて，光で照らすと中身が明るく見える。

☐ ゆで卵の調理では，ゆで水に塩や酢を少々入れておくとひび割れしたときに卵白が固まりやすくなる。

☐ 食器は油汚れのものとは重ねないようにして下げる。

＊このページで覚えた知識を教師になってどう活かしたい？

＊あ！あれ何だっけ？　確認メモ！

住まいと生活

【住まいと暖房】

▶暖房……およそ室内の気温が 1.10 ℃以下になると必要と考えてよい。

反射式

対流式

①器具の前のほうがとくに暖かいのは 2.反射 式である。

②部屋全体を平均に暖めるのは 3.対流 式である。

③反射式は 4.窓ぎわ に置くとよい。

▶換気……空気の出入りの少ない部屋で長時間燃料を燃やし続けると，酸素が不足し 5.一酸化炭素 中毒になる恐れがあるので注意する。ガスストーブ使用中は，30分に1回くらい**換気**する。

▶ 6.不快 指数……蒸し暑さを表す指数。**気温**と**湿度**を用いて計算する。数値80〜85で全員が**不快**に感じるとされる。

▶ 燃料の性質

○石油石炭系（都市ガス）・天然ガス……空気より 7.軽 い。空気が不足すると 8.CO が発生するため換気に注意する。

○プロパンガス……空気より重く漏れると**下**にたまる。ガス漏れのときは室外にあおぎ出すようにする。

○ 9.木炭 ……放射熱が強く焼き物に適する。COが発生するため換気に注意する。

※　ガス漏れのときは爆発の危険があるため，すぐに換気扇を回してはならない。

【建築】

▶記号

| 10.引き違い戸 | 11.片開き戸 | 12.引き違い窓 | 13.両開き窓 |

【明るい住まい】

▶採光……窓の大きさは床面積の 14.7分の1 以上設けなければならない（建築基準法より）。

○戸外の明るさに対する室内の明るさの割合のことを，**昼光率**という。

○昼光率は，$\dfrac{\text{16.室内照度}}{\text{15.全天空照度}} \times 100$で求める。

▶照明……照明には，部屋全体を明るくする**全体照明**と手もとを明るくする 17.部分照明 とがある。勉強をするときなどは手もとだけでなく全体も明るくするとよい。照明の仕方には，**直接照明と間接照明**があり，間接照明では光がよく拡散され，やわらかい感じになるが明るさは低下して直接照明の40％以下となる。

- 18.白熱 灯……光にあたたかみがあり，平均寿命が約1000時間である。7％が光になる。点滅の激しい場所に適している。
- 19.蛍光 灯……太陽光線に近く，平均寿命が4000〜6000時間である。20％が光になる。
- 20.LED 照明……照明の寿命は白熱電球の**40倍**，蛍光灯の**4〜5倍**で非常に長く，40000時間まで点灯を維持できるとされる。**発光ダイオード**。

【認定マーク】（表記文字の省略あり）

21.特定電気用品マーク

22.計量検定マーク

プラスチック製容器包装マーク

SGマーク

23.再生紙使用 (R)マーク

24.統一美化マーク

特色JASマーク

紙製容器包装マーク

• second try •

年 月 日（ ）
🕐 ： 〜 ：
☀ ☁ ☂（ ）
✏ am・pm ℃
😀 😐 🙁 😖 😫

1.
2.
3.
4.
5.
6.
7.
8.
9.
10.
11.
12.
13.
14.
15.
16.
17.
18.
19.
20.
21.
22.
23.
24.
25.

• first try •

年 月 日（ ）
🕐 ： 〜 ：
☀ ☁ ☂（ ）
✏ am・pm ℃
😀 😐 🙁 😖 😫

1.
2.
3.
4.
5.
6.
7.
8.
9.
10.
11.
12.
13.
14.
15.
16.
17.
18.
19.
20.
21.
22.
23.
24.
25.

✚ **プラスチェック！**

☐ 冷房…戸外との差を5℃以内にする。
☐ 暖房時，一酸化炭素（CO）の割合が約0.02％で2〜3時間で軽い頭痛。
☐ 手元と部屋の明るさは差が小さいほうがよい。
☐ 流し台は，身長×$\frac{1}{2}$＋3cmの高さが最適。

＊このページで覚えた知識を教師になってどう活かしたい？

＊あ！あれ何だっけ？ 確認メモ！

chapter 73 豊かなスポーツライフ実現の資質・能力を育成

〔体育〕

体育科の教科目標では，健康で安全な生活，豊かなスポーツライフを生涯にわたり実現させる基盤が培われるべく，相互に密接な関係をもつ事項として(1)～(3)で示している。

体育科―学習指導要領①

【目標】

　体育や保健の見方・考え方を働かせ，課題を見付け，その解決に向けた学習過程を通して，心と体を一体として捉え，生涯にわたって心身の健康を保持増進し豊かな 1.スポーツライフ を実現するための資質・能力を次のとおり育成することを目指す。

(1)　その特性に応じた各種の運動の行い方及び身近な生活における 2.健康・安全 について理解するとともに，基本的な動きや技能を身に付けるようにする。

(2)　運動や健康についての 3.自己の課題 を見付け，その解決に向けて思考し判断するとともに，他者に伝える力を養う。

(3)　運動に親しむとともに健康の保持増進と 4.体力の向上 を目指し，楽しく明るい生活を営む態度を養う。

【各学年の目標】

〔知識及び技能に関する目標〕

第1・2学年	(1)　各種の運動遊びの楽しさに触れ，その行い方を知るとともに，	5.基本的な動き を身に付けるようにする。
第3・4学年	(1)　各種の運動の楽しさや喜びに触れ，その行い方及び健康で安全な生活や体の発育・発達について理解するとともに，	基本的な動きや 6.技能 を身に付けるようにする。
第5・6学年	(1)　各種の運動の楽しさや喜びを味わい，その行い方及び心の健康やけがの防止，病気の予防について理解するとともに，	各種の運動の特性に応じた 7.基本的な技能 及び健康で安全な生活を営むための技能を身に付けるようにする。

〔思考力，判断力，表現力等に関する目標〕

第1・2学年	(2)　各種の運動遊びの行い方を工夫するとともに，	
第3・4学年	(2)　自己の運動や身近な生活における健康の課題を見付け，その解決のための方法や活動を工夫するとともに，	考えたことを他者に伝える力を養う。
第5・6学年	(2)　自己や 8.グループ の運動の課題や身近な健康に関わる課題を見付け，その解決のための方法や活動を工夫するとともに，	自己や仲間の考えたことを他者に伝える力を養う。

〔学びに向かう力，人間性等に関する目標〕

第1・2学年	(3) 各種の運動遊びに進んで取り組み，きまりを守り誰とでも仲よく運動をしたり，健康・安全に留意したりし，	9. 意欲的 に運動をする態度を養う。
第3・4学年	(3) 各種の運動に進んで取り組み，きまりを守り誰とでも仲よく運動をしたり，友達の考えを認めたり，場や用具の安全に留意したりし，	最後まで努力して 10. 運動 をする態度を養う。
	また，健康の大切さに気付き，自己の健康の保持増進に進んで取り組む態度を養う。	
第5・6学年	(3) 各種の運動に積極的に取り組み，約束を守り助け合って運動をしたり，仲間の考えや取組を認めたり，場や用具の安全に留意したりし，	自己の最善を尽くして運動をする態度を養う。
	また，健康・安全の大切さに気付き，自己の健康の保持増進や 11. 回復 に進んで取り組む態度を養う。	

【指導計画の作成】

►単元など内容や時間のまとまりを見通して，その中で育む資質・能力の育成に向けて，児童の主体的・対話的で深い学びの実現を図るようにすること。その際，体育や保健の見方・考え方を働かせ，運動や健康についての自己の課題を見付け，その解決のための活動を選んだり工夫したりする活動の充実を図ること。また，12. 運動 の楽しさや喜びを味わったり，13. 健康 の大切さを実感したりすることができるよう留意すること。

【第1章総則／第1 小学校教育の基本と教育課程の役割／2／(3)より】

学校における体育・健康に関する指導を，児童の発達の段階を考慮して，学校の 14. 教育活動全体 を通じて適切に行うことにより，健康で安全な生活と豊かなスポーツライフの実現を目指した教育の充実に努めること。特に，学校における食育の推進並びに 15. 体力の向上 に関する指導，16. 安全 に関する指導及び心身の健康の 17. 保持増進 に関する指導については，体育科，家庭科及び特別活動の時間はもとより，各教科，道徳科，外国語活動及び総合的な学習の時間などにおいてもそれぞれの特質に応じて適切に行うよう努めること。また，それらの指導を通して，家庭や地域社会との連携を図りながら，日常生活において適切な体育・健康に関する活動の実践を促し，18. 生涯 を通じて健康・安全で活力ある生活を送るための 19. 基礎 が培われるよう配慮すること。

✚ プラスチェック！

[F 表現運動／フォークダンス]

□グスタフス・スコール…スウェーデンの踊り。前半は王宮でのダンス，後半は農民の踊りを表す。

□マイム・マイム…イスラエルの踊り。水源発見の喜びを表す踊り。

□コロブチカ…旅する行商人の粘り強さをたたえる。

＊このページで覚えた知識を教師になってどう活かしたい？

＊あ！あれ何だっけ？　確認メモ！

運動領域A～Fの指導内容は発達の段階に応じて明確・体系化が図られている。児童が楽しく活動できることが大切である。「G 保健領域」（→P.215参照）とともに把握しておこう。

体育科―学習指導要領②

【領域構成と内容】

第１学年及び第２学年	第３学年及び第４学年	第５学年及び第６学年
A　体つくりの運動遊び	A　体つくり運動	
1. 体ほぐしの運動遊び	2. 体ほぐしの運動	3. 体ほぐしの運動
多様な動きをつくる運動遊び	多様な動きをつくる運動	体の動きを高める運動
B　器械・器具を使っての運動遊び	B　器械運動	
固定施設を使った運動遊び		
マットを使った運動遊び	マット運動	
鉄棒を使った運動遊び	鉄棒運動	
跳び箱を使った運動遊び	跳び箱運動	
C　走・跳の運動遊び	C　走・跳の運動	C　陸上運動
走の運動遊び	かけっこ・リレー	短距離走・リレー
	小型ハードル走	ハードル走
跳の運動遊び	幅跳び	走り幅跳び
	高跳び	走り高跳び
D　水遊び	D　水泳運動	
水の中を移動する運動遊び	浮いて進む運動	4. クロール
もぐる・浮く運動遊び	もぐる・浮く運動	平泳ぎ
		5. 安全確保 につながる運動
E　ゲーム		E　ボール運動
ボールゲーム	ゴール型ゲーム	ゴール型
6. 鬼遊び	ネット型ゲーム	ネット型
	ベースボール型ゲーム	ベースボール型
F　表現リズム遊び	F　表現運動	
表現遊び	表現	表現
リズム遊び	リズムダンス	
		7. フォークダンス
	G　保健	
	健康な生活 ｜ 体の発育・発達 ｜ 8. 心 の健康 ｜ 9. けが の防止 ｜ 10. 病気 の予防	

【内容の取扱い】

▶学校や地域の実態を考慮するとともに，個々の児童の運動経験や技能の程度などに応じた指導や児童自らが運動の課題の解決を目指す活動を行えるよう工夫すること。特に，運動を 11. 苦手 と感じている児童や，運動に意欲的に取り組まない児童への指導を工夫するとともに， 12. 障害 のある児童などへの指導の際には， 13. 周りの児童 が様々な特性を尊重するよう指導すること。

▶筋道を立てて練習や作戦について話し合うことや，身近な健康の保持増進について話し合うことなど，コミュニケーション能力や 14. 論理的 な思考力の育成を促すための言語活動を積極的に行うことに留意すること。

▶運動領域におけるスポーツとの多様な関わり方や保健領域の指導については， 15. 具体的な体験 を伴う学習を取り入れるよう工夫すること。

▶内容の「D 水遊び」及び「D 水泳運動」の指導については，適切な水泳場の確保が困難な場合にはこれらを取り扱わないことができるが，これらの 16. 心得 については，必ず取り上げること。

▶オリンピック・パラリンピックに関する指導として， 17. フェアなプレイ を大切にするなど，児童の発達の段階に応じて，各種の運動を通してスポーツの意義や価値等に触れることができるようにすること。

▶集合，整頓，列の増減などの行動の仕方を身に付け， 18. 能率的 で安全な集団としての行動ができるようにするための指導については，内容の「 19. A 体つくりの運動遊び 」及び「 20. A 体つくり運動 」をはじめとして，各学年の各領域（保健を除く）において適切に行うこと。

▶自然との関わりの深い雪遊び，氷上遊び，スキー，スケート， 21. 水辺活動 などの指導については，学校や地域の実態に応じて積極的に行うことに留意すること。

▶保健の内容のうち運動，食事，休養及び睡眠については， 22. 食育 の観点も踏まえつつ，健康的な生活習慣の形成に結び付くよう配慮するとともに，保健を除く第3学年以上の各領域及び 23. 学校給食 に関する指導においても関連した指導を行うようにすること。

▶保健の指導に当たっては， 24. 健康 に関心をもてるようにし，健康に関する課題を解決する学習活動を取り入れるなどの指導方法の工夫を行うこと。

• second try •	• first try •
年 月 日（ ）	年 月 日（ ）
⏰ ： ～ ：	⏰ ： ～ ：
☀ ☁ ☂（ ）	☀ ☁ ☂（ ）
✎ am・pm ℃	✎ am・pm ℃
😀 😐 😣 😢 😫	😀 😐 😣 😢 😫
1.	1.
2.	2.
3.	3.
4.	4.
5.	5.
6.	6.
7.	7.
8.	8.
9.	9.
10.	10.
11.	11.
12.	12.
13.	13.
14.	14.
15.	15.
16.	16.
17.	17.
18.	18.
19.	19.
20.	20.
21.	21.
22.	22.
23.	23.
24.	24.
25.	25.

➕ プラスチェック！

[保健領域]

□身近な生活における健康・安全に関する基礎的な内容を重視し，健康な生活を送る資質や能力の基礎を培う観点から5つの内容で構成している。

□児童が生涯にわたり，正しい健康情報の選択や健康課題の解決が可能になるようにすることが求められる。

＊このページで覚えた知識を教師になってどう活かしたい？

＊あ！あれ何だっけ？　確認メモ！

chapter 75 学年順に運動遊び，発展技，さらなる発展技へ

技の名称について覚えておこう。指導では，器械運動を楽しく行うため，仲間の取組みを認めたり，場や器械・器具の安全に気を配ったりできるようにすることも求められる。

運動──① (器械運動系)

【器械運動】

▶鉄棒

(1)　鉄棒の握り方

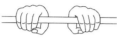  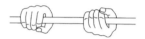

(2)　上がる技／逆上がり

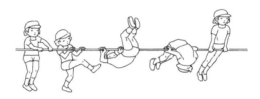

肩幅で 4.順手 で鉄棒を握り，腕を曲げて腰をすばやく鉄棒にひきつけて手首を返して上がる。

(3)　回る技／前方支持回転

5.腕立て懸垂 の姿勢から，胸を張って 6.頭 ができるだけ遠くを回るように腕を伸ばして膝を曲げ鉄棒に巻きつくように回り手首を返す。

▶跳び箱

跳び箱運動は，助走，踏み切り，空中姿勢，着地から成り立っている。

(1)　跳び越し／開脚跳び

体をおこして両足をそろえ，足の裏全体で強く ☐7.高く☐ 踏み切り，体の位置を高くして跳ぶ。このとき，跳び箱の ☐8.先☐ に両手をつくとともに，両足を大きくひらいて飛び越す。

(2) 回転／台上前転

両足で強く高く踏み切り，両手を跳び箱の ☐9.手前☐ のほうにつき，☐10.腰☐ を高くあげて両腕で体を支え背中を丸くし前転する。

▶マット運動

○屈しつ前転

両手を ☐11.肩幅☐ につき，後頭部→背中→腰の順について回る。

○屈しつ後転

手の平を上にして ☐12.耳☐ の近くにつけ，腰→背中→手のひらの順に後ろに回り，マットに手がついたら，すぐに ☐13.腕☐ を伸ばす（☐14.ひじ☐ は左右に広げない）。

➕ プラスチェック！

☐器械運動の指導法：器械運動は，できる・できないがはっきりした運動であるため，すべての児童が技を身につける喜びを味わえるよう，自己やグループの課題を見つけて解決のしかたを考えたり，練習の場や段階を工夫できるようにすることが大切である。

＊このページで覚えた知識を教師になってどう活かしたい？

＊あ！あれ何だっけ？ 確認メモ！

陸上運動では多くの児童に勝つ機会が与えられるような工夫や，結果を受け入れることができる指導が大切である。ルールについては変更されることがあるので留意しよう。

運動──②(陸上運動系)

【陸上運動】

▶短距離走

(1) 走り方

○スタートには，スタンディングスタートと 1. **クラウチング** スタートがある。

○コーナーは，体を内側に傾けて， 2. **外** 側の手を大きく振って，なるべく線の近くを走る。

(2) ルール

○**フライング**した選手は失格となる。その例としては，

 ＊位置……手・足がスタートラインやその前方の地面に触れる。

 ＊用意……静止しない。

 ＊スタート……ピストルがなる前に指，手，足がスタート地点から離れる。

○順位の決定については，ゴールラインに 3. **胴体** が触れた順番を基準とする。

○記録は３個の時計で計る。［うち２個が同じタイムで１個が異なるときは２個の合った時間，３個とも異なるときは真ん中のタイム（平均ではない)］

▶リレー

(1) スタート

○第１走者のバトンの先はスタートラインの前の地面に触れてもよい。

○あらかじめ走るコースが決められている場合を 4. **セパレート** コースといい，走るコースが決まっていない場合を 5. **オープン** コースという。

(2) バトンパス

○一般に 6. **右手** で受け取り，直ぐに 7. **左手** に持ちかえる。

○バトンを受け渡す区域を 8. **テイクオーバーゾーン** という。

○次走者が走りはじめてよい位置を示す線を 9. **助走線** という。

○前走者が決められた地点（例：第３コーナー）を通過した順に，次走者がゾーンの**内側**から順番に並ぶことを 10. **コーナートップ** という。

○バトンを落とした場合，バトンが次走者の手に触れた後なら，どちらの走者が拾ってもよい。

▶障害走（ハードルの跳び越し方）

　　○上体を前に傾けて，足を真っ直ぐに振り上げる。

　　○できるだけハードルの 11.遠く から踏み切る。

　　○ハードルは 12.低く またぎ越すようにする。

　　○踏み切り足は，足の裏を外側に向ける。

　　○できるだけ 13.近く に着地する。

　　○ハードル間は３(5)歩で，リズミカ

　　　ルに走り抜ける。

　　　　＊ハードルはいくつ倒しても失

　　　　　格にならない。

　　　　＊ハードルから手や足がはみ出

　　　　　してはいけない。

　　　　＊ハードルをわざと倒した場合には失格となる。

▶走り幅跳び

(1)　A，Bは走り幅跳びの跳び方である。何という跳び方か。

　　A 14.はさみ跳び　　　　　　　B 15.そり跳び

(2)　最も大切な技能は，16.助走 である。踏み切り地点で最も

　　速いスピードが出るようにする。踏み切りの３歩くらい手前

　　からやや上体をおこして，最後の一歩は歩幅を 17.狭く し，

　　ももを高くあげ，足の裏全体で強く踏み切る。

　　　○踏み切るAの板を 18.踏み切り板 という。

　　　○踏み切り線はⓐ～ⓒのうちⓒである。

　　　○正しい測定方法は下図のうちⓌである。

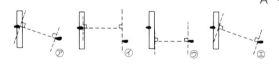

　　⑦　　　　　　⑦　　　　　　⑦　　　　　　⑦

▶走り高跳び

　　走り高跳びの跳び方には，はさみ跳び，19.ベリーロール，

背面跳びなどがあるが，小学校では，**はさみ跳び**を行う。走り

高跳びで最も危険なのは 20.着地 のときである。

<table>
<tr><td colspan="2" align="center">• second try •</td><td colspan="2" align="center">• first try •</td></tr>
</table>

second try		first try	
年 月 日( )		年 月 日( )	
🕐 ： ～ ：		🕐 ： ～ ：	
☀ ☁ ☂ ( )		☀ ☁ ☂ ( )	
🌡 am・pm ℃		🌡 am・pm ℃	
😀 🙂 😐 😟 😣		😀 🙂 😐 😟 😣	

second try	first try
1.	1.
2.	2.
3.	3.
4.	4.
5.	5.
6.	6.
7.	7.
8.	8.
9.	9.
10.	10.
11.	11.
12.	12.
13.	13.
14.	14.
15.	15.
16.	16.
17.	17.
18.	18.
19.	19.
20.	20.
21.	21.
22.	22.
23.	23.
24.	24.
25.	25.

✚ **プラスチェック！**

□走り幅跳び…踏み切りゾーンは30～40cmが適切
　である。

□内容の取扱いとして「投の運動（遊び）」を加えて
　指導することができるとされている。

＊このページで覚えた知識を教師になってどう活かしたい？

＊あ！あれ何だっけ？　確認メモ！

運動──③（水泳運動系）

【水泳】

▶**クロール**（最もスピードが出る泳ぎ方）

(1) 腕の動き……できるだけ遠くに｜1. 指先｜から入水する。体の中心線にそってももの近くまでかき，手首を少し曲げる。｜2. ひじ｜からぬくようにする。水中では｜3. S｜字を書くように動かす。

(2) 足の動き……ひざ，足首の力を抜いて，足全体で水を下に押すようにする。ももから動かすようにする。クロールの足の使い方は｜4. ばた足｜といい，足首までしっかり伸ばす。

(3) 呼吸……水中で息をはき出し，腕をぬく瞬間に顔を｜5. 横｜に向けて吸う。

(4) コンビ……両腕を1回かく間に足を｜6. 6｜回打つようにする。

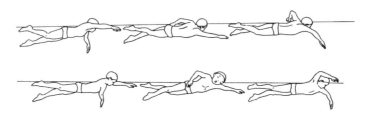

▶**平泳ぎ**（長い距離を泳ぐのによい泳ぎ方）

(1) 腕の動き……両手のひらを外側に向け，開きながら水をかき，｜7. 胸｜の前で腕をまとめて前に戻す。両手を前に突き出したときには，手のひらは｜8. 下｜を向くようにする。

(2) 足の動き……足先を｜9. 外側｜に向け，足首を｜10. 曲げて｜，足の裏全体で水を蹴る。

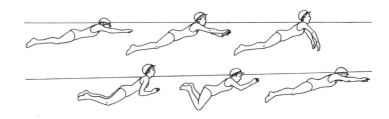

▶**スタート**

(1) あまり高く飛び上がらないで，できるだけ遠くに飛ぶようにする。

(2) 両腕で｜11. 耳｜をはさむように頭の先に手を伸ばし，指先から水に飛び込む。

(3) 水に入ったら，手先を反らせる。

▶ルール

(1) スタートには1回制と2回制があり，12.競技会 ごとに事前に決められる。1回制の場合は，フォルススタート（不正出発）した競技者は失格となる。2回制の場合は，1回目のフォルススタートはやり直す。2回目にフォルススタートが繰り返された場合は，1回目と同じ競技者であるか否かにかかわらず，2回目に違反した競技者のみが 13.失格 となる。

(2) ターンは，平泳ぎ・バタフライは 14.両 手，クロール・背泳ぎは 15.片 手で行う。

(3) 個人メドレーは 16.バタフライ ➡ 17.背泳ぎ ➡ 18.平泳ぎ ➡ 19.自由形（クロール） の順で泳ぐ。

▶水泳の指導

(1) プールの水温は 20.23 ℃以上（上級者・高学年で22℃以上）が望ましい。

(2) プールの遊離残留塩素は 21.0.4 ～ 22.1.0 mg/lが適当である。

(3) 水泳を安全に指導するため，2人1組のグループを作って指導する方法を 23.バディ システムという。

【水泳の心得】

▶第1学年及び第2学年

○**準備運動**や**整理運動**をしっかり行う，丁寧に**シャワー**を浴びる，プールサイドは**走らない**，プールに飛び込まない，友達とぶつからないように動く，など。

○水遊びをする前には，体（爪，耳，鼻，頭髪など）を**清潔**にしておくこと。

▶第3学年及び第4学年

○準備運動や整理運動を正しく行う，**バディ**で互いを確認しながら活動する，シャワーを浴びてから**ゆっくり**と水の中に入る，プールに飛び込まない，など。

▶第5学年及び第6学年

○プールの底・水面などに 24.危険物 がないかを確認したり，自己の**体の調子**を確かめてから泳いだり，25.仲間の体 の調子にも気を付ける，など。

·second try·		first try·
年 月 日（ ）		年 月 日（ ）
🕐 ： ～ ：		🕐 ： ～ ：
☀ ☁ ☂（ ）		☀ ☁ ☂（ ）
🖊 am・pm ℃		🖊 am・pm ℃
😄 😊 😟 😣 😫		😄 😊 😟 😣 😫
1.		1.
2.		2.
3.		3.
4.		4.
5.		5.
6.		6.
7.		7.
8.		8.
9.		9.
10.		10.
11.		11.
12.		12.
13.		13.
14.		14.
15.		15.
16.		16.
17.		17.
18.		18.
19.		19.
20.		20.
21.		21.
22.		22.
23.		23.
24.		24.
25.		25.

➕ **プラスチェック！**

□より現実的な安全確保につながる運動の経験として，着衣をしたままでの水泳運動を指導に取り入れることも大切とされる。

□水中で目を開ける指導を行った場合には，事後に適切な対処をすること。

*このページで覚えた知識を教師になってどう活かしたい？

*あ！あれ何だっけ？ 確認メモ！

chapter 78 児童の実態に合わせてゲームを工夫

ボール運動では，チーム内で友達と助け合ったり，分担された役割をしっかりと果たしたりすることについての指導が大切である。

運動—④（ボール運動系）

【ボール運動】

▶ボール運動領域でのルールは一般化されたスポーツの公式ルールが基にされるが，全ての児童がゲームを楽しむには難しいと考えられるため，学習指導要領に示された，それぞれの型ごとの指導内容を楽しく学習できるように，1. ルール や様式を**工夫**することが必要である。

▶**簡易化されたゲーム**とは，ルールや形式が一般化されたゲームを児童の発達の段階を踏まえプレーヤーの数，コートの広さ，プレー上の制限（緩和）など，ゲームのルールや様式を2. 修正 することをいう。

(1) バスケットボール……カナダ人の 3. ネイスミス がアメリカで考案した。

① 競技の方法

○ 1チーム 4. 5 人。各10分間のクオーター制（ピリオドを**4**回行う）。

○ 5. ジャンプボール で始まる。ボールが上がっている途中でさわってはいけない。

○得点には，2点の 6. フィールドゴール と，1点の 7. フリースロー と3点のスリーポイントシュートがある。

② 個人のプレー

○ 8. チェスト パス……相手の胸をねらい床と平行にパスをする。

○バウンズパス……足元の外側にバウンドさせてパスをする。

○ショルダーパス……肩の上から押し出すように，遠くの味方にパスを投げる。

○ピボット……片足を軸に回転してボールを取られないようにする。

③ ディフェンス

○ 9. マンツーマン ディフェンス……マークする相手を決めて防御する。

○ 10. ゾーン ディフェンス……守る位置を決めて防御する。

④ ルール

〔主な反則〕

○バイオレーション（反則した地点に近いサイドラインからスローイン）

＊トラベリング……ボールを持って 11. 3 歩以上歩く。

＊ 12. ダブルドリブル ……両手でドリブルしたり，ドリブルを止めて，またドリブルをする。

＊3秒ルール……ボールを保持しているチームが，相手チームの制限区域内に3秒以上いる。

○パーソナルファウル

○ 13. テクニカル ファウル……スポーツマンらしくない行為。

○ダブルファウル

○ファウルを 14. 5 回すると退場させられる（ 15. バイオレーション は，反則に記録されない）。

(2) サッカー

① 競技の方法
○1チーム 16. 11 人で行う。
○ゲームは 17. キックオフ で始まる。
○得点は，ボールがゴールラインを完全に通過したとき，1点入る。

② コート

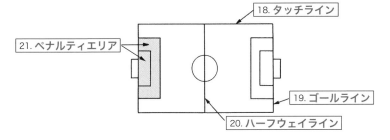

18. タッチライン
21. ペナルティエリア
19. ゴールライン
20. ハーフウェイライン

③ ルール
○**コーナーキック**……ゴールラインから守備側がボールを出したとき，ボールが出た地点から近いほうのコーナーエリアから攻撃側のチームが蹴る。
○**ゴールキック**……ゴールラインから攻撃側がボールを出したとき，守備側が直接ペナルティエリア外に蹴る。
○**スローイン**…… 22. タッチ ラインからボールが出たとき，相手側の選手が，両足をつけ，両手で頭の上を通して投げ入れる。

〔主な反則〕
○**直接フリーキック** （直接シュートをうつことができる）
　＊ 23. ハンドリング ……ボールを手で扱うこと。
　＊キッキング……相手を蹴ること。
　＊トリッピング……相手を 24. つまずかせる こと。
　＊チャージング……乱暴または危険なプレー。
○**間接フリーキック** （直接シュートをうつことはできない）
　＊ 25. インピード ……ボールに関するプレーではなく故意に相手を妨害すること。
　＊6秒ルール……ゴールキーパーがペナルティエリア内でボールを手や腕で6秒以上保持すること。

• second try •

年　月　日（　）
🕐　：　～　：
☀ ☁ ☂ （　　）
🖊 am・pm　　℃
😀 😑 🙁 😣 😫

1.
2.
3.
4.
5.
6.
7.
8.
9.
10.
11.
12.
13.
14.
15.
16.
17.
18.
19.
20.
21.
22.
23.
24.
25.

• first try •

年　月　日（　）
🕐　：　～　：
☀ ☁ ☂ （　　）
🖊 am・pm　　℃
😀 😑 🙁 😣 😫

1.
2.
3.
4.
5.
6.
7.
8.
9.
10.
11.
12.
13.
14.
15.
16.
17.
18.
19.
20.
21.
22.
23.
24.
25.

✚ **プラスチェック！**

[さらにボールゲーム！]
□タグラグビー…ゴール型。すべてのプレーヤーは腰の左右にタグをつける。ボールをもつプレーヤーのタグを取ると前進を止めることができる。
□プレルボール…ネット型。こぶしや前腕でボールを打ってワンバウンドさせてプレーし，得点を競い合う。

＊このページで覚えた知識を教師になってどう活かしたい？

＊あ！あれ何だっけ？　確認メモ！

体力・保健

【体　力】

```
                  ┌── 筋　力
        ┌1. 行動力┼── 持久力   ┌3. 敏捷性 ……すばやさ
体　力──┤        └── 調整力──┼4. 巧緻性 ……巧みさ
        └2. 抵抗力              └5. 平衡性 ……バランス
```

【スポーツテスト】

▶全国体力・運動能力，運動習慣等調査（全国体力テスト）……国公私立の小学校5年生・中学校2年生対象の悉皆調査。

▶新体力テスト……6～11歳まで（小学校全学年）の男女。他対象年齢層もあり。

〈種目（小学生）〉握力，反復横とび，50m走，立ち幅とび，ソフトボール投げ，

6. 上体起こし，　　　　　7. 20mシャトルラン，　　　　8. 長座体前屈。
　　　　　　　　　　　　　（往復持久走）

30秒間の回数測定

【トレーニング】

▶9. インターバル トレーニング……強い運動と軽い運動を繰り返して行う。（持久力）

▶レペティショントレーニング……十分な休憩をとりながら強い負荷運動を行う。（スピード・酸素負荷能力）

▶10. サーキット トレーニング……いろいろな種目の運動を繰り返して行う。休憩なしで少なくとも3回以上行う。（筋力，持久力）

▶ウェイトトレーニング……最大筋力の60%の負荷をかける。（筋力・筋持久力）

【疲労の測定】

▶点滅する光を見て疲労度を測定する方法を 11. フリッカーテスト という。

▶尿に出る疲労物質を測定する検査を 12. ドナジオ反応 テストという。

【応急処置】

▶ 児童が水泳指導中，おぼれた場合

プールサイドに寝かせる。

意識の有無……名前を呼んだり，肩を軽くたたいたりして**意識の**確認をする。

　　　　　　　　↓
　　　　　＜意識なし ➡ 応援を呼ぶ， 13. AED 依頼，119番通報＞

呼吸の有無……鼻に頬や手を近づけ，胸の動きを観察する。

　　　　　　＜呼吸なし ➡ 14. 胸骨圧迫 ，技術があれば人工呼吸＞

※判断に迷う場合でも，**心停止**の可能性を考えて上記の行動をする。

◎口対口人工呼吸

①あごを上に持ち上げ気道を確保する。

②鼻をつまみ息を吹き込む。

＊約 15. 1 秒間かけて吹き込む。

＊吹き込みは 16. 2 回まで。

＊3分以内に人工呼吸を行えば，

17. 75 ％の確率で生命をとりとめるといわれる。

◎心臓マッサージ

相手が大人の場合，両方の手のひらを重ねて胸を真上から，毎分約 18. 100～120 回の速さで押す。(乳幼児の場合は指で押す)

▶ 日射病・脳貧血の処置

(1) 日射病……涼しいところで，頭を 19. 高 くし，衣服をゆるめ顔を横にし，頭や額を冷やす。気が付いたら冷たい水を飲ませる。

(2) 脳貧血……風通しのよいところで，頭を 20. 低 くし，衣服をゆるめ意識が回復したら温かいものを飲ませる。

◆ 人の一生のうち身長や体重が急激に増えるのは，赤ちゃんのころと 21. 小学校5年生 ～中学生のころである。

◆ エイズ教育の目的は，エイズについての断片的な知識や情報による誤った概念や考え方を正し， 22. 感染症 としてのエイズを理解させることにより，エイズに適切に対処できるための基本的な認識を形成する。

•second try•					•first try•				
年 月 日( )					年 月 日( )				
⏰ : ~ :					⏰ : ~ :				
☀ ☁ ☂ ( )					☀ ☁ ☂ ( )				
🌡 am・pm ℃					🌡 am・pm ℃				
😊 😐 😟 😣 😫					😊 😐 😟 😣 😫				

1.
2.
3.
4.
5.
6.
7.
8.
9.
10.
11.
12.
13.
14.
15.
16.
17.
18.
19.
20.
21.
22.
23.
24.
25.

1.
2.
3.
4.
5.
6.
7.
8.
9.
10.
11.
12.
13.
14.
15.
16.
17.
18.
19.
20.
21.
22.
23.
24.
25.

➕ プラスチェック！

[新体力テスト]

□ 1999年度の体力・運動能力調査から導入。

□ 対象年齢は，6～11歳，12～19歳，20～64歳，65～79歳。

□ 握力…スメドレー式握力計。左右交互に2回測定。

□ 反復横跳び…20秒間の得点，敏捷性。

＊このページで覚えた知識を教師になってどう活かしたい？

＊あ！あれ何だっけ？　確認メモ！

コミュニケーションを図る資質・能力を育成

指導計画は学級担任か外国語担当教師が作成し，授業の全体的なマネジメントを行う。指導計画作成の留意点について把握しておこう。

外国語科・外国語活動―学習指導要領①

【目標】

	外国語活動（中学年）	外国語科（高学年）
	外国語によるコミュニケーションにおける見方・考え方を働かせ，外国語による聞くこと，話すことの言語活動を通して，コミュニケーションを図る 1.素地 となる資質・能力を次のとおり育成することを目指す。	外国語によるコミュニケーションにおける見方・考え方を働かせ，外国語による聞くこと，読むこと，話すこと，書くことの言語活動を通して，コミュニケーションを図る 2.基礎 となる資質・能力を次のとおり育成することを目指す。
知識及び技能	(1) 外国語を通して，言語や文化について 3.体験的 に理解を深め，日本語と外国語との音声の違い等に気付くとともに，外国語の音声や基本的な表現に 4.慣れ親しむ ようにする。	(1) 外国語の音声や文字， 5.語彙 ， 6.表現 ， 7.文構造 ， 8.言語の働き などについて，日本語と外国語との違いに気付き，これらの知識を理解するとともに，読むこと，書くことに慣れ親しみ，聞くこと，読むこと，話すこと，書くことによる実際のコミュニケーションにおいて活用できる 9.基礎的な技能 を身に付けるようにする。
思考力、判断力、表現力等	(2) 身近で簡単な事柄について，外国語で聞いたり話したりして自分の考えや気持ちなどを伝え合う力の 10.素地 を養う。	(2) コミュニケーションを行う目的や場面，状況などに応じて，身近で簡単な事柄について，聞いたり話したりするとともに，音声で十分に慣れ親しんだ外国語の語彙や基本的な表現を 11.推測 しながら読んだり， 12.語順 を意識しながら書いたりして，自分の考えや気持ちなどを伝え合うことができる 13.基礎的な力 を養う。
学びに向かう力、人間性等	(3) 外国語を通して， 14.言語 やその背景にある文化に対する理解を深め， 15.相手 に配慮しながら，主体的に外国語を用いてコミュニケーションを図ろうとする態度を養う。	(3) 外国語の背景にある文化に対する理解を深め， 16.他者 に配慮しながら，主体的に外国語を用いてコミュニケーションを図ろうとする態度を養う。

【指導計画の作成】 ＊下線部は「外国語科」において［ ］内となる。

▶指導計画の作成に当たっては，第5学年及び第6学年［第3学年及び第4学年］並びに中学校及び高等学校における指導との接続に留意しながら，次の事項に配慮するものとする。

▶単元など内容や時間のまとまりを見通して，その中で育む資質・能力の育成に向けて，児童の主体的・対話的で深い学びの実現を図るようにすること。その際，具体的な課題等を設定し，児童が外国語によるコミュニケーションにおける見方・考え方を働かせながら，コミュニケーションの目的や場面，状況などを意識して活動を行い，英語の音声や語彙，表現などの知識を，17. 三つの領域 ［18. 五つの領域 ］における実際のコミュニケーションにおいて活用する学習の充実を図ること。

▶実際に英語を用いて［使用して］互いの考えや気持ちを伝え合うなどの言語活動を行う際は，内容に示す事項［19. 言語材料 ］について理解したり練習したりするための指導を必要に応じて行うこと。また，英語を初めて学習することに配慮し，簡単な語句や基本的な表現を用いながら，友達との関わりを大切にした 20. 体験的 な言語活動を行うこと。［第3学年及び第4学年において第4章外国語活動を履修する際に扱った簡単な語句や基本的な表現などの学習内容を 21. 繰り返し指導 し定着を図ること。］

▶［外国語のみ］児童が英語に多く触れることが期待される英語学習の特質を踏まえ，必要に応じて，特定の事項を取り上げて 22. 10 分から15分程度の短い時間を活用して指導を行うことにより，指導の効果を高めるよう工夫すること。

▶言語活動で扱う題材は，児童の興味・関心に合ったものとし，他の教科等で児童が学習したことを活用したり，23. 学校行事 で扱う内容と関連付けたりするなどの工夫をすること。

▶［外国語活動のみ］外国語活動を通して，外国語や外国の文化のみならず，24. 国語 や我が国の文化についても併せて理解を深めるようにすること。

▶学級担任の教師又は外国語活動［外国語］を担当する教師が指導計画を作成し，授業を実施するに当たっては，25. ネイティブ・スピーカー や英語が堪能な地域人材などの協力を得る等，指導体制の充実を図るとともに，指導方法の工夫を行うこと。

•second try•

年 月 日（ ）
☼ ☁ ☂（ ）
✎ am・pm ℃
😊 😐 😦 😣 😫

1.
2.
3.
4.
5.
6.
7.
8.
9.
10.
11.
12.
13.
14.
15.
16.
17.
18.
19.
20.
21.
22.
23.
24.
25.

•first try•

年 月 日（ ）
☼ ☁ ☂（ ）
✎ am・pm ℃
😊 😐 😦 😣 😫

1.
2.
3.
4.
5.
6.
7.
8.
9.
10.
11.
12.
13.
14.
15.
16.
17.
18.
19.
20.
21.
22.
23.
24.
25.

➕ プラスチェック！

□指導に当たっては，領域別の目標と関連づけた学年ごとの「学習到達目標」を設定する必要がある。

□外国語科での指導：音声に慣れ親しませる活動を展開した上で，自分の考えや気持ちを互いに伝え合う言語活動を展開する。

＊このページで覚えた知識を教師になってどう活かしたい？

＊あ！あれ何だっけ？ 確認メモ！

外国語活動と外国語科の関連を押さえた指導を

外国語活動と外国語科の発展的つながりについて留意しながら，各目標と，各領域における目標について，しっかりと把握しておこう。

外国語科・外国語活動―学習指導要領②

【各言語の目標】

〔「英語」の目標〕

外国語活動（中学年）	外国語科（高学年）
英語学習の特質を踏まえ，以下に示す， 1.聞くこと ， 2.話すこと[やり取り] ， 3.話すこと[発表] の三つの領域別に設定する目標の実現を目指した指導を通して，	英語学習の特質を踏まえ，以下に示す， 4.聞くこと ， 5.読むこと ， 6.話すこと[やり取り] ， 7.話すこと[発表] ， 8.書くこと の五つの領域別に設定する目標の実現を目指した指導を通して，
(P.160の) (1)及び(2)に示す資質・能力を， 9.一体的 に育成するとともに，その過程を通して，(P.160の) (3)に示す資質・能力を育成する。	

〔各領域における目標〕

	外国語活動（中学年）	外国語科（高学年）
聞くこと	ア　ゆっくりはっきりと話された際に，自分のことや身の回りの物を表す 10.簡単な語句 を聞き取るようにする。	ア　ゆっくりはっきりと話されれば，自分のことや身近で簡単な事柄について，簡単な語句や 11.基本的な表現 を聞き取ることができるようにする。
	イ　ゆっくりはっきりと話された際に，身近で簡単な事柄に関する基本的な表現の意味が分かるようにする。	イ　ゆっくりはっきりと話されれば，日常生活に関する身近で簡単な事柄について， 12.具体的な情報 を聞き取ることができるようにする。
	ウ　文字の読み方が発音されるのを聞いた際に，どの文字であるかが分かるようにする。	ウ　ゆっくりはっきりと話されれば，日常生活に関する身近で簡単な事柄について， 13.短い話の概要 を捉えることができるようにする。
読むこと		ア　活字体で書かれた文字を識別し，その読み方を発音することができるようにする。
		イ　音声で十分に慣れ親しんだ簡単な語句や基本的な表現の 14.意味 が分かるようにする。
話すこと[やり取り]	ア　基本的な表現を用いて挨拶， 15.感謝 ，簡単な指示をしたり，それらに応じたりするようにする。	ア　基本的な表現を用いて指示， 16.依頼 をしたり，それらに応じたりすることができるようにする。
	イ　自分のことや身の回りの物について， 17.動作 を交えながら，自分の考えや気持ちなどを，簡単な語句や基本的な表現を用いて伝え合うようにする。	イ　日常生活に関する身近で簡単な事柄について，自分の考えや気持ちなどを，簡単な語句や基本的な表現を用いて伝え合うことができるようにする。
	ウ　 18.サポート を受けて，自分や相手のこと及び身の回りの物に関する事柄について，簡単な語句や基本的な表現を用いて質問をしたり質問に答えたりするようにする。	ウ　自分や相手のこと及び身の回りの物に関する事柄について，簡単な語句や基本的な表現を用いてその場で質問をしたり質問に答えたりして，伝え合うことができるようにする。

話すこと [発表]	ア 身の回りの物について，人前で 19.実物 などを見せながら，簡単な語句や基本的な表現を用いて話すようにする。	ア 日常生活に関する身近で簡単な事柄について，簡単な語句や基本的な表現を用いて話すことができるようにする。	
	イ 自分のことについて，人前で実物などを見せながら，簡単な語句や基本的な表現を用いて話すようにする。	イ 自分のことについて，伝えようとする内容を 20.整理 した上で，簡単な語句や基本的な表現を用いて話すことができるようにする。	
	ウ 日常生活に関する身近で簡単な事柄について，人前で実物などを見せながら，自分の考えや気持ちなどを，簡単な語句や基本的な表現を用いて話すようにする。	ウ 身近で簡単な事柄について，伝えようとする内容を整理した上で，自分の考えや気持ちなどを，簡単な語句や基本的な表現を用いて話すことができるようにする。	
書くこと		ア 大文字，小文字を活字体で書くことができるようにする。また， 21.語順 を意識しながら音声で十分に慣れ親しんだ簡単な語句や基本的な表現を 22.書き写す ことができるようにする。	
		イ 自分のことや身近で簡単な事柄について， 23.例文 を参考に，音声で十分に慣れ親しんだ簡単な語句や基本的な表現を用いて書くことができるようにする。	

second try	first try
1.	1.
2.	2.
3.	3.
4.	4.
5.	5.
6.	6.
7.	7.
8.	8.
9.	9.
10.	10.
11.	11.
12.	12.
13.	13.
14.	14.
15.	15.
16.	16.
17.	17.
18.	18.
19.	19.
20.	20.
21.	21.
22.	22.
23.	23.
24.	24.
25.	25.

➕ プラスチェック！

☐ スキル向上のみを目標とした指導が行われることは，本来の外国語科の目標とは合致しない。

☐ コミュニケーション場面の指導：特有の表現がよく使われる場面や，児童の身近な暮らしに関わる場面などを想定する。

＊このページで覚えた知識を教師になってどう活かしたい？

＊あ！あれ何だっけ？ 確認メモ！

できるところから英語を使用した授業に

普段の授業場面で使えるクラスルーム・イングリッシュについて，多くの表現にあたろう。
また，リスニングが出題される場合もあるため対応できるように準備しよう。

英語表現（クラスルーム・イングリッシュ）

【挨拶，授業・活動の開始と終了】

Hello, everyone.	みなさん，こんにちは。
Is everybody here?	みんないますか。
Are you ready?	準備はいいですか。
It's time 1. for English class.	英語の時間です。
Let's begin. ／ 2. Shall we begin?	始めましょう。
What day is it today?	今日は何曜日ですか。
Open your textbook.	教科書を開けなさい。
Stand up, please.	立ってください。
Go back to your seat.	席に戻りなさい。
That's 3. all 4. for today. ／ We're finished.	今日はこれで終わります。
Did you enjoy today's class?	今日の授業は楽しかったですか。
5. Put your desks together.	机を寄せなさい。
6. Move your desks to the back.	机を後ろに下げなさい。

【授業，ゲームや活動】

Open your textbook 7. to page four.	テキストの4ページを開きなさい。
8. Turn the page.	ページをめくりなさい。
Point 9. at the picture.	絵を指差しなさい。
Write your name 10. on the worksheet.	ワークシートに名前を書きなさい。
Draw it 11. neatly.	ていねいに描きなさい。
12. Pardon me? ／ Could you say that again?	もう一度言ってください。
Repeat after me.	私の後について繰り返しなさい。
Show it to me.	見せなさい。
One minute 13. left.	あと1分です。
I'll 14. give you one more minute.	もう1分延長します。
Talk 15. in your group. ／ 16. Discuss it in groups.	グループで話し合いなさい。
Let's sing together.	一緒に歌いましょう。
Write the numbers 17. in the squares.	□に数字を書きなさい。
Listen 18. carefully and repeat the word.	よく聞いて言葉を繰り返し言いなさい。
How do you say ～ 19. in English.	～は英語では何と言いますか。

Who knows the answer?	答えが分かった人はいますか。
Do you remember?	覚えていますか。
Line up.	並びなさい。
Make pairs. ／ Get 20. into pairs.	ペアになりなさい。
Change partners.	相手を代えなさい。
Come to the front.	前に来なさい。
Any volunteers?	やりたい人はいますか。
It's your 21. turn . ／ You're next.	あなたの番です。
Do you have any questions?	質問はありますか。

【ほめる】

That's right!	正解です。
Wonderful! ／ Excellent! ／ Marvelous! ／ Fantastic! ／ Perfect!	
	素晴らしい。いいね。
You did a good job! ／ Nice try!	がんばりましたね。
Congratulations!	おめでとう。
Let's give him a big hand.	彼に拍手しましょう。

【励ます】

Don't give up.	あきらめないで。
Don't worry.	心配しないで。
It's OK to 22. make mistakes.	間違えても大丈夫ですよ。
You can do it.	君ならできるよ。

【ALT (Assistant Language Teacher：外国語指導助手) との会話】

Let's 23. demonstrate the skit for everyone.	
	スキットをやって見せましょう。
A little more slowly.	もう少しゆっくり言いなさい。
Walk around and help the students.	
	まわって児童を手伝いなさい。
Grade five, class one will be in the fourth period.	
	5年1組の授業は4時間目です。
How do you 24. pronounce it?	どう発音するのですか。

• second try •

| 年 月 日 ( ) |
| 🕐 : ～ : |
| ☀ ☁ ☂ ( ) |
| ✏ am・pm ℃ |
| 😄 😐 ☹ 😣 😫 |

1.
2.
3.
4.
5.
6.
7.
8.
9.
10.
11.
12.
13.
14.
15.
16.
17.
18.
19.
20.
21.
22.
23.
24.
25.

• first try •

| 年 月 日 ( ) |
| 🕐 : ～ : |
| ☀ ☁ ☂ ( ) |
| ✏ am・pm ℃ |
| 😄 😐 ☹ 😣 😫 |

1.
2.
3.
4.
5.
6.
7.
8.
9.
10.
11.
12.
13.
14.
15.
16.
17.
18.
19.
20.
21.
22.
23.
24.
25.

➕ プラスチェック！

[アクセント：強勢]

□ 語における強勢…machíne／néwspàper／recórd（動詞）／récord（名詞）

□ 句における強勢…in the évening／in frónt of the státion

□ 文における強勢…Gíve me some cóffee, please.

＊このページで覚えた知識を教師になってどう活かしたい？

＊あ！あれ何だっけ？　確認メモ！

特別の教科 道徳―学習指導要領

【目標】

第1章 総則の第1の2の(2)に示す道徳教育の目標に基づき，よりよく生きるための基盤となる 1.道徳性 を養うため， 2.道徳的諸価値 についての理解を基に，自己を見つめ，物事を多面的・多角的に考え，自己の生き方についての考えを深める学習を通して， 3.道徳的な判断力 ， 4.心情 ， 5.実践意欲 と態度を育てる。

（第1章 総則の第1の2の(2)）

道徳教育や体験活動，多様な表現や鑑賞の活動等を通して，豊かな心や創造性の涵養を目指した教育の充実に努めること。

学校における道徳教育は，特別の教科である道徳（以下「道徳科」という）を要として学校の教育活動全体を通じて行うものであり，道徳科はもとより，各教科，外国語活動，総合的な学習の時間及び特別活動のそれぞれの特質に応じて，児童の発達の段階を考慮して，適切な指導を行うこと。

道徳教育は，教育基本法及び学校教育法に定められた教育の根本精神に基づき，**自己の生き方**を考え，**主体的な判断の下に行動し，自立した人間として他者と共によりよく生きるための基盤**となる 6.道徳性 を養うことを目標とすること。

道徳教育を進めるに当たっては， 7.人間尊重 の精神と生命に対する畏敬の念を家庭，学校，その他社会における具体的な生活の中に生かし，豊かな心をもち，伝統と文化を尊重し，それらを育んできた我が国と郷土を愛し，個性豊かな文化の創造を図るとともに，平和で民主的な国家及び社会の形成者として， 8.公共の精神 を尊び，社会及び国家の発展に努め，他国を尊重し，国際社会の平和と発展や環境の保全に貢献し未来を拓く主体性のある日本人の育成に資することとなるよう特に留意すること。

【指導計画の作成】

▶各学校においては，道徳教育の 9.全体計画 に基づき，各教科，外国語活動，総合的な学習の時間及び特別活動との関連を考慮しながら，道徳科の**年間指導計画**を作成するものとする。

▶作成に当たっては，各学年段階の内容項目について，相当する各学年において全て取り上げることとする。その際，児童や学校の実態に応じ，2学年間を見通した重点的な指導や内容項目間の関連を密にした指導，一つの内容項目を複数の時間で扱う指導を取り入れるなどの工夫を行うものとする。

【内容の指導に当たっての配慮事項】

▶校長や教頭の参加や他教師との協力的な指導などについて工夫し，10.道徳教育推進教師 を中心とした指導体制を充実すること。

▶道徳科が学校の教育活動全体を通じて行う道徳教育の要としての役割を果たすことができるよう，計画的・11.発展的 な指導を行うこと。特に，各教科，外国語活動，総合的な学習の時間及び特別活動における道徳教育としては取り扱う機会が十分でない内容項目に関わる指導を補うことや，児童や学校の実態等を踏まえて指導をより一層深めること，内容項目の相互の関連を捉え直したり発展させたりすることに留意すること。

▶児童が自ら道徳性を養う中で，自らを振り返って成長を実感したり，これからの課題や目標を見付けたりすることができるよう工夫すること。その際，12.道徳性 を養うことの意義について，児童自らが考え，理解し，13.主体的 に学習に取り組むことができるようにすること。

▶児童が多様な感じ方や考え方に接する中で，考えを深め，判断し，表現する力などを育むことができるよう，自分の考えを基に話し合ったり書いたりするなどの 14.言語活動 を充実すること。

▶児童の発達の段階や特性等を考慮し，指導のねらいに即して，問題解決的な学習，道徳的行為に関する 15.体験的な学習 等を適切に取り入れるなど，指導方法を工夫すること。

▶児童の発達の段階や特性等を考慮し，内容との関連を踏まえつつ，16.情報モラル に関する指導を充実すること。また，児童の発達の段階や特性等を考慮し，17.現代的な課題 の取扱いにも留意し，身近な社会的課題を 18.自分 との関係において考え，それらの解決に寄与しようとする意欲や態度を育てるよう努めること。なお，多様な見方や考え方のできる事柄について，19.特定 の見方や考え方に偏った指導を行うことのないようにすること。

▶道徳科の授業を公開したり，授業の実施や 20.地域教材 の開発や活用などに家庭や地域の人々，各分野の専門家等の積極的な参加や協力を得たりするなど，家庭や地域社会との 21.共通理解 を深め，相互の連携を図ること。

〔評価について〕児童の学習状況や道徳性に係る成長の様子を 22.継続的 に把握し，指導に生かすよう努める必要がある。ただし，23.数値 などによる評価は行わないものとする。

• second try •

年　月　日（　）

🕐　：　〜　：
☀ ☁ ☂（　　）
✏ am・pm　　℃
😀 😄 😟 😣 😫

1.
2.
3.
4.
5.
6.
7.
8.
9.
10.
11.
12.
13.
14.
15.
16.
17.
18.
19.
20.
21.
22.
23.
24.
25.

• first try •

年　月　日（　）

🕐　：　〜　：
☀ ☁ ☂（　　）
✏ am・pm　　℃
😀 😄 😟 😣 😫

1.
2.
3.
4.
5.
6.
7.
8.
9.
10.
11.
12.
13.
14.
15.
16.
17.
18.
19.
20.
21.
22.
23.
24.
25.

➕ プラスチェック！

[道徳科に生かす多様な教材]

□生命の尊厳，自然，伝統と文化，先人の伝記，スポーツ，情報化への対応等の現代的な課題などを題材として，児童が問題意識をもって多面的・多角的に考えたり，感動を覚えたりするような充実した教材の開発や活用が求められる。

＊このページで覚えた知識を教師になってどう活かしたい？

＊あ！あれ何だっけ？　確認メモ！

課題解決し自己の生き方を考える資質・能力を育成

内容の取扱いについて確認しておこう。学習活動では，実社会や実生活の課題探究プロセス「課題の設定→情報の収集→整理・分析→まとめ・表現」の実践が大切である。

総合的な学習の時間—学習指導要領

【目標】

（第1　目標）

探究的な見方・考え方を働かせ，[1.横断的]・[2.総合的]な学習を行うことを通して，よりよく課題を解決し，[3.自己の生き方]を考えていくための資質・能力を次のとおり育成することを目指す。

(1)　探究的な学習の過程において，課題の解決に必要な知識及び技能を身に付け，課題に関わる[4.概念]を形成し，探究的な学習のよさを理解するようにする。

(2)　実社会や実生活の中から[5.問い]を見いだし，自分で課題を立て，情報を集め，[6.整理]・[7.分析]して，まとめ・表現することができるようにする。

(3)　探究的な学習に主体的・協働的に取り組むとともに，互いのよさを生かしながら，積極的に社会に[8.参画]しようとする態度を養う。

【各学校において定める目標及び内容】

各学校においては，第1の目標（上掲）を踏まえ，各学校の総合的な学習の時間の目標を定める。

【指導計画作成に当たっての配慮事項】

▶年間や，単元など内容や時間のまとまりを見通して，その中で育む資質・能力の育成に向けて，児童の主体的・対話的で深い学びの実現を図るようにすること。その際，児童や学校，地域の実態等に応じて，児童が探究的な見方・考え方を働かせ，教科等の枠を超えた[9.横断的]・総合的な学習や児童の興味・関心等に基づく学習を行うなど創意工夫を生かした教育活動の充実を図ること。

▶他教科等及び総合的な学習の時間で身に付けた資質・能力を相互に関連付け，学習や生活において生かし，それらが[10.総合的]に働くようにすること。その際，言語能力，情報活用能力など全ての学習の基盤となる資質・能力を重視すること。

▶各学校における総合的な学習の時間の[11.名称]については，各学校において適切に定めること。

【内容の取扱いについての配慮事項】

▶ 各学校において定める目標及び内容に基づき，児童の 12.学習状況 に応じて教師が適切な指導を行うこと。

▶ 探究的な学習の過程においては，他者と 13.協働 して課題を解決しようとする学習活動や，14.言語 により分析し，まとめたり表現したりするなどの学習活動が行われるようにすること。その際，例えば，比較する，分類する，関連付けるなどの 15.考えるための技法 が活用されるようにすること。

▶ 探究的な学習の過程においては，コンピュータや情報通信ネットワークなどを適切かつ効果的に活用して，情報を収集・整理・発信するなどの学習活動が行われるよう工夫すること。その際，コンピュータで文字を入力するなどの学習の基盤として必要となる情報手段の基本的な 16.操作 を習得し，情報や 17.情報手段 を主体的に選択し活用できるよう配慮すること。

▶ 自然体験やボランティア活動などの 18.社会体験 ，ものづくり，生産活動などの 19.体験活動 ，観察・実験，見学や調査，発表や討論などの学習活動を積極的に取り入れること。

▶ グループ学習や異年齢集団による学習などの多様な 20.学習形態 ，地域の人々の協力も得つつ，全教師が一体となって指導に当たるなどの 21.指導体制 について工夫を行うこと。

▶ 学校図書館の活用，他の学校との連携，公民館，図書館，博物館等の社会教育施設や社会教育関係団体等の各種団体との連携，地域の 22.教材 や学習環境の積極的な活用などの工夫を行うこと。

▶ 23.国際理解 に関する学習を行う際には，探究的な学習に取り組むことを通して，諸外国の生活や文化などを体験したり調査したりするなどの学習活動が行われるようにすること。

▶ 情報に関する学習を行う際には，探究的な学習に取り組むことを通して，情報を収集・整理・発信したり，情報が日常生活や社会に与える影響を考えたりするなどの学習活動が行われるようにすること。24.プログラミング を体験しながら 25.論理的思考力 を身に付けるための学習活動を行う場合には，プログラミングを体験することが，探究的な学習の過程に適切に位置付くようにすること。

• second try •

年 月 日（ ）

: ～ :

☀ ☁ ☂ （ ）

✐ am・pm ℃

😀 😐 😖 😣 😫

1.
2.
3.
4.
5.
6.
7.
8.
9.
10.
11.
12.
13.
14.
15.
16.
17.
18.
19.
20.
21.
22.
23.
24.
25.

• first try •

年 月 日（ ）

: ～ :

☀ ☁ ☂ （ ）

✐ am・pm ℃

😀 😐 😖 😣 😫

1.
2.
3.
4.
5.
6.
7.
8.
9.
10.
11.
12.
13.
14.
15.
16.
17.
18.
19.
20.
21.
22.
23.
24.
25.

✚ プラスチェック！

☐ 各学校において総合的な学習の時間の目標を設定するに当たっては，教科等横断的なカリキュラム・マネジメントの軸となるよう，各学校の教育目標を踏まえて設定するものとする。

＊このページで覚えた知識を教師になってどう活かしたい？

＊あ！あれ何だっけ？ 確認メモ！

new runner's supplementary materials

巻末クイック資料

◆国語科の各学年の内容〔知識及び技能〕

（1）言葉の特徴や使い方に関する事項

	第1学年及び第2学年	第3学年及び第4学年	第5学年及び第6学年
言葉の働き	ア　言葉には，事物の内容を表す働きや，経験したことを伝える働きがあることに気付くこと。	ア　言葉には，考えたことや思ったことを表す働きがあることに気付くこと。	ア　言葉には，相手とのつながりをつくる働きがあることに気付くこと。
話し言葉と書き言葉	イ　音節と文字との関係，アクセントによる語の意味の違いなどに気付くとともに，姿勢や口形，発声や発音に注意して話すこと。	イ　相手を見て話したり聞いたりするとともに，言葉の抑揚や強弱，間の取り方などに注意して話すこと。	イ　話し言葉と書き言葉との違いに気付くこと。
	ウ　長音，拗音，促音，撥音などの表記，助詞の「は」，「へ」及び「を」の使い方，句読点の打ち方，かぎ（「」）の使い方を理解して文や文章の中で使うこと。また，平仮名及び片仮名を読み，書くとともに，片仮名で書く語の種類を知り，文や文章の中で使うこと。	ウ　漢字と仮名を用いた表記，送り仮名の付け方，改行の仕方を理解して文や文章の中で使うとともに，句読点を適切に打つこと。また，第3学年においては，日常使われている簡単な単語について，ローマ字で表記されたものを読み，ローマ字で書くこと。	ウ　文や文章の中で漢字と仮名を適切に使い分けるとともに，送り仮名や仮名遣いに注意して正しく書くこと。
漢字	エ　第1学年においては，別表の学年別漢字配当表（以下「学年別漢字配当表」という）の第1学年に配当されている漢字を読み，漸次書き，文や文章の中で使うこと。第2学年においては，学年別漢字配当表の第2学年までに配当されている漢字を読むこと。また，第1学年に配当されている漢字を書き，文や文章の中で使うとともに，第2学年に配当されている漢字を漸次書き，文や文章の中で使うこと。	エ　第3学年及び第4学年の各学年においては，学年別漢字配当表の当該学年までに配当されている漢字を読むこと。また，当該学年の前の学年までに配当されている漢字を書き，文や文章の中で使うとともに，当該学年に配当されている漢字を漸次書き，文や文章の中で使うこと。	エ　第5学年及び第6学年の各学年においては，学年別漢字配当表の当該学年までに配当されている漢字を読むこと。また，当該学年の前の学年までに配当されている漢字を書き，文や文章の中で使うとともに，当該学年に配当されている漢字を漸次書き，文や文章の中で使うこと。

	第1学年及び第2学年	第3学年及び第4学年	第5学年及び第6学年
語彙	オ　身近なことを表す語句の量を増し，話や文章の中で使うとともに，言葉には意味による語句のまとまりがあることに気付き，語彙を豊かにすること。	オ　様子や行動，気持ちや性格を表す語句の量を増し，話や文章の中で使うとともに，言葉には性質や役割による語句のまとまりがあることを理解し，語彙を豊かにすること。	オ　思考に関わる語句の量を増し，話や文章の中で使うとともに，語句と語句との関係，語句の構成や変化について理解し，語彙を豊かにすること。また，語感や言葉の使い方に対する感覚を意識して，語や語句を使うこと。
文や文章	カ　文の中における主語と述語との関係に気付くこと。	カ　主語と述語との関係，修飾と被修飾との関係，指示する語句と接続する語句の役割，段落の役割について理解すること。	カ　文の中での語句の係り方や語順，文と文との接続の関係，話や文章の構成や展開，話や文章の種類とその特徴について理解すること。
言葉遣い	キ　丁寧な言葉と普通の言葉との違いに気を付けて使うとともに，敬体で書かれた文章に慣れること。	キ　丁寧な言葉を使うとともに，敬体と常体との違いに注意しながら書くこと。	キ　日常よく使われる敬語を理解し使い慣れること。
表現の技法		・	ク　比喩や反復などの表現の工夫に気付くこと。
音読、朗読	ク　語のまとまりや言葉の響きなどに気を付けて音読すること。	ク　文章全体の構成や内容の大体を意識しながら音読すること。	ケ　文章を音読したり朗読したりすること。

（2）情報の扱い方に関する事項

		第1学年及び第2学年	第3学年及び第4学年	第5学年及び第6学年
情報と情報との関係		ア　共通，相違，事柄の順序など情報と情報との関係について理解すること。	ア　考えとそれを支える理由や事例，全体と中心など情報と情報との関係について理解すること。	ア　原因と結果など情報と情報との関係について理解すること。
情報の整理			イ　比較や分類の仕方，必要な語句などの書き留め方，引用の仕方や出典の示し方，辞書や事典の使い方を理解し使うこと。	イ　情報と情報との関係付けの仕方，図などによる語句と語句との関係の表し方を理解し使うこと。

（3）我が国の言語文化に関する事項

	第1学年及び第2学年	第3学年及び第4学年	第5学年及び第6学年
伝統的な言語文化	ア　昔話や神話・伝承などの読み聞かせを聞くなどして，我が国の伝統的な言語文化に親しむこと。	ア　易しい文語調の短歌や俳句を音読したり暗唱したりするなどして，言葉の響きやリズムに親しむこと。	ア　親しみやすい古文や漢文,近代以降の文語調の文章を音読するなどして,言葉の響きやリズムに親しむこと。
	イ　長く親しまれている言葉遊びを通して，言葉の豊かさに気付くこと。	イ　長い間使われてきたことわざや慣用句，故事成語などの意味を知り，使うこと。	イ　古典について解説した文章を読んだり作品の内容の大体を知ったりすることを通して,昔の人のものの見方や感じ方を知ること。
言葉の由来や変化		ウ　漢字が，へんやつくりなどから構成されていることについて理解すること。	ウ　語句の由来などに関心をもつとともに，時間の経過による言葉の変化や世代による言葉の違いに気付き，共通語と方言との違いを理解すること。また，仮名及び漢字の由来，特質などについて理解すること。
書写	ウ(ア)　姿勢や筆記具の持ち方を正しくして書くこと。	エ(ア)　文字の組立て方を理解し，形を整えて書くこと。	エ(ア)　用紙全体との関係に注意して，文字の大きさや配列などを決めるとともに，書く速さを意識して書くこと。
	(イ)　点画の書き方や文字の形に注意しながら，筆順に従って丁寧に書くこと。	(イ)　漢字や仮名の大きさ，配列に注意して書くこと。	(イ)　毛筆を使用して，穂先の動きと点画のつながりを意識して書くこと。
	(ウ)　点画相互の接し方や交わり方，長短や方向などに注意して，文字を正しく書くこと。	(ウ)　毛筆を使用して点画の書き方への理解を深め，筆圧などに注意して書くこと。	(ウ)　目的に応じて使用する筆記具を選び，その特徴を生かして書くこと。
読書	エ　読書に親しみ，いろいろな本があることを知ること。	オ　幅広く読書に親しみ,読書が，必要な知識や情報を得ることに役立つことに気付くこと。	オ　日常的に読書に親しみ，読書が，自分の考えを広げることに役立つことに気付くこと。

◆国語科の各学年の内容〔思考力・判断力・表現力等〕

「A　話すこと・聞くこと」

（1）指導事項

	第1学年及び第2学年	第3学年及び第4学年	第5学年及び第6学年
話すこと	ア　身近なことや経験したことなどから話題を決め，伝え合うために必要な事柄を選ぶこと。	ア　目的を意識して，日常生活の中から話題を決め，集めた材料を比較したり分類したりして，伝え合うために必要な事柄を選ぶこと。	ア　目的や意図に応じて，日常生活の中から話題を決め，集めた材料を分類したり関係付けたりして，伝え合う内容を検討すること。
話すこと	イ　相手に伝わるように，行動したことや経験したことに基づいて，話す事柄の順序を考えること。	イ　相手に伝わるように，理由や事例などを挙げながら，話の中心が明確になるよう話の構成を考えること。	イ　話の内容が明確になるように，事実と感想，意見とを区別するなど，話の構成を考えること。
話すこと	ウ　伝えたい事柄や相手に応じて声の大きさや速さなどを工夫すること。	ウ　話の中心や話す場面を意識して，言葉の抑揚や強弱，間の取り方などを工夫すること。	ウ　資料を活用するなどして，自分の考えが伝わるように表現を工夫すること。
聞くこと	エ　話し手が知らせたいことや自分が聞きたいことを落とさないように集中して聞き，話の内容を捉えて感想をもつこと。	エ　必要なことを記録したり質問したりしながら聞き，話し手が伝えたいことや自分が聞きたいことの中心を捉え，自分の考えをもつこと。	エ　話し手の目的や自分が聞こうとする意図に応じて，話の内容を捉え，話し手の考えと比較しながら，自分の考えをまとめること。
話し合うこと	オ　互いの話に関心をもち，相手の発言を受けて話をつなぐこと。	オ　目的や進め方を確認し，司会などの役割を果たしながら話し合い，互いの意見の共通点や相違点に着目して，考えをまとめること。	オ　互いの立場や意図を明確にしながら計画的に話し合い，考えを広げたりまとめたりすること。

「B 書くこと」

（1）指導事項

	第1学年及び第2学年	第3学年及び第4学年	第5学年及び第6学年
題材の設定・情報の収集・内容の検討	ア 経験したことや想像したことなどから書くことを見付け，必要な事柄を集めたり確かめたりして，伝えたいことを明確にすること。	ア 相手や目的を意識して，経験したことや想像したことなどから書くことを選び，集めた材料を比較したり分類したりして，伝えたいことを明確にすること。	ア 目的や意図に応じて，感じたことや考えたことなどから書くことを選び，集めた材料を分類したり関係付けたりして，伝えたいことを明確にすること。
構成の検討	イ 自分の思いや考えが明確になるように，事柄の順序に沿って簡単な構成を考えること。	イ 書く内容の中心を明確にし，内容のまとまりで段落をつくったり，段落相互の関係に注意したりして，文章の構成を考えること。	イ 筋道の通った文章となるように，文章全体の構成や展開を考えること。
考えの形成・記述	ウ 語と語や文と文との続き方に注意しながら，内容のまとまりが分かるように書き表し方を工夫すること。	ウ 自分の考えとそれを支える理由や事例との関係を明確にして，書き表し方を工夫すること。	ウ 目的や意図に応じて簡単に書いたり詳しく書いたりするとともに，事実と感想，意見とを区別して書いたりするなど，自分の考えが伝わるように書き表し方を工夫すること。 エ 引用したり，図表やグラフなどを用いたりして，自分の考えが伝わるように書き表し方を工夫すること。
推敲	エ 文章を読み返す習慣を付けるとともに，間違いを正したり，語と語や文と文との続き方を確かめたりすること。	エ 間違いを正したり，相手や目的を意識した表現になっているかを確かめたりして，文や文章を整えること。	オ 文章全体の構成や書き表し方などに着目して，文や文章を整えること。
共有	オ 文章に対する感想を伝え合い，自分の文章の内容や表現のよいところを見付けること。	オ 書こうとしたことが明確になっているかなど，文章に対する感想や意見を伝え合い，自分の文章のよいところを見付けること。	カ 文章全体の構成や展開が明確になっているかなど，文章に対する感想や意見を伝え合い，自分の文章のよいところを見付けること。

「C　読むこと」

（1）指導事項

	第１学年及び第２学年	第３学年及び第４学年	第５学年及び第６学年
構造と内容の把握	ア　時間的な順序や事柄の順序などを考えながら，内容の大体を捉えること。	ア　段落相互の関係に着目しながら，考えとそれを支える理由や事例との関係などについて，叙述を基に捉えること。	ア　事実と感想，意見などとの関係を叙述を基に押さえ，文章全体の構成を捉えて要旨を把握すること。
	イ　場面の様子や登場人物の行動など，内容の大体を捉えること。	イ　登場人物の行動や気持ちなどについて，叙述を基に捉えること。	イ　登場人物の相互関係や心情などについて，描写を基に捉えること。
精査・解釈	ウ　文章の中の重要な語や文を考えて選び出すこと。	ウ　目的を意識して，中心となる語や文を見付けて要約すること。	ウ　目的に応じて，文章と図表などを結び付けるなどして必要な情報を見付けたり，論の進め方について考えたりすること。
	エ　場面の様子に着目して，登場人物の行動を具体的に想像すること。	エ　登場人物の気持ちの変化や性格，情景について，場面の移り変わりと結び付けて具体的に想像すること。	エ　人物像や物語などの全体像を具体的に想像したり，表現の効果を考えたりすること。
考えの形成	オ　文章の内容と自分の体験とを結び付けて，感想をもつこと。	オ　文章を読んで理解したことに基づいて，感想や考えをもつこと。	オ　文章を読んで理解したことに基づいて，自分の考えをまとめること。
共有	カ　文章を読んで感じたことや分かったことを共有すること。	カ　文章を読んで感じたことや考えたことを共有し，一人一人の感じ方などに違いがあることに気付くこと。	カ　文章を読んでまとめた意見や感想を共有し，自分の考えを広げること。

◆指導計画の作成と内容の取扱い

〔知識及び技能〕に示す事項の取扱い

エ　漢字の指導について

(ア)　学年ごとに配当されている漢字は，児童の学習負担に配慮しつつ，必要に応じて，当該学年以前の学年又は当該学年以降の学年において指導することもできること。

(イ)　当該学年より後の学年に配当されている漢字及びそれ以外の漢字については，振り仮名を付けるなど，児童の学習負担に配慮しつつ提示することができること。

(ウ)　他教科等の学習において必要となる漢字については，当該教科等と関連付けて指導するなど，その確実な定着が図られるよう指導を工夫すること。

(エ)　漢字の指導においては，学年別漢字配当表に示す漢字の字体を標準とすること。

オ　我が国の言語文化に関する指導については，各学年で行い，古典に親しめるよう配慮すること。

カ　書写の指導について

(ア)　文字を正しく整えて書くことができるようにするとともに，書写の能力を学習や生活に役立てる態度を育てるよう配慮すること。

(イ)　硬筆を使用する書写の指導は各学年で行うこと。

(ウ)　毛筆を使用する書写の指導は第3学年以上の各学年で行い，各学年年間30単位時間程度を配当するとともに，毛筆を使用する書写の指導は硬筆による書写の能力の基礎を養うよう指導すること。

(エ)　第1学年及び第2学年の書写の「筆順に従って丁寧に書くこと」の指導については，適切に運筆する能力の向上につながるよう，指導を工夫すること。

◆社会科の各学年の内容の取扱い

〔第3学年〕

(1) 身近な地域や市区町村の様子
内容の取扱い：*「身近な地域や市区町村の様子」については，学年の導入で扱うこととし，「自分たちの市」に重点を置く。 *「白地図などにまとめる」際に，「地図帳」を参照し，方位や主な地図記号について扱うこと。

(2) 地域に見られる生産や販売の仕事
内容の取扱い：*「生産の仕事」では，事例として農家，工場などの中から選択して取り上げること。 *「販売の仕事」では，商店を取り上げ，「他地域や外国との関わり」を扱う際には，地図帳などを使用して都道府県や国の名称と位置などを調べるようにすること。 *我が国や外国には国旗があることを理解し，それを尊重する態度を養うよう配慮すること。

(3) 地域の安全を守る働き
内容の取扱い：*消防署や警察署などの関係機関が「緊急時に対処する体制をとっていること」と「防止に努めていること」については，火災と事故はいずれも取り上げること。その際，どちらかに重点を置くなど効果的な指導を工夫をすること。 *社会生活を営む上で大切な法やきまりについて扱うとともに，地域や自分自身の安全を守るために自分たちにできることなどを考えたり選択・判断したりできるよう配慮すること。

(4) 市の様子の移り変わり
内容の取扱い：*「年表などにまとめる」際には，時期の区分について，昭和・平成など元号を用いた言い表し方などがあることを取り上げること。 *「公共施設」については，市が公共施設の整備を進めてきたことを取り上げること。その際，租税の役割に触れること。 *「人口」を取り上げる際には，少子高齢化，国際化などに触れ，これからの市の発展について考えることができるよう配慮すること。

〔第4学年〕

(1)	都道府県の様子

(2)	人々の健康や生活環境を支える事業

<table>
<tr><td rowspan="1">内容の取扱い</td><td>＊飲料水，電気，ガスを供給する事業，廃棄物を処理する事業について，現在に至るまでに仕組みが計画的に改善され公衆衛生が向上してきたことに触れること。
＊飲料水，電気，ガスの中から選択して取り上げること。
＊ごみ，下水のいずれかを選択して取り上げること。
＊節水や節電など自分たちにできることを考えたり選択・判断したりできるよう配慮すること。
＊社会生活を営む上で大切な法やきまりについて扱うとともに，ごみの減量や水を汚さない工夫など，自分たちにできることを考えたり選択・判断したりできるよう配慮すること。</td></tr>
</table>

(3)	自然災害から人々を守る活動

<table>
<tr><td>内容の取扱い</td><td>＊地震災害，津波災害，風水害，火山災害，雪害などの中から，過去に県内で発生したものを選択して取り上げること。
＊「関係機関」については，県庁や市役所の働きなどを中心に取り上げ，防災情報の発信，避難体制の確保などの働き，自衛隊など国の機関との関わりを取り上げること。
＊地域で起こり得る災害を想定し，日頃から必要な備えをするなど，自分たちにできることなどを考えたり選択・判断したりできるよう配慮すること。</td></tr>
</table>

(4)	県内の伝統や文化，先人の働き

<table>
<tr><td>内容の取扱い</td><td>＊県内の主な文化財や年中行事が大まかに分かるようにすること。
＊開発，教育，医療，文化，産業などの地域の発展に尽くした先人の中から選択して取り上げること。
＊地域の伝統や文化の保存や継承に関わって，自分たちにできることなどを考えたり選択・判断したりできるよう配慮すること。</td></tr>
</table>

(5)	県内の特色ある地域の様子

<table>
<tr><td>内容の取扱い</td><td>＊県内の特色ある地域が大まかに分かるようにするとともに，伝統的な技術を生かした地場産業が盛んな地域，国際交流に取り組んでいる地域及び地域の資源を保護・活用している地域を取り上げること。その際，地域の資源を保護・活用している地域については，自然環境，伝統的な文化のいずれかを選択して取り上げること。
＊国際交流に取り組んでいる地域を取り上げる際には，我が国や外国には国旗があることを理解し，それを尊重する態度を養うよう配慮すること。</td></tr>
</table>

〔第5学年〕

(1) 我が国の国土の様子と国民生活

内容の取扱い	*「領土の範囲」については，竹島や北方領土，尖閣諸島が我が国の固有の領土であることに触れること。 *地図帳や地球儀を用いて，方位，緯度や経度などによる位置の表し方について取り扱うこと。 *「主な国」については，名称についても扱うようにし，近隣の諸国を含めて取り上げること。その際，我が国や諸外国には国旗があることを理解し，それを尊重する態度を養うよう配慮すること。 *「自然条件から見て特色ある地域」については，地形条件や気候条件から見て特色ある地域を取り上げること。

(2) 我が国の農業や水産業における食料生産

内容の取扱い	*食料生産の盛んな地域の具体的事例を通して調べることとし，稲作のほか，野菜，果物，畜産物，水産物などの中からひとつを取り上げること。 *消費者や生産者の立場などから多角的に考えて，これからの農業などの発展について，自分の考えをまとめることができるよう配慮すること。

(3) 我が国の工業生産

内容の取扱い	*工業の盛んな地域の具体的事例を通して調べることとし，金属工業，機械工業，化学工業，食料品工業などの中からひとつを取り上げること。 *消費者や生産者の立場などから多角的に考えて，これからの工業の発展について，自分の考えをまとめることができるよう配慮すること。

(4) 我が国の産業と情報との関わり

内容の取扱い	*「放送・新聞などの産業」については，それらの中から選択して取り上げること。その際，情報を有効に活用することについて，情報の送り手と受け手の立場から多角的に考え，受け手として正しく判断することや送り手として責任をもつことが大切であることに気付くようにすること。 *情報や情報技術を活用して発展している販売，運輸，観光，医療，福祉などに関わる産業の中から選択して取り上げること。その際，産業と国民の立場から多角的に考えて，情報化の進展に伴う産業の発展や国民生活の向上について，自分の考えをまとめることができるよう配慮すること。

(5) 我が国の国土の自然環境と国民生活との関連

内容の取扱い	*地震災害，津波災害，風水害，火山災害，雪害などを取り上げること。 *大気の汚染，水質の汚濁などの中から具体的事例を選択して取り上げること。 *国土の環境保全について，自分たちにできることなどを考えたり選択・判断したりできるよう配慮すること。

社会科

〔第6学年〕

(1)	我が国の政治の働き

内容の取扱い

＊国会などの議会政治や選挙の意味，国会と内閣と裁判所の三権相互の関連，裁判員制度や租税の役割などについて扱うこと。その際，国民としての政治への関わり方について多角的に考えて，自分の考えをまとめることができるよう配慮すること。

＊「天皇の地位」については，日本国憲法に定める天皇の国事に関する行為など児童に理解しやすい事項を取り上げ，歴史に関する学習との関連も図りながら，天皇についての理解と敬愛の念を深めるようにすること。また「国民としての権利及び義務」については，参政権，納税の義務などを取り上げること。

＊「国や地方公共団体の政治」については，社会保障，自然災害からの復旧や復興，地域の開発や活性化などの取組の中から選択して取り上げること。

＊「国会」について，国民との関わりを指導する際には，各々の国民の祝日に関心をもち，我が国の社会や文化における意義を考えることができるよう配慮すること。

(2)	我が国の歴史上の主な事象

内容の取扱い

＊児童の興味・関心を重視し，取り上げる人物や文化遺産の重点の置き方に工夫を加えるなど，精選して具体的に理解できるようにすること。

＊例えば，国宝，重要文化財に指定されているものや，世界文化遺産に登録されているものなどを取り上げ，我が国の代表的な文化遺産を通して学習できるように配慮すること。

＊例えば次に掲げる人物を取り上げ，人物の働きを通して学習できるよう指導すること。
卑弥呼，聖徳太子，小野妹子，中大兄皇子，中臣鎌足，聖武天皇，行基，鑑真，藤原道長，紫式部，清少納言，平清盛，源頼朝，源義経，北条時宗，足利義満，足利義政，雪舟，ザビエル，織田信長，豊臣秀吉，徳川家康，徳川家光，近松門左衛門，歌川広重，本居宣長，杉田玄白，伊能忠敬，ペリー，勝海舟，西郷隆盛，大久保利通，木戸孝允，明治天皇，福沢諭吉，大隈重信，板垣退助，伊藤博文，陸奥宗光，東郷平八郎，小村寿太郎，野口英世

＊「神話・伝承」については，古事記，日本書紀，風土記などの中から適切なものを取り上げること。

＊当時の世界との関わりにも目を向け，我が国の歴史を広い視野から捉えられるよう配慮すること。

＊年表や絵画など資料の特性に留意した読み取り方についても指導すること。

＊歴史学習全体を通して，我が国は長い歴史をもち伝統や文化を育んできたこと，我が国の歴史は政治の中心地や世の中の様子などによって幾つかの時期に分けられることに気付くようにするとともに，現在の自分たちの生活と過去の出来事との関わりを考えたり，過去の出来事を基に現在及び将来の発展を考えたりするなど，歴史を学ぶ意味を考えるようにすること。

(3)	グローバル化する世界と日本の役割

内容の取扱い

＊我が国の国旗と国歌の意義を理解し，これを尊重する態度を養うとともに，諸外国の国旗と国歌も同様に尊重する態度を養うよう配慮すること。

＊我が国とつながりが深い国から数か国を取り上げること。その際，児童が1か国を選択して調べるよう配慮すること。

＊我が国や諸外国の伝統や文化を尊重しようとする態度を養うよう配慮すること。

＊世界の人々と共に生きていくために大切なことや，今後，我が国が国際社会において果たすべき役割などを多角的に考えたり選択・判断したりできるよう配慮すること。

＊網羅的，抽象的な扱いを避けるため「国際連合の働き」については，ユニセフやユネスコの身近な活動を取り上げること。また「我が国の国際協力の様子」については，教育，医療，農業などの分野で世界に貢献している事例の中から選択して取り上げること。

◆算数科の各学年の内容

「A　数と計算」

◎　**数学的な見方・考え方**　……数の表し方の仕組み，数量の関係や問題場面の数量の関係などに着目して捉え，根拠を基に筋道を立てて考えたり，統合的・発展的に考えたりすること。

	数の概念について理解し，その表し方や数の性質について考察すること	計算の意味と方法について考察すること	式に表したり式に表されている関係を考察したりすること	数とその計算を日常生活に生かすこと
第1学年	●2位数，簡単な3位数の比べ方や数え方	●加法及び減法の意味 ●1位数や簡単な2位数の加法及び減法	●加法及び減法の場面の式表現・式読み	●数の活用 ●加法，減法の活用
第2学年	●4位数，1万の比べ方や数え方 ●数の相対的な大きさ ●簡単な分数	●乗法の意味 ●2位数や簡単な3位数の加法及び減法 ●乗法九九，簡単な2位数の乗法 ●加法の交換法則，結合法則 ●乗法の交換法則など ●加法及び減法の結果の見積り ●計算の工夫や確かめ	●乗法の場面の式表現・式読み ●加法と減法の相互関係 ●（　）や□を用いた式	●大きな数の活用 ●乗法の活用
第3学年	●万の単位，1億などの比べ方や表し方 ●大きな数の相対的な大きさ ●小数（$\frac{1}{10}$の位）や簡単な分数の大きさの比較可能性・計算可能性	●除法の意味 ●3位数や4位数の加法及び減法 ●2位数や3位数の乗法 ●1位数などの除法 ●除法と乗法や減法との関係 ●小数（$\frac{1}{10}$の位）の加法及び減法 ●簡単な分数の加法及び減法 ●交換法則，結合法則，分配法則 ●加法，減法及び乗法の結果の見積り ●計算の工夫や確かめ ●そろばんによる計算	●除法の場面の式表現・式読み ●図及び式による表現・関連付け ●□を用いた式	●大きな数，小数，分数の活用 ●除法の活用

第4学年	●億,兆の単位などの比べ方や表し方(統合的) ●目的に合った数の処理 ●小数の相対的な大きさ ●分数(真分数, 仮分数, 帯分数)とその大きさの相等	●小数を用いた倍の意味 ●2位数などによる除法 ●小数($\frac{1}{100}$の位など)の加法及び減法 ●小数の乗法及び除法(小数×整数,小数÷整数) ●同分母分数の加法及び減法 ●交換法則, 結合法則, 分配法則 ●除法に関して成り立つ性質 ●四則計算の結果の見積り ●計算の工夫や確かめ ●そろばんによる計算	●四則混合の式や( )を用いた式表現・式読み ●公式についての考え ●□, △などを用いた式表現など (簡潔・一般的)	●大きな数の活用 ●目的に合った数の処理の仕方の活用 ●小数や分数の計算の活用
第5学年	●観点を決めることによる整数の類別や数の構成 ●数の相対的な大きさの考察 ●分数の相等及び大小関係 ●分数と整数, 小数の関係 ●除法の結果の分数による表現	●乗法及び除法の意味の拡張(小数) ●小数の乗法及び除法(小数×小数,小数÷小数) ●異分母分数の加法及び減法	●数量の関係を表す式(簡潔・一般的)	●整数の類別などの活用 ●小数の計算の活用
第6学年		●乗法及び除法の適用範囲の拡張(分数) ●分数の乗法及び除法(多面的) ●分数・小数の混合計算(統合的)	●文字a, xなどを用いた式表現・式読みなど(簡潔・一般的)	

「B　図形」

◎　**数学的な見方・考え方**　……図形を構成する要素，それらの位置関係や図形間の関係などに着目して捉え，根拠を基に筋道を立てて考えたり，統合的・発展的に考えたりすること。

	図形の概念について理解し，その性質について考察すること	図形の構成の仕方について考察すること	図形の計量の仕方について考察すること	図形の性質を日常生活に生かすこと
第1学年	●形の特徴	●形作り・分解		●形 ●ものの位置
第2学年	●三角形，四角形，正方形，長方形，直角三角形 ●箱の形	●三角形，四角形，正方形，長方形，直角三角形 ●箱の形		●正方形，長方形，直角三角形
第3学年	●二等辺三角形，正三角形 ●円，球	●二等辺三角形，正三角形 ●円		●二等辺三角形，正三角形 ●円，球
第4学年	●平行四辺形，ひし形，台形 ●立方体，直方体	●平行四辺形，ひし形，台形 ●直方体の見取図，展開図	●角の大きさ ●正方形，長方形の求積	●平行四辺形，ひし形，台形 ●立方体，直方体 ●ものの位置の表し方
第5学年	●多角形，正多角形 ●三角形の三つの角，四角形の四つの角の大きさの和 ●直径と円周との関係 ●角柱，円柱	●正多角形 ●合同な図形 ●柱体の見取図，展開図	●三角形，平行四辺形，ひし形，台形の求積 ●立方体，直方体の求積	●正多角形 ●角柱，円柱
第6学年	●対称な図形	●対称な図形 ●縮図や拡大図	●円の求積 ●角柱，円柱の求積	●対称な図形 ●縮図や拡大図による測量 ●概形とおよその面積

「C　測定（第1・2・3学年)」

◎　**数学的な見方・考え方**　……身の回りにあるものの特徴などに着目して捉え，根拠を基に筋道を立てて考えたり，統合的・発展的に考えたりすること。

	量の概念を理解し，その大きさの比べ方を見いだすこと ＊直接比較 ＊間接比較 ＊任意単位を用いた測定	目的に応じた単位で量の大きさを的確に表現したり比べたりすること ＊普遍単位を用いた測定 ＊大きさの見当付け ＊単位や計器の選択 ＊求め方の考察	単位の関係を統合的に考察すること	量とその測定の方法を日常的に生かすこと
第1学年	●長さの比較 ●広さの比較 ●かさの比較	●日常生活の中での時刻の読み		●量の比べ方 ●時刻
第2学年		●長さ，かさの単位（mm，cm，m及びmL，dL，L） ●測定の意味の理解 ●適切な単位の選択 ●大きさの見当付け ●時間の単位（日，時，分）	●時間の単位間の関係の理解	●目的に応じた量の単位と測定の方法の選択とそれら数表現 ●時刻や時間
第3学年	●重さの比較	●長さ，重さの単位（km及びg，kg） ●測定の意味の理解 ●適切な単位や計器の選択とその表現 ●時間の単位（秒） ●時刻と時間	●長さ，重さ，かさの単位間の関係の統合的な考察	●目的に応じた適切な量の単位や計器の選択と数表現 ●時刻と時間

「C 変化と関係（第4・5・6学年）」

◎ **数学的な見方・考え方** ……二つの数量の関係などに着目して捉え，根拠を基に筋道を立てて考えたり，統合的・発展的に考えたりすること。

	伴って変わる二つの数量の変化や対応の特徴を考察すること	ある二つの数量の関係と別の二つの数量の関係を比べること	二つの数量の関係の考察を日常生活に生かすこと
第4学年	●表や式，折れ線グラフ	●簡単な割合	●表や式，折れ線グラフ ●簡単な割合
第5学年	●簡単な場合についての比例の関係	●単位量当たりの大きさ ●割合，百分率	●簡単な場合についての比例の関係 ●単位量当たりの大きさ ●割合，百分率
第6学年	●比例の関係 ●比例の関係を用いた問題解決の方法 ●反比例の関係	●比	●比例の関係 ●比例の関係を用いた問題解決の方法 ●比

「D データの活用」

◎ **数学的な見方・考え方** ……日常生活の問題解決のために，データの特徴と傾向などに着目して捉え，根拠を基に筋道を立てて考えたり，統合的・発展的に考えたりすること。

	目的に応じてデータを収集，分類整理し，結果を適切に表現すること	統計データの特徴を読み取り判断すること
第1学年	●データの個数への着目 ●絵や図	●身の回りの事象の特徴についての把握 ●絵や図
第2学年	●データを整理する観点への着目 ●簡単な表 ●簡単なグラフ	●身の回りの事象についての考察 ●簡単な表 ●簡単なグラフ
第3学年	●日時の観点や場所の観点などからデータを分類整理 ●表 ●棒グラフ ●見いだしたことを表現する	●身の回りの事象についての考察 ●表 ●棒グラフ
第4学年	●目的に応じたデータの収集と分類整理 ●適切なグラフの選択 ●二次元の表 ●折れ線グラフ	●結論についての考察 ●二次元の表 ●折れ線グラフ

第5学年	●統計的な問題解決の方法 ●円グラフや帯グラフ ●測定値の平均	●結論についての多面的な考察 ●円グラフや帯グラフ ●測定値の平均
第6学年	●統計的な問題解決の方法 ●代表値 ●ドットプロット ●度数分布を表す表やグラフ ●起こり得る場合の数	●結論の妥当性についての批判的な考察 ●代表値 ●ドットプロット ●度数分布を表す表やグラフ ●起こり得る場合の数

〔数学的活動〕

第1学年	ア　身の回りの事象を観察したり，具体物を操作したりして，数量や形を見いだす活動。 イ　日常生活の問題を具体物などを用いて解決したり結果を確かめたりする活動。 ウ　算数の問題を具体物などを用いて解決したり結果を確かめたりする活動。 エ　問題解決の過程や結果を，具体物や図などを用いて表現する活動。
第2・3学年	ア　身の回りの事象を観察したり，具体物を操作したりして，数量や図形に進んで関わる活動。 イ　日常の事象から見いだした算数の問題を，具体物，図，数，式などを用いて解決し，結果を確かめる活動。 ウ　算数の学習場面から見いだした算数の問題を，具体物，図，数，式などを用いて解決し，結果を確かめる活動。 エ　問題解決の過程や結果を，具体物，図，数，式などを用いて表現し伝え合う活動。
第4・5学年	ア　日常の事象から算数の問題を見いだして解決し，結果を確かめたり，日常生活等に生かしたりする活動。 イ　算数の学習場面から算数の問題を見いだして解決し，結果を確かめたり，発展的に考察したりする活動。 ウ　問題解決の過程や結果を，図や式などを用いて数学的に表現し伝え合う活動。
第6学年	ア　日常の事象を数理的に捉え問題を見いだして解決し，解決過程を振り返り，結果や方法を改善したり，日常生活等に生かしたりする活動。 イ　算数の学習場面から算数の問題を見いだして解決し，解決過程を振り返り統合的・発展的に考察する活動。 ウ　問題解決の過程や結果を，目的に応じて図や式などを用いて数学的に表現し伝え合う活動。

◆指導計画の作成と内容の取扱い

〔内容の取扱いについての配慮事項〕

(1) 思考力，判断力，表現力等を育成するため，各学年の内容の指導に当たっては，具体物，図，言葉，数，式，表，グラフなどを用いて考えたり，説明したり，互いに自分の考えを表現し伝え合ったり，学び合ったり，高め合ったりするなどの学習活動を積極的に取り入れるようにすること。

(2) 数量や図形についての感覚を豊かにしたり，表やグラフを用いて表現する力を高めたりするなどのため，必要な場面においてコンピュータなどを適切に活用すること。また，プログラミングを体験しながら論理的思考力を身に付けるための学習活動を行う場合には，児童の負担に配慮しつつ，例えば各学年の内容の〔第5学年〕の「B 図形」の正多角形の作図を行う学習に関連して，正確な繰り返し作業を行う必要があり，更に一部を変えることでいろいろな正多角形を同様に考えることができる場面などで取り扱うこと。

(3) 各領域の指導に当たっては，具体物を操作したり，日常の事象を観察したり，児童にとって身近な算数の問題を解決したりするなどの具体的な体験を伴う学習を通して，数量や図形について実感を伴った理解をしたり，算数を学ぶ意義を実感したりする機会を設けること。

(4) 各学年の内容に示す〔用語・記号〕は，当該学年で取り上げる内容の程度や範囲を明確にするために示したものであり，その指導に当たっては，各学年の内容と密接に関連させて取り上げるようにし，それらを用いて表したり考えたりすることのよさが分かるようにすること。

(5) 数量や図形についての豊かな感覚を育てるとともに，およその大きさや形を捉え，それらに基づいて適切に判断したり，能率的な処理の仕方を考え出したりすることができるようにすること。

(6) 筆算による計算の技能を確実に身に付けることを重視するとともに，目的に応じて計算の結果の見積りをして，計算の仕方や結果について適切に判断できるようにすること。また，低学年の「A 数と計算」の指導に当たっては，そろばんや具体物などの教具を適宜用いて，数と計算についての意味の理解を深めるよう留意すること。

〔数学的活動の取組においての配慮事項〕

(1)　数学的活動は，基礎的・基本的な知識及び技能を確実に身に付けたり，思
考力，判断力，表現力等を高めたり，算数を学ぶことの楽しさや意義を実感し
たりするために，重要な役割を果たすものであることから，各学年の内容の
「A 数と計算」，「B 図形」，「C 測定」，「C 変化と関係」及び「D データの活
用」に示す事項については，数学的活動を通して指導するようにすること。

(2)　数学的活動を楽しめるようにする機会を設けること。

(3)　算数の問題を解決する方法を理解するとともに，自ら問題を見いだし，解決す
るための構想を立て，実践し，その結果を評価・改善する機会を設けること。

(4)　具体物，図，数，式，表，グラフ相互の関連を図る機会を設けること。

(5)　友達と考えを伝え合うことで学び合ったり，学習の過程と成果を振り返り，
よりよく問題解決できたことを実感したりする機会を設けること。

◆理科の各学年の内容の取扱い

	物質・エネルギー	生命・地球
第3学年	*指導に当たっては，3種類以上のものづくりを行うものとする。 *磁石の性質の「磁石に引き付けられる物と引き付けられない物があること」については，磁石が物を引き付ける力は，磁石と物の距離によって変わることにも触れること。	*「昆虫の育ち方」「植物の育ち方」については，飼育，栽培を通して行うこと。 *「植物の育ち方」については，夏生一年生の双子葉植物を扱うこと。 *「太陽の位置の変化」については，東から南，西へと変化することを取り扱うものとする。また，太陽の位置を調べるときの方位は東，西，南，北を扱うものとする。
第4学年	*「乾電池の数やつなぎ方」については，直列つなぎと並列つなぎを扱うものとする。 *指導に当たっては，2種類以上のものづくりを行うものとする。	*「人が体を動かすこと」については，関節の働きを扱うものとする。 *「季節と生物」については，1年を通じて動物の活動や植物の成長をそれぞれ2種類以上観察するものとする。
第5学年	*指導に当たっては，2種類以上のものづくりを行うものとする。 *「物の溶け方」については，水溶液の中では，溶けている物が均一に広がることにも触れること。	*"植物の発芽"の「種子の中の養分」については，でんぷんを扱うこと。 *"花のつくり"については，おしべ，めしべ，がく及び花びらを扱うこと。また，受粉については，風や昆虫などが関係していることにも触れること。 *「人は，母体内で成長して生まれること」については，人の受精に至る過程は取り扱わないものとする。 *"流れる水の働き"については，自然災害についても触れること。 *「天気の変化」については，台風の進路による天気の変化や台風と降雨との関係及びそれに伴う自然災害についても触れること。
第6学年	*指導に当たっては，2種類以上のものづくりを行うものとする。 *"発電や蓄電"については，電気をつくりだす道具として，手回し発電機，光電池などを扱うものとする。	*"血液は心臓の働きで体内を巡る"ことについては，心臓の拍動と脈拍とが関係することにも触れること。 *"体内の臓器"については，主な臓器として，肺，胃，小腸，大腸，肝臓，腎臓，心臓を扱うこと。 *「生物は，水及び空気を通して周囲の環境と関わって生きていること」については，水が循環していることにも触れること。 *"食物連鎖"については，水中の小さな生物を観察し，それらが魚などの食べ物になっていることに触れること。 *"地層のでき方"については流れる水の働きでできた岩石として礫岩，砂岩，泥岩を扱うこと。 *「火山の噴火や地震」については，自然災害についても触れること。 *「月の形の見え方」については，地球から見た太陽と月との位置関係で扱うものとする。

◆観察・実験の留意事項

	物質・エネルギー		
第3学年	〔光の性質〕 ＊平面鏡や虫眼鏡などを扱う際には，破損して，指を切ったり手を傷つけたりする危険が伴うので，その扱い方には十分気を付ける。 ＊直接目で太陽を見たり，反射させた日光を人の顔に当てたり，虫眼鏡で集めた日光を衣服や生物に当てたりしないように安全に配慮する。		〔電気の通り道〕 ＊豆電球などを使わないで，乾電池の二つの極を直接導線でつなぐことのないように安全に配慮する。
第4学年	〔空気と水の性質〕 ＊容器に閉じ込めた空気を圧し縮める際には，容器が破損したり，飛び出した容器などの一部が顔や体などに当たらないようにするなど，安全に配慮する。	〔金属，水，空気と温度〕 ＊火を使用して実験したり，熱した湯の様子を観察したりする際に火傷などの危険を伴うので，保護眼鏡を着用することや使用前に器具の点検を行うこと，加熱器具などの適切な操作を確認することなど安全に配慮する。	〔電流の働き〕 ＊乾電池をつなぐ際には，ひとつの回路で違う種類の電池が混在しないように安全に配慮する。
第5学年	〔物の溶け方〕 ＊実験を行う際には，メスシリンダーや電子てんびん，ろ過器具，加熱器具，温度計などの器具の適切な操作について安全に配慮する。	〔電流がつくる磁力〕 ＊身の回りでは，様々な電磁石が利用されていることを日常生活と関連させて取り上げたり，科学館などを利用して調べたりすることが考えられる。	
第6学年	〔燃焼の仕組み〕 ＊燃焼実験の際の火の取扱いや，気体検知管の扱い方などについて十分指導するとともに，保護眼鏡を使用するなど，安全に配慮する。	〔水溶液の性質〕 ＊実験に使用する薬品については，その危険性や扱い方について十分指導するとともに，保護眼鏡を使用するなど安全に配慮する。 ＊事故のないように配慮し管理するとともに，使用した廃液などについても，環境に配慮し適切に処理する。	〔電気の利用〕 ＊目的に合わせてセンサーを使い，モーターの動きや発光ダイオードの点灯を制御するなどといったプログラミングを体験することを通して，その仕組みを体験的に学習するといったことが考えられる。

	生命・地球		
第3学年	〔昆虫と植物〕 ＊野外での学習に際しては，毒をもつ生物に注意するとともに事故に遭わないように安全に配慮する。	〔身近な自然の観察〕 ＊自然環境の中で，生物の採取は必要最小限にとどめるなど，生態系の維持に配慮するようにし，環境保全の態度を育てる。	〔太陽の観察〕 ＊太陽の観察においては，JIS規格の遮光板を必ず用いるようにし，安全に配慮する。
第4学年	〔人の体のつくりと運動〕 ＊他の動物の骨と筋肉の存在や運動について調べる際には，動物園などの施設の活用が考えられる。	〔季節と生物〕 ＊野外での学習に際しては，毒をもつ生物に注意するとともに事故に遭わないように安全に配慮する。	〔月と星〕 ＊夜間の観察の際には，安全を第一に考え，事故防止に配慮する。
第5学年	〔植物の発芽，成長，結実〕 ＊花粉の観察においては，顕微鏡を適切に操作して，花粉の特徴を捉えることが考えられる。 〔動物の誕生〕 ＊人の卵と精子が受精に至る過程については取り扱わない。	〔流水の働き〕 ＊川の現地学習に当たっては，気象情報に注意するとともに，事故防止に配慮する。	〔天気の変化〕 ＊雲を野外で観察する際には，気象情報に注意するとともに，太陽を直接見ないように指導し，事故防止に配慮する。
第6学年	〔人の体のつくりと働き〕 ＊人の体を中心とし，呼気や吸気を調べる活動では指示薬や気体検知管，気体センサーなどによる酸素や二酸化炭素の測定が，消化を調べる活動ではヨウ素液によるヨウ素デンプン反応などが考えられる。	〔土地のつくりと変化〕 ＊土地の観察に当たっては，それぞれの地域に応じた指導を工夫するようにするとともに，野外観察においては安全を第一に考え，事故防止に配慮する。	〔月と太陽〕 ＊夜間の観察の際には，安全を第一に考え，事故防止に配慮する。 ＊昼間の月を観察し，太陽の位置を確認する際には，太陽を直接見ないようにするなど安全に配慮する。

◆生活科の内容の全体構成

階層	内容	学習対象・学習活動等	思考力・判断力・表現力等の基礎	知識及び技能の基礎	学びに向かう力, 人間性等
学校、家庭及び地域の生活に関する内容	(1)	*学校生活に関わる活動を行う。	*学校の施設の様子や学校生活を支えている人々や友達, 通学路の様子やその安全を守っている人々などについて考える。	*学校での生活は様々な人や施設と関わっていることが分かる。	*楽しく安心して遊びや生活をしたり, 安全な登下校をしたりしようとする。
	(2)	*家庭生活に関わる活動を行う。	*家庭における家族のことや自分でできることなどについて考える。	*家庭での生活は互いに支え合っていることが分かる。	*自分の役割を積極的に果たしたり, 規則正しく健康に気を付けて生活したりしようとする。
	(3)	*地域に関わる活動を行う。	*地域の場所やそこで生活したり働いたりしている人々について考える。	*自分たちの生活は様々な人や場所と関わっていることが分かる。	*それらに親しみや愛着をもち, 適切に接したり安全に生活したりしようとする。
身近な人々、社会及び自然と関わる活動に関する内容	(4)	*公共物や公共施設を利用する活動を行う。	*それらのよさを感じたり働きを捉えたりする。	*身の回りにはみんなで使うものがあることやそれらを支えている人々がいることなどが分かる。	*それらを大切にし, 安全に気を付けて正しく利用しようとする。
	(5)	*身近な自然を観察したり, 季節や地域の行事に関わったりするなどの活動を行う。	*それらの違いや特徴を見付ける。	*自然の様子や四季の変化, 季節によって生活の様子が変わることに気付く。	*それらを取り入れ自分の生活を楽しくしようとする。
	(6)	*身近な自然を利用したり, 身近にある物を使ったりするなどして遊ぶ活動を行う。	*遊びや遊びに使う物を工夫してつくる。	*その面白さや自然の不思議さに気付く。	*みんなと楽しみながら遊びを創り出そうとする。
	(7)	*動物を飼ったり植物を育てたりする活動を行う。	*それらの育つ場所, 変化や成長の様子に関心をもって働きかける。	*それらは生命をもっていることや成長していることに気付く。	*生き物への親しみをもち, 大切にしようとする。
	(8)	*自分たちの生活や地域の出来事を身近な人々と伝え合う活動を行う。	*相手のことを想像したり伝えたいことや伝え方を選んだりする。	*身近な人々と関わることのよさや楽しさが分かる。	*進んで触れ合い交流しようとする。
自分自身の生活や成長に関する内容	(9)	*自分自身の生活や成長を振り返る活動を行う。	*自分のことや支えてくれた人々について考える。	*自分が大きくなったこと, 自分でできるようになったこと, 役割が増えたことなどが分かる。	*これまでの生活や成長を支えてくれた人々に感謝の気持ちをもち, これからの成長への願いをもって, 意欲的に生活しようとする。

◆指導計画の作成と学習指導

カリキュラム・マネジメントを意識した指導計画の作成	＊児童の実態や地域の特性，授業時数などを考慮し，各学校で独自に構成した単元や学習活動を適切に配置すること。 ＊年間指導計画は2学年間を見通し，各単元計画と相互に関連させながら作成すること。 ＊三つの育成する資質・能力について，どのような活動や体験の中で特に育まれていくのかを単元全体を見通して考えておくこと。 ＊単元の構成 　①生活科と各教科等の両方の目標が達成されることをねらう合科的な扱い。 　②生活科と各教科等の学習活動を関わらせ相乗効果をねらう関連としての扱い。 　③一つの活動の中に生活科の複数の内容を関わらせた扱い。 ＊幼児期の教育との連携や接続を意識し，学校全体で取り組むスタートカリキュラムを導入すること。 ＊身の回りの対象を自分との関わりで一体的に捉える生活科の学びを，中学年以降の抽象化・一般化が高まっていく学習にどのようにつなげていくのかを見通すこと。
学習指導の特質	1．児童の思いや願いを育み，意欲や主体性を高める学習活動にすること。 2．人や社会，自然と身体を通して直接関わりながら，自らの興味・関心を発揮して具体的な活動や体験を行うことを重視すること。 3．児童の姿を丁寧に見取り，働きかけ，活動の充実につなげること。 4．働きかける対象についての気付きとともに，自分自身についての気付きをもつことができるようにすること。
年間指導計画作成の配慮点	1．児童一人一人の実態に配慮すること。 2．児童の生活圏である地域の環境を生かすこと。 3．各教科等との関わりを見通すこと。 4．幼児期の教育や中学年以降の学習との関わりを見通すこと。 5．学校内外の教育資源の活用を図ること。 6．活動や体験に合わせて授業時数を適切に割り振ること。
生活科の単元の特徴	＊児童が，身近な人々，社会及び自然を自分との関わりで捉え，よりよい生活に向けて思いや願いを実現していく必然性のある学習活動で構成する。 ＊具体的な活動や体験を行い，気付きを交流したり活動を振り返ったりする中に，児童一人一人の思いや願いに沿った多様な学習活動が位置付く。 ＊学習活動を行う中で，高まる児童の思いや願いに弾力的に対応する必要がある。 ＊それぞれの学校や地域の人々，社会及び自然に関する特性を把握し，そのよさや可能性を生かす。
学習評価の在り方	＊結果に至るまでの過程を重視して行う。 ＊「量的な面」だけでなく，「質的な面」から捉える。 ＊ゲストティーチャーや家庭や地域の人々からの情報など，様々な立場からの評価資料を収集し児童の姿を多面的に評価する。 ＊単元全体を通しての児童の変容や成長の様子を捉える長期にわたる評価や，授業時間外の児童の姿の変容も評価の対象に加える。

音楽科

◆音楽科の各学年の内容

「A　表現」

第1学年及び第2学年	第3学年及び第4学年	第5学年及び第6学年
(1)　歌唱の活動を通して		
ア　歌唱表現についての知識や技能を得たり生かしたりしながら，曲想を感じ取って表現を工夫し，どのように歌うかについて思いをもつこと。	ア　歌唱表現についての知識や技能を得たり生かしたりしながら，曲の特徴を捉えた表現を工夫し，どのように歌うかについて思いや意図をもつこと。	ア　歌唱表現についての知識や技能を得たり生かしたりしながら，曲の特徴にふさわしい表現を工夫し，どのように歌うかについて思いや意図をもつこと。
イ　曲想と音楽の構造との関わり，曲想と歌詞の表す情景や気持ちとの関わりについて気付くこと。	イ　曲想と音楽の構造や歌詞の内容との関わりについて気付くこと。	イ　曲想と音楽の構造や歌詞の内容との関わりについて理解すること。
ウ　思いに合った表現をするために必要な次の(ア)から(ウ)までの技能を身に付けること。	ウ　思いや意図に合った表現をするために必要な次の(ア)から(ウ)までの技能を身に付けること。	
(ア)　範唱を聴いて歌ったり，階名で模唱したり暗唱したりする技能。	(ア)　範唱を聴いたり，ハ長調の楽譜を見たりして歌う技能。	(ア)　範唱を聴いたり，ハ長調及びイ短調の楽譜を見たりして歌う技能。
(イ)　自分の歌声及び発音に気を付けて歌う技能。	(イ)　呼吸及び発音の仕方に気を付けて，自然で無理のない歌い方で歌う技能。	(イ)　呼吸及び発音の仕方に気を付けて，自然で無理のない，響きのある歌い方で歌う技能。
(ウ)　互いの歌声や伴奏を聴いて，声を合わせて歌う技能。	(ウ)　互いの歌声や副次的な旋律，伴奏を聴いて，声を合わせて歌う技能。	(ウ)　各声部の歌声や全体の響き，伴奏を聴いて，声を合わせて歌う技能。
(2)　器楽の活動を通して		
ア　器楽表現についての知識や技能を得たり生かしたりしながら，曲想を感じ取って表現を工夫し，どのように演奏するかについて思いをもつこと。	ア　器楽表現についての知識や技能を得たり生かしたりしながら，曲の特徴を捉えた表現を工夫し，どのように演奏するかについて思いや意図をもつこと。	ア　器楽表現についての知識や技能を得たり生かしたりしながら，曲の特徴にふさわしい表現を工夫し，どのように演奏するかについて思いや意図をもつこと。
イ　次の(ア)及び(イ)について気付くこと。		イ　次の(ア)及び(イ)について理解すること。
(ア)　曲想と音楽の構造との関わり。		
(イ)　楽器の音色と演奏の仕方との関わり。	(イ)　楽器の音色や響きと演奏の仕方との関わり。	(イ)　多様な楽器の音色や響きと演奏の仕方との関わり。

ウ　思いに合った表現をするために必要な次の(ア)から(ウ)までの技能を身に付けること。	ウ　思いや意図に合った表現をするために必要な次の(ア)から(ウ)までの技能を身に付けること。	
(ア)　範奏を聴いたり，リズム譜などを見たりして演奏する技能。	(ア)　範奏を聴いたり，ハ長調の楽譜を見たりして演奏する技能。	(ア)　範奏を聴いたり，ハ長調及びイ短調の楽譜を見たりして演奏する技能。
(イ)　音色に気を付けて，旋律楽器及び打楽器を演奏する技能。	(イ)　音色や響きに気を付けて，旋律楽器及び打楽器を演奏する技能。	
(ウ)　互いの楽器の音や伴奏を聴いて，音を合わせて演奏する技能。	(ウ)　互いの楽器の音や副次的な旋律，伴奏を聴いて，音を合わせて演奏する技能。	(ウ)　各声部の楽器の音や全体の響き，伴奏を聴いて，音を合わせて演奏する技能。

(3)　音楽づくりの活動を通して

ア　音楽づくりについての知識や技能を得たり生かしたりしながら，次の(ア)及び(イ)をできるようにすること。

(ア)　音遊びを通して，音楽づくりの発想を得ること。	(ア)　即興的に表現することを通して，音楽づくりの発想を得ること。	(ア)　即興的に表現することを通して，音楽づくりの様々な発想を得ること。
(イ)　どのように音を音楽にしていくかについて思いをもつこと。	(イ)　音を音楽へと構成することを通して，どのようにまとまりを意識した音楽をつくるかについて思いや意図をもつこと。	(イ)　音を音楽へと構成することを通して，どのように全体のまとまりを意識した音楽をつくるかについて思いや意図をもつこと。
イ　次の(ア)及び(イ)について，それらが生み出す面白さなどと関わらせて気付くこと。	イ　次の(ア)及び(イ)について，それらが生み出すよさや面白さなどと関わらせて気付くこと。	イ　次の(ア)及び(イ)について，それらが生み出すよさや面白さなどと関わらせて理解すること。
(ア)　声や身の回りの様々な音の特徴。	(ア)　いろいろな音の響きやそれらの組合せの特徴。	
(イ)　音やフレーズのつなげ方の特徴。	(イ)　音やフレーズのつなげ方や重ね方の特徴。	
ウ　発想を生かした表現や，思いに合った表現をするために必要な次の(ア)及び(イ)の技能を身に付けること。	ウ　発想を生かした表現や，思いや意図に合った表現をするために必要な次の(ア)及び(イ)の技能を身に付けること。	

(ア) 設定した条件に基づいて，即興的に音を選んだりつなげたりして表現する技能。	(ア) 設定した条件に基づいて，即興的に音を選択したり組み合わせたりして表現する技能。
(イ) 音楽の仕組みを用いて，簡単な音楽をつくる技能。	(イ) 音楽の仕組みを用いて，音楽をつくる技能。

「B　鑑賞」

第1学年及び第2学年	第3学年及び第4学年	第5学年及び第6学年
(1)　鑑賞の活動を通して		
ア　鑑賞についての知識を得たり生かしたりしながら，		
曲や演奏の楽しさを見いだし，曲全体を味わって聴くこと。	曲や演奏のよさなどを見いだし，曲全体を味わって聴くこと。	
イ　曲想と音楽の構造との関わりについて気付くこと。	イ　曲想及びその変化と，音楽の構造との関わりについて気付くこと。	イ　曲想及びその変化と，音楽の構造との関わりについて理解すること。

〔共通事項〕

第1学年及び第2学年	第3学年及び第4学年	第5学年及び第6学年
「A表現」及び「B鑑賞」の指導を通して，次の事項を身に付けることができるよう指導する。		
ア　音楽を形づくっている要素を聴き取り，それらの働きが生み出すよさや面白さ，美しさを感じ取りながら，聴き取ったことと感じ取ったこととの関わりについて考えること。		
イ　音楽を形づくっている要素及びそれらに関わる身近な音符，休符，記号や用語について，音楽における働きと関わらせて理解すること。	イ　音楽を形づくっている要素及びそれらに関わる音符，休符，記号や用語について，音楽における働きと関わらせて理解すること。	

※各学年のイについてはP.227も参照のこと。

◆音楽史

	人 名	特 徴	有 名 な 作 品
バロック〜古典〜前期ロマン派	バッハ	音楽の父, 宗教音楽の巨匠	『小フーガト短調』『G線上のアリア』
	ヘンデル	バロック音楽大成者, 音楽の母	『メサイア (救世主) 』『水上の音楽』
	ハイドン	交響曲の父	交響曲『驚愕』『時計』『天地創造』
	モーツァルト	古典音楽の確立者, 神童	歌劇『フィガロの結婚』『セレナード』
	ベートーヴェン	楽聖	交響曲第5番『運命』
	ウェーバー	ドイツ国民歌劇の創始者	歌劇『魔弾の射手』『舞踏への勧誘』
	ロッシーニ	イタリアロマン派歌劇の先駆者	歌劇『ウィリアム=テル』
	シューベルト	歌曲の王	『冬の旅』『美しき水車小屋の娘』『魔王』
	メンデルスゾーン	初期ロマン派の代表作曲家	『真夏の夜の夢』『無言歌集』
	ショパン	ピアノの詩人	『別れの曲』『小犬のワルツ』
	シューマン	ロマン派の大作曲家	『謝肉祭』『トロイメライ』
〜後期ロマン派	リスト	交響詩曲の始祖	『ハンガリー狂詩曲』『ラ・カンパネラ』
	ワーグナー	楽劇の創始者	『タンホイザー』『ローエングリン』
	スメタナ	チェコの国民楽派	交響詩『わが祖国』
	J.シュトラウスⅡ世	ワルツ王	『美しく青きドナウ』『皇帝円舞曲』
	フォスター	アメリカ民謡の父	『オールド・ブラック・ジョー』
	ブラームス	ドイツ新古典派の作曲家	『ワルツ変イ長調』『ハンガリー舞曲』
	ビゼー	フランス近代歌劇	組曲『アルルの女』歌劇『カルメン』
	ムソルグスキー	ロシア国民楽派	『展覧会の絵』交響詩『禿山の一夜』
	チャイコフスキー	ロシアの大作曲家	バレエ組曲『白鳥の湖』『くるみ割り人形』
	ドボルザーク	チェコの国民楽派の作曲家	交響曲『新世界より』『ユーモレスク』
	グリーグ	ノルウェーの民族的作曲家	組曲『ペール・ギュント』

◆図画工作科の各学年の内容

「A　表現」

第1学年及び第2学年	第3学年及び第4学年	第5学年及び第6学年
(1)　表現の活動を通して，発想や構想に関する次の事項を身に付けることができるよう指導する。		
ア　造形遊びをする活動を通して，身近な自然物や人工の材料の形や色などを基に造形的な活動を思い付くことや，感覚や気持ちを生かしながら，どのように活動するかについて考えること。	ア　造形遊びをする活動を通して，身近な材料や場所などを基に造形的な活動を思い付くことや，新しい形や色などを思い付きながら，どのように活動するかについて考えること。	ア　造形遊びをする活動を通して，材料や場所，空間などの特徴を基に造形的な活動を思い付くことや，構成したり周囲の様子を考え合わせたりしながら，どのように活動するかについて考えること。
イ　絵や立体，工作に表す活動を通して，感じたこと，想像したことから，表したいことを見付けることや，好きな形や色を選んだり，いろいろな形や色を考えたりしながら，どのように表すかについて考えること。	イ　絵や立体，工作に表す活動を通して，感じたこと，想像したこと，見たことから，表したいことを見付けることや，表したいことや用途などを考え，形や色，材料などを生かしながら，どのように表すかについて考えること。	イ　絵や立体，工作に表す活動を通して，感じたこと，想像したこと，見たこと，伝え合いたいことから，表したいことを見付けることや，形や色，材料の特徴，構成の美しさなどの感じ，用途などを考えながら，どのように主題を表すかについて考えること。
(2)　表現の活動を通して，技能に関する次の事項を身に付けることができるよう指導する。		
ア　造形遊びをする活動を通して，身近で扱いやすい材料や用具に十分に慣れるとともに，並べたり，つないだり，積んだりするなど手や体全体の感覚などを働かせ，活動を工夫してつくること。	ア　造形遊びをする活動を通して，材料や用具を適切に扱うとともに，前学年までの材料や用具についての経験を生かし，組み合わせたり，切ってつないだり，形を変えたりするなどして，手や体全体を十分に働かせ，活動を工夫してつくること。	ア　造形遊びをする活動を通して，活動に応じて材料や用具を活用するとともに，前学年までの材料や用具についての経験や技能を総合的に生かしたり，方法などを組み合わせたりするなどして，活動を工夫してつくること。
イ　絵や立体，工作に表す活動を通して，身近で扱いやすい材料や用具に十分に慣れるとともに，手や体全体の感覚などを働かせ，表したいことを基に表し方を工夫して表すこと。	イ　絵や立体，工作に表す活動を通して，材料や用具を適切に扱うとともに，前学年までの材料や用具についての経験を生かし，手や体全体を十分に働かせ，表したいことに合わせて表し方を工夫して表すこと。	イ　絵や立体，工作に表す活動を通して，表現方法に応じて材料や用具を活用するとともに，前学年までの材料や用具などについての経験や技能を総合的に生かしたり，表現に適した方法などを組み合わせたりするなどして，表したいことに合わせて表し方を工夫して表すこと。

「B　鑑賞」

第1学年及び第2学年	第3学年及び第4学年	第5学年及び第6学年
(1)　鑑賞の活動を通して，次の事項を身に付けることができるよう指導する。		
ア　身の回りの作品などを鑑賞する活動を通して，自分たちの作品や身近な材料などの造形的な面白さや楽しさ，表したいこと，表し方などについて，感じ取ったり考えたりし，自分の見方や感じ方を広げること。	ア　身近にある作品などを鑑賞する活動を通して，自分たちの作品や身近な美術作品，製作の過程などの造形的なよさや面白さ，表したいこと，いろいろな表し方などについて，感じ取ったり考えたりし，自分の見方や感じ方を広げること。	ア　親しみのある作品などを鑑賞する活動を通して，自分たちの作品，我が国や諸外国の親しみのある美術作品，生活の中の造形などの造形的なよさや美しさ，表現の意図や特徴，表し方の変化などについて，感じ取ったり考えたりし，自分の見方や感じ方を深めること。

〔共通事項〕

	第1学年及び第2学年	第3学年及び第4学年	第5学年及び第6学年
	(1)　「A 表現」及び「B 鑑賞」の指導を通して，次の事項を身に付けることができるよう指導する。		
知識	ア　自分の感覚や行為を通して，形や色などに気付くこと。	ア　自分の感覚や行為を通して，形や色などの感じが分かること。	ア　自分の感覚や行為を通して，形や色などの造形的な特徴を理解すること。
思考力，判断力，表現力等	イ　形や色などを基に，自分のイメージをもつこと。	イ　形や色などの感じを基に，自分のイメージをもつこと。	イ　形や色などの造形的な特徴を基に，自分のイメージをもつこと。

new runner's supplementary materials

◆デザイン／構成美

① シンメトリー
　…左右対称。

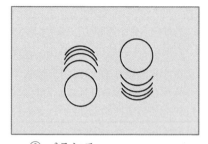

② バランス
　…主として2つのものの
　　釣り合い。

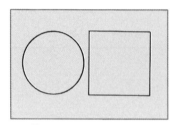

③ コントラスト
　…対立によって生まれる美しさ。

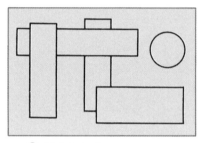

④ アクセント
　…ある部分に変化を加え
　　全体をひきしめる。

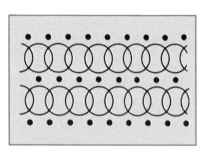

⑤ リピテーション
　…同じ形や色を繰り返すこと。

⑥ グラデーション
　…段階的に増減。

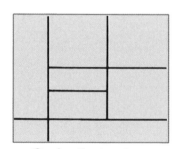

⑦ プロポーション
　…全体と部分の美しい関係。

⑧ ムーブマン
　…ある方向への動き。

◆指導計画の作成と内容の取扱い

〔内容の取扱いについての配慮事項〕

(1) 児童が個性を生かして活動することができるようにするため，学習活動や表現方法などに幅をもたせるようにすること。

(2) 各学年の「A 表現」及び「B 鑑賞」の指導を通して，児童が〔共通事項〕のアとイとの関わりに気付くようにすること。

(3) 〔共通事項〕のアの指導に当たっては，次の事項に配慮し，必要に応じて，その後の学年で繰り返し取り上げること。

ア 第1学年及び第2学年においては，いろいろな形や色，触った感じなどを捉えること。

イ 第3学年及び第4学年においては，形の感じ，色の感じ，それらの組合せによる感じ，色の明るさなどを捉えること。

ウ 第5学年及び第6学年においては，動き，奥行き，バランス，色の鮮やかさなどを捉えること。

(4) 各学年の「A 表現」の指導に当たっては，活動の全過程を通して児童が実現したい思いを大切にしながら活動できるようにし，自分のよさや可能性を見いだし，楽しく豊かな生活を創造しようとする態度を養うようにすること。

(5) 各活動において，互いのよさや個性などを認め尊重し合うようにすること。

(6) 材料や用具については，次のとおり取り扱うこととし，必要に応じて，当該学年より前の学年において初歩的な形で取り上げたり，その後の学年で繰り返し取り上げたりすること。

ア 第1学年及び第2学年においては，土，粘土，木，紙，クレヨン，パス，はさみ，のり，簡単な小刀類など身近で扱いやすいものを用いること。

イ 第3学年及び第4学年においては，木切れ，板材，釘，水彩絵の具，小刀，使いやすいのこぎり，金づちなどを用いること。

ウ 第5学年及び第6学年においては，針金，糸のこぎりなどを用いること。

(7) 各学年の「A 表現」の(1)のイ及び(2)のイについては，児童や学校の実態に応じて，児童が工夫して楽しめる程度の版に表す経験や焼成する経験ができるようにすること。

(8) 各学年の「B 鑑賞」の指導に当たっては，児童や学校の実態に応じて，地域の美術館などを利用したり，連携を図ったりすること。

(9) 各学年の「A 表現」及び「B 鑑賞」の指導に当たっては，思考力，判断力，表現力等を育成する観点から，〔共通事項〕に示す事項を視点として，感じたことや思ったこと，考えたことなどを，話したり聞いたり話し合ったりする，言葉で整理するなどの言語活動を充実すること。

(10) コンピュータ，カメラなどの情報機器を利用することについては，表現や鑑賞の活動で使う用具の一つとして扱うとともに，必要性を十分に検討

して利用すること。

⑾　創造することの価値に気付き，自分たちの作品や美術作品などに表れて
いる創造性を大切にする態度を養うようにすること。また，こうした態度
を養うことが，美術文化の継承，発展，創造を支えていることについて理
解する素地となるよう配慮すること。

※　造形活動で使用する材料や用具，活動場所については，安全な扱い方につ
いて指導する，事前に点検するなどして，事故防止に留意するものとする。

※　校内の適切な場所に作品を展示するなどし，平素の学校生活においてそれ
を鑑賞できるよう配慮するものとする。また，学校や地域の実態に応じて，
校外に児童の作品を展示する機会を設けるなどするものとする。

◆家庭科の内容と内容の取扱い

「A　家族・家庭生活」

(1) 自分の成長と家族・家庭生活	ア　自分の成長を自覚し，家庭生活と家族の大切さや家庭生活が家族の協力によって営まれていることに気付くこと。

〔内容の取扱い〕
＊　AからCまでの各内容の学習と関連を図り，日常生活における様々な問題について，家族や地域の人々との協力，健康・快適・安全，持続可能な社会の構築等を視点として考え，解決に向けて工夫することが大切であることに気付かせるようにすること。

(2) 家庭生活と仕事	ア　家庭には，家庭生活を支える仕事があり，互いに協力し分担する必要があることや生活時間の有効な使い方について理解すること。 イ　家庭の仕事の計画を考え，工夫すること。

〔内容の取扱い〕
＊　イについては，内容の「B 衣食住の生活」と関連を図り，衣食住に関わる仕事を具体的に実践できるよう配慮すること。

(3) 家族や地域の人々との関わり	ア　次のような知識を身に付けること。 　(ア)　家族との触れ合いや団らんの大切さについて理解すること。 　(イ)　家庭生活は地域の人々との関わりで成り立っていることが分かり，地域の人々との協力が大切であることを理解すること。 イ　家族や地域の人々とのよりよい関わりについて考え，工夫すること。

〔内容の取扱い〕
＊　幼児又は低学年の児童や高齢者など異なる世代の人々との関わりについても扱うこと。
＊　イについては，他教科等における学習との関連を図るよう配慮すること。

(4) 家族・家庭生活についての課題と実践	ア　日常生活の中から問題を見いだして課題を設定し，よりよい生活を考え，計画を立てて実践できること。

「B　衣食住の生活」

(1) 食事の役割	ア　食事の役割が分かり，日常の食事の大切さと食事の仕方について理解すること。 イ　楽しく食べるために日常の食事の仕方を考え，工夫すること。

〔内容の取扱い〕
＊　日本の伝統的な生活についても扱い，生活文化に気付くことができるよう配慮すること。

(2) 調理の基礎	ア　次のような知識及び技能を身に付けること。 　(ア)　調理に必要な材料の分量や手順が分かり，調理計画について理解すること。 　(イ)　調理に必要な用具や食器の安全で衛生的な取扱い及び加熱用調理器具の安全な取扱いについて理解し，適切に使用できること。 　(ウ)　材料に応じた洗い方，調理に適した切り方，味の付け方，盛り付け，配膳及び後片付けを理解し，適切にできること。 　(エ)　材料に適したゆで方，いため方を理解し，適切にできること。

	(オ) 伝統的な日常食である米飯及びみそ汁の調理の仕方を理解し，適切にできること。 イ おいしく食べるために調理計画を考え，調理の仕方を工夫すること。

〔内容の取扱い〕
* アの(エ)については，ゆでる材料として青菜やじゃがいもなどを扱うこと。
* (オ)については，和食の基本となるだしの役割についても触れること。

(3) 栄養を考えた食事	ア 次のような知識を身に付けること。 　(ア) 体に必要な栄養素の種類と主な働きについて理解すること。 　(イ) 食品の栄養的な特徴が分かり，料理や食品を組み合わせてとる必要があることを理解すること。 　(ウ) 献立を構成する要素が分かり，1食分の献立作成の方法について理解すること。 イ 1食分の献立について栄養のバランスを考え，工夫すること。

〔内容の取扱い〕
* アの(ア)については，五大栄養素と食品の体内での主な働きを中心に扱うこと。
* (ウ)については，献立を構成する要素として主食，主菜，副菜について扱うこと。
* 食に関する指導については，家庭科の特質に応じて，食育の充実に資するよう配慮すること。また，第4学年までの食に関する学習との関連を図ること。

(4) 衣服の着用と手入れ	ア 次のような知識及び技能を身に付けること。 　(ア) 衣服の主な働きが分かり，季節や状況に応じた日常着の快適な着方について理解すること。 　(イ) 日常着の手入れが必要であることや，ボタンの付け方及び洗濯の仕方を理解し，適切にできること。 イ 日常着の快適な着方や手入れの仕方を考え，工夫すること。

(5) 生活を豊かにするための布を用いた製作	ア 次のような知識及び技能を身に付けること。 　(ア) 製作に必要な材料や手順が分かり，製作計画について理解すること。 　(イ) 手縫いやミシン縫いによる目的に応じた縫い方及び用具の安全な取扱いについて理解し，適切にできること。 イ 生活を豊かにするために布を用いた物の製作計画を考え，製作を工夫すること。

〔内容の取扱い〕
* 日常生活で使用する物を入れる袋などの製作を扱うこと。

(6) 快適な住まい方	ア 次のような知識及び技能を身に付けること。 　(ア) 住まいの主な働きが分かり，季節の変化に合わせた生活の大切さや住まい方について理解すること。 　(イ) 住まいの整理・整頓や清掃の仕方を理解し，適切にできること。 イ 季節の変化に合わせた住まい方，整理・整頓や清掃の仕方を考え，快適な住まい方を工夫すること。

〔内容の取扱い〕
* アの(ア)については，主として暑さ・寒さ，通風・換気，採光，及び音を取り上げること。
* 暑さ・寒さについては，(4)のアの(ア)の日常着の快適な着方と関連を図ること。

「C　消費生活・環境」

(1)　物や金銭の使い方と買物	ア　次のような知識及び技能を身に付けること。 （ア）　買物の仕組みや消費者の役割が分かり，物や金銭の大切さと計画的な使い方について理解すること。 （イ）　身近な物の選び方，買い方を理解し，購入するために必要な情報の収集・整理が適切にできること。 イ　購入に必要な情報を活用し，身近な物の選び方，買い方を考え，工夫すること。

〔内容の取扱い〕
＊　内容の「A 家族・家庭生活」の(3)，「B 衣食住の生活」の(2)，(5)及び(6)で扱う用具や実習材料などの身近な物を取り上げること。
＊　アの(ア)については，売買契約の基礎について触れること。

(2)　環境に配慮した生活	ア　自分の生活と身近な環境との関わりや環境に配慮した物の使い方などについて理解すること。 イ　環境に配慮した生活について物の使い方などを考え，工夫すること。

〔内容の取扱い〕
＊　内容の「B 衣食住の生活」との関連を図り，実践的に学習できるようにすること。

体育科

◆体育科の各学年の内容〔知識及び技能〕

「A　体つくり運動系」

系統	体つくりの運動遊び （第1・2学年）	体つくり運動 （第3～6学年）
運動の特性	体を動かす楽しさや心地よさを味わい運動好きになるとともに，心と体との関係に気付いたり，仲間と交流したりすることや，様々な基本的な体の動きを身に付けたり，体の動きを高めたりして，体力を高めるために行われる運動。	

第1学年及び第2学年	第3学年及び第4学年	第5学年及び第6学年
体ほぐしの運動遊び	体ほぐしの運動	
＊　次の運動を通して，心と体の変化に気付いたり，みんなで関わり合ったりすること ◦伸び伸びとした動作で新聞紙やテープ，ボール，なわ，体操棒，フープなど，操作しやすい用具などを用いた運動遊びを行うこと ◦リズムに乗って，心が弾むような動作で運動遊びを行うこと ◦動作や人数などの条件を変えて，歩いたり走ったりする運動遊びを行うこと ◦伝承遊びや集団による運動遊びを行うこと	＊　次の運動を通して，心と体の変化に気付いたり，みんなで関わり合ったりすること ◦伸び伸びとした動作でボール，なわ，体操棒，フープなどの用具を用いた運動を行うこと ◦リズムに乗って，心が弾むような動作での運動を行うこと ◦動作や人数などの条件を変えて，歩いたり走ったりする運動を行うこと ◦伝承遊びや集団による運動を行うこと	＊　次の運動を通して，心と体との関係に気付いたり，仲間と関わり合ったりすること ◦伸び伸びとした動作で全身を動かしたり，ボール，なわ，体操棒，フープなどの用具を用いた運動を行ったりすること ◦リズムに乗って，心が弾むような動作での運動を行うこと ◦ペアになって背中合わせに座り，体を前後左右に揺らし，リラックスできる運動を行うこと ◦動作や人数などの条件を変えて，歩いたり走ったりする運動を行うこと ◦グループや学級の仲間と力を合わせて挑戦する運動を行うこと ◦伝承遊びや集団による運動を行うこと
多様な動きをつくる運動遊び	多様な動きをつくる運動	体の動きを高める運動
[体のバランスをとる運動遊び] ◦回るなどの動き ◦寝転ぶ，起きるなどの動き ◦座る，立つなどの動き ◦体のバランスを保つ動き	[体のバランスをとる運動] ◦回るなどの動き ◦寝転ぶ，起きるなどの動き ◦座る，立つなどの動き ◦渡るなどの動き ◦体のバランスを保つ動き	[体の柔らかさを高めるための運動] ＊　徒手での運動 ◦体の各部位を大きく広げたり曲げたりする姿勢を維持する ◦全身や各部位を振ったり，回したり，ねじったりする

[体を移動する運動遊び]	[体を移動する運動]	＊ 用具などを用いた運動
◦這う，歩く，走るなどの動き	◦這う，歩く，走るなどの動き	◦ゴムひもを張りめぐらせて作った空間や，棒の下や輪の中をくぐり抜ける
◦跳ぶ，はねるなどの動き	◦跳ぶ，はねるなどの動き	[巧みな動きを高めるための運動]
◦一定の速さでのかけ足（2～3分）	◦登る，下りるなどの動き	＊ 人や物の動き，場の状況に対応した運動
[用具を操作する運動遊び]	◦一定の速さでのかけ足（3～4分）	◦長座姿勢で座り，足を開いたり閉じたりする相手の動きに応じ，開脚や閉脚を繰り返しながら跳ぶ
◦用具をつかむ，持つ，降ろす，回す，転がすなどの動き	[用具を操作する運動]	◦マーカーをタッチしながら，素早く往復走をする
◦用具をくぐるなどの動き	◦用具をつかむ，持つ，降ろす，回す，転がすなどの動き	＊ 用具などを用いた運動
◦用具を運ぶなどの動き	◦用具をくぐる，運ぶなどの動き	◦短なわや長なわを用いていろいろな跳び方をしたり，なわ跳びをしながらボールを操作したりする
◦用具を投げる，捕るなどの動き	◦用具を投げる，捕る，振るなどの動き	◦フープを転がし，回転しているフープの中をくぐり抜けたり，跳び越したりする
◦用具を跳ぶなどの動き	◦用具を跳ぶなどの動き	[力強い動きを高めるための運動]
◦用具に乗るなどの動き	◦用具に乗るなどの動き	＊ 人や物の重さなどを用いた運動
[力試しの運動遊び]	[力試しの運動]	◦二人組，三人組で互いに持ち上げる，運ぶなどの運動をする
◦人を押す，引く動きや力比べをするなどの動き	◦人を押す，引く動きや力比べをするなどの動き	[動きを持続する能力を高めるための運動]
◦人を運ぶ，支えるなどの動き	◦人を運ぶ，支えるなどの動き	＊ 時間やコースを決めて行う全身運動
	[基本的な動きを組み合わせる運動]	◦短なわ，長なわを用いての跳躍やエアロビクスなどの全身運動を続ける
	◦バランスをとりながら移動するなどの動き	◦無理のない速さで5～6分程度の持久走をする
	◦用具を操作しながら移動するなどの動き	

209

体育科

「B　器械運動系」

系統	器械・器具を使っての運動遊び（第1・2学年）	器械運動（第3～6学年）
運動の特性		「回転」，「支持」，「懸垂」等の運動で構成され，様々な動きに取り組んだり，自己の能力に適した技や発展技に挑戦したりして技を身に付けたときに楽しさや喜びを味わうことのできる運動。

種目	系	技群	グループ	第1学年及び第2学年 運動遊び	第3学年及び第4学年 基本的な技（発展技）	第5学年及び第6学年 発展技（更なる発展技）
マット運動	回転系	接転技	前転	ゆりかご，前転がり，後ろ転がり，背支持倒立（首倒立），だるま転がり，丸太転がり，かえるの逆立ち，かえるの足打ち，うさぎ跳び，壁上り逆立ち	前転，易しい場での開脚前転（開脚前転）	補助倒立前転（倒立前転）（跳び前転），開脚前転（易しい場での伸膝前転）
			後転		後転，開脚後転（伸膝後転）	伸膝後転（後転倒立）
		ほん転技	倒立回転	背支持倒立（首倒立），壁上り逆立ち，ブリッジ，かえるの逆立ち，かえるの足打ち，うさぎ跳び，支持での川跳び，腕立て横跳び越し，肋木	補助倒立ブリッジ（倒立ブリッジ），側方倒立回転（ロンダート）	倒立ブリッジ（前方倒立回転，前方倒立回転跳び），ロンダート
			はね起き		首はね起き（頭はね起き）	頭はね起き
	巧技系	平均立ち技	倒立		壁倒立（補助倒立），頭倒立	補助倒立（倒立）
鉄棒運動	支持系	前方支持回転技	前転	ふとん干し，ツバメ，足抜き回り，ぶたの丸焼き，さる，こうもり，ぶら下がり，跳び上がり・跳び下り，前に回って下りる　＊固定施設を使った運動遊び　○ジャングルジム　○雲梯　○登り棒　○肋木	前回り下り（前方支持回転），かかえ込み前回り（前方支持回転），転向前下り（片足踏み越し下り）	前方支持回転（前方伸膝支持回転），片足踏み越し下り（横とび越し下り）
		前方足掛け回転			膝掛け振り上がり（腰掛け上がり），前方片膝掛け回転（前方もも掛け回転）	膝掛け上がり（もも掛け上がり），前方もも掛け回転
		後方支持回転技	後転		補助逆上がり（逆上がり），かかえ込み後ろ回り（後方支持回転）	逆上がり，後方支持回転（後方伸膝支持回転）
			後方足掛け回転		後方片膝掛け回転（後方もも掛け回転），両膝掛け倒立下り（両膝掛け振動下り）	後方もも掛け回転，両膝掛け振動下り
跳び箱運動	切り返し系	切り返し跳び		馬跳び，タイヤ跳び，うさぎ跳び，ゆりかご，前転がり，背支持倒立（首倒立），かえるの逆立ち，かえるの足打ち，壁上り下り倒立，支持でまたぎ乗り・またぎ下り，支持で跳び乗り・跳び下り，踏み越し跳び	開脚跳び（かかえ込み跳び）	かかえ込み跳び（屈身跳び）
	回転系	回転跳び			台上前転（伸膝台上前転）	伸膝台上前転
					首はね跳び（頭はね跳び）	頭はね跳び（前方屈腕倒立回転跳び）

「C　陸上運動系」

系統	走・跳の運動遊び （第1・2学年）	走・跳の運動 （第3・4学年）	陸上運動 （第5・6学年）
運動の特性	「走る」，「跳ぶ」などの運動で構成され，自己の能力に適した課題や記録に挑戦したり，競走（争）したりする楽しさや喜びを味わうことのできる運動。		

第1学年及び第2学年		第3学年及び第4学年		第5学年及び第6学年	
走・跳の運動遊び		走・跳の運動		陸上運動	
走の運動遊び	＊　30〜40m程度のかけっこ ○いろいろな形状の線上等を真っ直ぐに走ったり，蛇行して走ったりする ＊　折り返しリレー遊び，低い障害物を用いてのリレー遊び ○相手の手の平にタッチをしたり，バトンの受渡しをしたりして走る ○いろいろな間隔に並べられた低い障害物を走り越える	かけっこ・リレー	＊　30〜50m程度のかけっこ ○いろいろな走り出しの姿勢から，素早く走り始める ○真っ直ぐ前を見て，腕を前後に大きく振って走る ＊　周回リレー ○走りながら，タイミングよくバトンの受渡しをする ○コーナーの内側に体を軽く傾けて走る	短距離走・リレー	＊　40〜60m程度の短距離走 ○スタンディングスタートから，素早く走り始める ○体を軽く前傾させて全力で走る ＊　いろいろな距離でのリレー（一人が走る距離40〜60m程度） ○テークオーバーゾーン内で，減速の少ないバトンの受渡しをする
		小型ハードル走	＊　いろいろなリズムでの小型ハードル走 ○インターバルの距離や小型ハードルの高さに応じたいろいろなリズムで小型ハードルを走り越える ＊　30〜40m程度の小型ハードル走 ○一定の間隔に並べられた小型ハードルを一定のリズムで走り越える	ハードル走	＊　40〜50m程度のハードル走 ○第1ハードルを決めた足で踏み切って走り越える ○スタートから最後まで，体のバランスをとりながら真っ直ぐ走る ○インターバルを3歩または5歩で走る
跳の運動遊び	＊　幅跳び遊び ○助走を付けて片足でしっかり地面を蹴って前方に跳ぶ ＊　ケンパー跳び遊び ○片足や両足で，いろいろな間隔に並べられた輪等を連続して前方に跳ぶ ＊　ゴム跳び遊び ○助走を付けて片足でしっかり地面を蹴って上方に跳ぶ ○片足や両足で連続して上方に跳ぶ	幅跳び	＊　短い助走からの幅跳び ○5〜7歩程度の助走から踏切り足を決めて前方に強く踏み切り，遠くへ跳ぶ ○膝を柔らかく曲げて，両足で着地する	走り幅跳び	＊　リズミカルな助走からの走り幅跳び ○7〜9歩程度のリズミカルな助走をする ○幅30〜40cm程度の踏み切りゾーンで力強く踏み切る ○かがみ跳びから両足で着地する
		高跳び	＊　短い助走からの高跳び ○3〜5歩程度の短い助走から踏切り足を決めて上方に強く踏み切り，高く跳ぶ ○膝を柔らかく曲げて，足から着地する	走り高跳び	＊　リズミカルな助走からの走り高跳び ○5〜7歩程度のリズミカルな助走をする ○上体を起こして力強く踏み切る ○はさみ跳びで，足から着地する

「D　水泳運動系」

系統	水遊び （第1・2学年）	水泳運動 （第3〜6学年）
運動の特性	*	水の中という特殊な環境での活動におけるその物理的な特性（浮力，水圧，抗力・揚力など）を生かし，「浮く」，「呼吸する」，「進む」などの課題を達成し，水に親しむ楽しさや喜びを味わうことのできる運動。

第1学年及び第2学年	第3学年及び第4学年	第5学年及び第6学年	
水の中を移動する運動遊び ＊　水につかっての水かけっこ，まねっこ遊び 。水を手ですくって友達と水をかけ合う 。水につかっていろいろな動物の真似をしながら歩く ＊　水につかっての電車ごっこ，リレー遊び，鬼遊び 。自由に歩いたり走ったり，方向を変えたりする 。手で水をかきながら速く走る	**浮いて進む運動** ＊　け伸び 。プールの壁を力強く蹴りだした勢いで，体を一直線に伸ばした姿勢で進む ＊　初歩的な泳ぎ 。呼吸をしながら手や足を動かして進む 。ばた足泳ぎやかえる足泳ぎ	**クロール** **姿勢を維持しながらの運動** ＊　25〜50m程度を目安にしたクロール 。手を交互に前方に伸ばして水に入れ，かく 。リズミカルなばた足をする 。顔を横に上げて呼吸をする ＊　ゆったりとしたクロール 。両手を揃えた姿勢で片手ずつ大きく水をかく 。ゆっくりと動かすばた足をする	
		安全確保につながる運動 ＊　10〜20秒程度を目安にした背浮き 。顔以外の部位が水中に入った姿勢を維持する 。姿勢を崩さず手や足をゆっくり動かす ＊　3〜5回程度を目安にした浮き沈み 。浮いてくる動きに合わせて両手を動かし，顔をあげて呼吸をした後，再び息を止めて浮いてくるまで姿勢を保つ	
もぐる・浮く運動遊び ＊　水中でのじゃんけん，にらめっこ，石拾い 。水に顔をつけたり，もぐって目を開けたりする 。手や足を使っていろいろな姿勢でもぐる ＊　くらげ浮き，伏し浮き，大の字浮き 。壁や補助具につかまって浮く 。息を吸って止め，全身の力を抜いて浮く ＊　バブリングやボビング 。水中で息を止めたり吐いたりする 。跳び上がって息を吐いた後，すぐに吸ってまたもぐる	**もぐる・浮く運動** ＊　プールの底にタッチ，股くぐり，変身もぐり 。体の一部分をプールの底につける 。友達の股の下をくぐり抜ける 。水の中でもぐった姿勢を変える ＊　背浮き，だるま浮き，変身浮き 。全身の力を抜いていろいろな浮き方をする 。ゆっくりと浮いた姿勢を変える ＊　簡単な浮き沈み 。だるま浮きの状態で，浮上する動きをする 。ボビングを連続して行う	**浮き沈みをしながらの運動** **平泳ぎ** ＊　25〜50m程度を目安にした平泳ぎ 。両手を円を描くように左右に開き水をかく 。足の裏や脚の内側で水を挟み出すかえる足をする 。水をかきながら，顔を前に上げて呼吸をする ＊　ゆったりとした平泳ぎ 。キックの後に顎を引いた伏し浮きの姿勢を保つ	

「E　ボール運動系」

系統	ゲーム （第1～4学年）		ボール運動 （第5・6学年）
運動の特性	競い合う楽しさに触れたり，友達と力を合わせて競争する楽しさや喜びを味わったりすることができる運動。		

第1学年及び第2学年	第3学年及び第4学年	第5学年及び第6学年
ボールゲーム **ボール操作** ＊　ねらったところに緩やかにボールを転がす，投げる，蹴る，的に当てる，得点する ＊　相手コートに緩やかにボールを投げ入れたり，捕ったりする ＊　ボールを捕ったり止めたりする	**ゴール型ゲーム** **ボール操作** ＊　味方へのボールの手渡し，パス，シュート，ゴールへのボールの持ち込み **ボールを持たないときの動き** ＊　ボール保持時に体をゴールに向ける ＊　ボール保持者と自分の間に守備者がいないように移動	**ゴール型** ＊　近くにいるフリーの味方へのパス ＊　相手に取られない位置でのドリブル ＊　パスを受けてのシュート ＊　ボール保持者と自分の間に守備者が入らない位置への移動 ＊　得点しやすい場所への移動 ＊　ボール保持者とゴールの間に体を入れた守備
ボールを持たないときの動き ＊　ボールが飛んだり，転がったりしてくるコースへの移動 ＊　ボールを操作できる位置への移動	**ネット型ゲーム** **ボール操作** ＊　いろいろな高さのボールを片手，両手もしくは用具などではじいたり，打ちつけたりする ＊　相手コートから返球されたボールの片手，両手，用具での返球	**ネット型** ＊　自陣のコート（中央付近）から相手コートへのサービス ＊　味方が受けやすいようにボールをつなぐ ＊　片手，両手，用具を使っての相手コートへの返球
鬼遊び ＊　空いている場所を見付けて，速く走ったり，急に曲がったり，身をかわしたりする ＊　相手（鬼）のいない場所への移動，駆け込み ＊　少人数で連携して相手（鬼）をかわしたり，走り抜けたりする ＊　逃げる相手を追いかけてタッチしたり，マーク（タグやフラッグ）を取ったりする	**ボールを持たないときの動き** ＊　ボールの方向に体を向けること，もしくは，ボールの落下点や操作しやすい位置への移動	＊　ボールの方向に体を向けることとボール方向への素早い移動
	ベースボール型ゲーム **ボール操作** ＊　ボールをフェアグラウンド内に蹴ったり打ったりする ＊　投げる手と反対の足を一歩前に踏み出してボールを投げる	**ベースボール型** ＊　止まったボール，易しいボールをフェアグラウンド内に打つ ＊　打球の捕球 ＊　捕球する相手に向かっての投球
	ボールを持たないときの動き ＊　向かってくるボールの正面への移動 ＊　ベースに向かって全力で走り，駆け抜けること	＊　打球方向への移動 ＊　簡易化されたゲームにおける塁間の全力での走塁 ＊　守備の隊形をとって得点を与えないようにする

体育科

「F　表現運動系」

系統	表現リズム遊び （第1・2学年）	表現運動 （第3～6学年）
運動の特性	自己の心身を解き放して，イメージやリズムの世界に没入してなりきって踊ったり，互いのよさを生かし合って仲間と交流して踊ったりする楽しさや喜びを味わうことのできる運動。	

		第1学年及び第2学年	第3学年及び第4学年	第5学年及び第6学年
表現系	題材の例	＊　特徴が捉えやすく多様な感じを多く含む題材 ＊　特徴が捉えやすく速さに変化のある動きを多く含む題材	＊　身近な生活からの題材 ＊　空想の世界からの題材	＊　激しい感じの題材 ＊　群（集団）が生きる題材 ＊　多様な題材
	ひと流れの動きで即興的に表現	＊　いろいろな題材の特徴や様子を捉え，高低の差や速さの変化のある全身の動きで即興的に踊る ＊　どこかに「大変だ！○○だ！」などの急変する場面を入れて簡単な話にして続けて踊る	＊　題材の主な特徴を捉え，動きに差を付けて誇張したり，表したい感じを2人組で対応する動きや対立する動きで変化を付けたりして，メリハリ（緩急・強弱）のあるひと流れの動きで即興的に踊る	＊　題材の特徴を捉えて，表したい感じやイメージを，動きに変化を付けたり繰り返したりして，メリハリ（緩急・強弱）のあるひと流れの動きにして即興的に踊る
	簡単なひとまとまりの動きで表現			＊　表したい感じやイメージを「はじめ－なか－おわり」の構成や群の動きを工夫して簡単なひとまとまりの動きで表現する
	発表の様子	＊　続けて踊る	＊　感じを込めて踊る	＊　感じを込めて通して踊る
リズム系	リズムの例	＊　弾んで踊れるようなロックやサンバなどの軽快なリズム	＊　軽快なテンポやビートの強いロックのリズム ＊　陽気で小刻みなビートのサンバのリズム	
	全身でリズムに乗って即興的に踊る	＊　へそ（体幹部）を中心に軽快なリズムの音楽に乗って即興的に踊る ＊　友達と関わって踊る	＊　ロックやサンバなどのリズムの特徴を捉えて踊る ＊　へそ（体幹部）を中心にリズムに乗って全身で即興的に踊る ＊　動きに変化を付けて踊る ＊　友達と関わり合って踊る	（加えて指導可）
	発表や交流	＊　友達と一緒に踊る	＊　踊りで交流する	
フォークダンス	踊りと特徴	（含めて指導可） ＊　軽快なリズムと易しいステップの繰り返しで構成される簡単なフォークダンス	（加えて指導可）	＊　日本の民踊：軽快なリズムの踊り，力強い踊り ＊　外国のフォークダンス：シングルサークルで踊る力強い踊り，パートナーチェンジのある軽快な踊り，特徴的な隊形と構成の踊り
	発表や交流	＊　友達と一緒に踊る		＊　踊りで交流する

「G　保健」

第3学年	第4学年	第5学年	第6学年
ア　健康な生活について理解すること。 (ｱ)　健康の状態は主体の要因や周囲の環境の要因が関わっていること。 (ｲ)　運動，食事，休養及び睡眠の調和のとれた生活と体の清潔。 (ｳ)　明るさの調節，換気などの生活環境	ア　体の発育・発達について理解すること。 (ｱ)　年齢に伴う体の変化と個人差。 (ｲ)　思春期の体の変化。 ・体つきの変化。 ・初経，精通など。 ・異性への関心の芽生え。 (ｳ)　体をよりよく発育・発達させるための生活。	ア　心の発達及び不安や悩みへの対処について理解するとともに，簡単な対処をすること。 (ｱ)　心の発達。 (ｲ)　心と体との密接な関係。 (ｳ)　不安や悩みへの対処の知識及び技能。	ア　病気の予防について理解すること。 (ｱ)　病気の起こり方。 (ｲ)　病原体が主な要因となって起こる病気の予防。 ・病原体が体に入るのを防ぐこと。 ・病原体に対する体の抵抗力を高めること。 (ｳ)　生活習慣病など生活行動が主な要因となって起こる病気の予防。 ・適切な運動，栄養の偏りのない食事をとること。 ・口腔の衛生を保つこと。 (ｴ)　喫煙，飲酒，薬物乱用と健康。 ・健康を損なう原因 (ｵ)　地域の保健に関わる様々な活動。
		ア　けがの防止に関する次の事項を理解するとともに，けがなどの簡単な手当をすること。 (ｱ)　交通事故や身の回りの生活の危険が原因となって起こるけがの防止。 ・周囲の危険に気付くこと。 ・的確な判断の下に安全に行動すること。 ・環境を安全に整えること。 (ｲ)　けがなどの簡単な手当の知識及び技能。	

◆指導計画の作成と内容の取扱い

〔内容の取扱いについての配慮事項〕

外国語活動	外国語科
ア　英語でのコミュニケーションを体験させる際は，児童の発達の段階を考慮した表現を用い，児童にとって身近なコミュニケーションの場面を設定すること。	ア　言語材料 (P.217の下線部を指す) については，平易なものから難しいものへと段階的に指導すること。また，児童の発達の段階に応じて，聞いたり読んだりすることを通して意味を理解できるように指導すべき事項と，話したり書いたりして表現できるように指導すべき事項とがあることに留意すること。
イ　文字については，児童の学習負担に配慮しつつ，音声によるコミュニケーションを補助するものとして取り扱うこと。	イ　音声指導に当たっては，日本語との違いに留意しながら，発音練習などを通して2の(1)のアに示す言語材料を指導すること。また，音声と文字とを関連付けて指導すること。
	ウ　文や文構造の指導に当たっては，次の事項に留意すること。 (ア)　児童が日本語と英語との語順等の違いや，関連のある文や文構造のまとまりを認識できるようにするために，効果的な指導ができるよう工夫すること。 (イ)　文法の用語や用法の指導に偏ることがないよう配慮して，言語活動と効果的に関連付けて指導すること。
ウ　言葉によらないコミュニケーションの手段もコミュニケーションを支えるものであることを踏まえ，ジェスチャーなどを取り上げ，その役割を理解させるようにすること。	
エ　身近で簡単な事柄について，友達に質問をしたり質問に答えたりする力を育成するため，ペア・ワーク，グループ・ワークなどの学習形態について適宜工夫すること。	
その際，相手とコミュニケーションを行うことに課題がある児童については，個々の児童の特性に応じて指導内容や指導方法を工夫すること。	その際，他者とコミュニケーションを行うことに課題がある児童については，個々の児童の特性に応じて指導内容や指導方法を工夫すること。
オ　児童が身に付けるべき資質・能力や児童の実態，教材の内容などに応じて，視聴覚教材やコンピュータ，情報通信ネットワーク，教育機器などを有効活用し，児童の興味・関心をより高め，指導の効率化や言語活動の更なる充実を図るようにすること。	
カ　各単元や各時間の指導に当たっては，コミュニケーションを行う目的，場面，状況などを明確に設定し，言語活動を通して育成すべき資質・能力を明確に示すことにより，児童が学習の見通しを立てたり，振り返ったりすることができるようにすること。	

外国語活動	外国語科
1　外国語活動においては，言語やその背景にある文化に対する理解が深まるよう指導するとともに，外国語による聞くこと，話すことの言語活動を行う際は，英語を取り扱うことを原則とすること。	1　外国語科においては，英語を履修させることを原則とすること。
2　第1章総則の第1の2の(2)に示す道徳教育の目標に基づき，道徳科などとの関連を考慮しながら，第3章特別の教科道徳の第2に示す内容について，外国語活動の特質に応じて適切な指導をすること。	2　第1章総則の第1の2の(2)に示す道徳教育の目標に基づき，道徳科などとの関連を考慮しながら，第3章特別の教科道徳の第2に示す内容について，外国語科の特質に応じて適切な指導をすること。

◆外国語活動と外国語科の内容

〔知識及び技能〕

外国語活動	外国語科
英語の特徴等に関する事項	英語の特徴やきまりに関する事項
実際に英語を用いた言語活動を通して，次の事項を体験的に身に付けることができるよう指導する。	実際に英語を用いた言語活動を通して，次に示す言語材料のうち，五つの領域別 (→P.162参照) の目標を達成するのにふさわしいものについて理解するとともに，言語材料と言語活動とを効果的に関連付け，実際のコミュニケーションにおいて活用できる技能を身に付けることができるよう指導する。
ア　言語を用いて主体的にコミュニケーションを図ることの楽しさや大切さを知ること。 イ　日本と外国の言語や文化について理解すること。 　(ア)　英語の音声やリズムなどに慣れ親しむとともに，日本語との違いを知り，言葉の面白さや豊かさに気付くこと。 　(イ)　日本と外国との生活や習慣，行事などの違いを知り，多様な考え方があることに気付くこと。 　(ウ)　異なる文化をもつ人々との交流などを体験し，文化等に対する理解を深めること。	ア　音声 　次に示す事項のうち基本的な語や句，文について取り扱うこと。 　(ア)　現代の標準的な発音。 　(イ)　語と語の連結による音の変化。 　(ウ)　語や句，文における基本的な強勢。 　(エ)　文における基本的なイントネーション。 　(オ)　文における基本的な区切り。 イ　文字及び符号 　(ア)　活字体の大文字，小文字。 　(イ)　終止符や疑問符，コンマなどの基本的な符号。 ウ　語，連語及び慣用表現 　(ア)　1に示す五つの領域別の目標を達成するために必要となる，第3学年及び第4学年において第4章外国語活動を履修する際に取り扱った語を含む600〜700語程度の語 。

　㋑　連語のうち，get up, look at などの活用頻度の高い基本的なもの。

　㋒　慣用表現のうち，excuse me, I see, I'm sorry, thank you, you're welcome などの活用頻度の高い基本的なもの。

エ　文及び文構造

　次に示す事項について，日本語と英語の語順の違い等に気付かせるとともに，基本的な表現として，意味のある文脈でのコミュニケーションの中で繰り返し触れることを通して活用すること。

　㋐　文

　　ⓐ 単文

　　ⓑ 肯定，否定の平叙文

　　ⓒ 肯定，否定の命令文

　　ⓓ 疑問文のうち，be動詞で始まるものや助動詞（can, doなど）で始まるもの，疑問詞（who, what, when, where, why, how）で始まるもの

　　ⓔ 代名詞のうち，I, you, he, sheなどの基本的なものを含むもの

　　ⓕ 動名詞や過去形のうち，活用頻度の高い基本的なものを含むもの

　㋑　文構造

　　ⓐ ［主語＋動詞］

　　ⓑ ［主語＋動詞＋補語］のうち，

　　　主語＋be動詞＋ { 名詞 代名詞 形容詞

　　ⓒ ［主語＋動詞＋目的語］のうち，

　　　主語＋動詞　＋ { 名詞 代名詞

〔思考力，判断力，表現力等〕

外国語活動	外国語科
情報を整理しながら考えなどを形成し，英語で表現したり，伝え合ったりすることに関する事項	
具体的な課題等を設定し，コミュニケーションを行う目的や場面，状況などに応じて，	
情報や考えなどを表現することを通して，次の事項を身に付けることができるよう指導する。	情報を整理しながら考えなどを形成し，これらを表現することを通して，次の事項を身に付けることができるよう指導する。
ア　自分のことや身近で簡単な事柄について，簡単な語句や基本的な表現を使って，相手に配慮しながら，伝え合うこと。	ア　身近で簡単な事柄について，伝えようとする内容を整理した上で，簡単な語句や基本的な表現を用いて，自分の考えや気持ちなどを伝え合うこと。
イ　身近で簡単な事柄について，自分の考えや気持ちなどが伝わるよう，工夫して質問をしたり質問に答えたりすること。	イ　身近で簡単な事柄について，音声で十分に慣れ親しんだ簡単な語句や基本的な表現を推測しながら読んだり，語順を意識しながら書いたりすること。

new runner's supplementary materials

外国語科・外国語活動

◆内容／言語活動及び言語の働きに関する事項

①言語活動に関する事項

	外国語活動	外国語科
聞くこと	(ア) 身近で簡単な事柄に関する短い話を聞いておおよその内容が分かったりする活動。	(ア) 自分のことや学校生活など，身近で簡単な事柄について，簡単な語句や基本的な表現を聞いて，それらを表すイラストや写真などと結び付ける活動。
聞くこと	(イ) 身近な人や身の回りの物に関する簡単な語句や基本的な表現を聞いて，それらを表すイラストや写真などと結び付ける活動。	(イ) 日付や時刻，値段などを表す表現など，日常生活に関する身近で簡単な事柄について，具体的な情報を聞き取る活動。
聞くこと	(ウ) 文字の読み方が発音されるのを聞いて，活字体で書かれた文字と結び付ける活動。	(ウ) 友達や家族，学校生活など，身近で簡単な事柄について，簡単な語句や基本的な表現で話される短い会話や説明を，イラストや写真などを参考にしながら聞いて，必要な情報を得る活動。
読むこと		(ア) 活字体で書かれた文字を見て，どの文字であるかやその文字が大文字であるか小文字であるかを識別する活動。
読むこと		(イ) 活字体で書かれた文字を見て，その読み方を適切に発音する活動。
読むこと		(ウ) 日常生活に関する身近で簡単な事柄を内容とする掲示やパンフレットなどから，自分が必要とする情報を得る活動。
読むこと		(エ) 音声で十分に慣れ親しんだ簡単な語句や基本的な表現を，絵本などの中から識別する活動。
話すこと[やり取り]	(ア) 知り合いと簡単な挨拶を交わしたり，感謝や簡単な指示，依頼をして，それらに応じたりする活動。	(ア) 初対面の人や知り合いと挨拶を交わしたり，相手に指示や依頼をして，それらに応じたり断ったりする活動。
話すこと[やり取り]	(イ) 自分のことや身の回りの物について，動作を交えながら，好みや要求などの自分の考えや気持ちなどを伝え合う活動。	(イ) 日常生活に関する身近で簡単な事柄について，自分の考えや気持ちなどを伝えたり，簡単な質問をしたり質問に答えたりして伝え合う活動。
話すこと[やり取り]	(ウ) 自分や相手の好み及び欲しい物などについて，簡単な質問をしたり質問に答えたりする活動。	(ウ) 自分に関する簡単な質問に対してその場で答えたり，相手に関する簡単な質問をその場でしたりして，短い会話をする活動。

話すこと〔発表〕	(ア) 身の回りの物の数や形状などについて，人前で実物やイラスト，写真などを見せながら話す活動。	(ア) 時刻や日時，場所など，日常生活に関する身近で簡単な事柄を話す活動。
	(イ) 自分の好き嫌いや，欲しい物などについて，人前で実物やイラスト，写真などを見せながら話す活動。	(イ) 簡単な語句や基本的な表現を用いて，自分の趣味や得意なことなどを含めた自己紹介をする活動。
	(ウ) 時刻や曜日，場所など，日常生活に関する身近で簡単な事柄について，人前で実物やイラスト，写真などを見せながら，自分の考えや気持ちなどを話す活動。	(ウ) 簡単な語句や基本的な表現を用いて，学校生活や地域に関することなど，身近で簡単な事柄について，自分の考えや気持ちなどを話す活動。
書くこと		(ア) 文字の読み方が発音されるのを聞いて，活字体の大文字，小文字を書く活動。
		(イ) 相手に伝えるなどの目的をもって，身近で簡単な事柄について，音声で十分に慣れ親しんだ簡単な語句を書き写す活動。
		(ウ) 相手に伝えるなどの目的をもって，語と語の区切りに注意して，身近で簡単な事柄について，音声で十分に慣れ親しんだ基本的な表現を書き写す活動。
		(エ) 相手に伝えるなどの目的をもって，名前や年齢，趣味，好き嫌いなど，自分に関する簡単な事柄について，音声で十分に慣れ親しんだ簡単な語句や基本的な表現を用いた例の中から言葉を選んで書く活動。

②言葉の働き

外国語活動	外国語科
言語活動を行うに当たり，主として次に示すような言語の使用場面や言語の働きを取り上げるようにする。	

外国語活動	外国語科
ア　言語の使用場面の例 　(ア)　児童の身近な暮らしに関わる場面 　　。家庭での生活 　　。学校での学習や活動 　　。地域の行事 　　。子供の遊び　など 　(イ)　特有の表現がよく使われる場面 　　。挨拶 　　。自己紹介 　　。買物 　　。食事 　　。道案内　など	ア　言語の使用場面の例 　(ア)　児童の身近な暮らしに関わる場面 　　。家庭での生活 　　。学校での学習や活動 　　。地域の行事　など 　(イ)　特有の表現がよく使われる場面 　　。挨拶 　　。自己紹介 　　。買物 　　。食事 　　。道案内 　　。旅行　など
イ　言語の働きの例 　(ア)　コミュニケーションを円滑にする 　　。挨拶をする 　　。相づちを打つ　など 　(イ)　気持ちを伝える 　　。礼を言う 　　。褒める　など 　(ウ)　事実・情報を伝える 　　。説明する 　　。答える　など 　(エ)　考えや意図を伝える 　　。申し出る 　　。意見を言う　など 　(オ)　相手の行動を促す 　　。質問する 　　。依頼する 　　。命令する　など	イ　言語の働きの例 　(ア)　コミュニケーションを円滑にする 　　。挨拶をする 　　。呼び掛ける 　　。相づちを打つ 　　。聞き直す 　　。繰り返す　など 　(イ)　気持ちを伝える 　　。礼を言う 　　。褒める 　　。謝る　など 　(ウ)　事実・情報を伝える 　　。説明する 　　。報告する 　　。発表する　など 　(エ)　考えや意図を伝える 　　。申し出る 　　。意見を言う 　　。賛成する 　　。承諾する 　　。断る　など 　(オ)　相手の行動を促す 　　。質問する 　　。依頼する 　　。命令する　など

◆内容項目

	第1学年及び第2学年	第3学年及び第4学年	第5学年及び第6学年
A　主として自分自身に関すること			
善悪の判断、自律、自由と責任	(1)　よいことと悪いこととの区別をし，よいと思うことを進んで行うこと。	(1)　正しいと判断したことは，自信をもって行うこと。	(1)　自由を大切にし，自律的に判断し，責任のある行動をすること。
正直、誠実	(2)　うそをついたりごまかしをしたりしないで，素直に伸び伸びと生活すること。	(2)　過ちは素直に改め，正直に明るい心で生活すること。	(2)　誠実に，明るい心で生活すること。
節度、節制	(3)　健康や安全に気を付け，物や金銭を大切にし，身の回りを整え，わがままをしないで，規則正しい生活をすること。	(3)　自分でできることは自分でやり，安全に気を付け，よく考えて行動し，節度のある生活をすること。	(3)　安全に気を付けることや，生活習慣の大切さについて理解し，自分の生活を見直し，節度を守り節制に心掛けること。
個性の伸長	(4)　自分の特徴に気付くこと。	(4)　自分の特徴に気付き，長所を伸ばすこと。	(4)　自分の特徴を知って，短所を改め長所を伸ばすこと。
希望と勇気、努力と強い意志	(5)　自分のやるべき勉強や仕事をしっかりと行うこと。	(5)　自分でやろうと決めた目標に向かって，強い意志をもち，粘り強くやり抜くこと。	(5)　より高い目標を立て，希望と勇気をもち，困難があってもくじけずに努力して物事をやり抜くこと。
真理の探究			(6)　真理を大切にし，物事を探究しようとする心をもつこと。
B　主として人との関わりに関すること			
親切、思いやり	(6)　身近にいる人に温かい心で接し，親切にすること。	(6)　相手のことを思いやり，進んで親切にすること。	(7)　誰に対しても思いやりの心をもち，相手の立場に立って親切にすること。
感謝	(7)　家族など日頃世話になっている人々に感謝すること。	(7)　家族など生活を支えてくれている人々や現在の生活を築いてくれた高齢者に，尊敬と感謝の気持ちをもって接すること。	(8)　日々の生活が家族や過去からの多くの人々の支え合いや助け合いで成り立っていることに感謝し，それに応えること。
礼儀	(8)　気持ちのよい挨拶，言葉遣い，動作などに心掛けて，明るく接すること。	(8)　礼儀の大切さを知り，誰に対しても真心をもって接すること。	(9)　時と場をわきまえて，礼儀正しく真心をもって接すること。

友情、信頼	(9) 友達と仲よくし，助け合うこと。	(9) 友達と互いに理解し，信頼し，助け合うこと。	(10) 友達と互いに信頼し，学び合って友情を深め，異性についても理解しながら，人間関係を築いていくこと。
相互理解、寛容		(10) 自分の考えや意見を相手に伝えるとともに，相手のことを理解し，自分と異なる意見も大切にすること。	(11) 自分の考えや意見を相手に伝えるとともに，謙虚な心をもち，広い心で自分と異なる意見や立場を尊重すること。

C 主として集団や社会との関わりに関すること

規則の尊重	(10) 約束やきまりを守り，みんなが使う物を大切にすること。	(11) 約束や社会のきまりの意義を理解し，それらを守ること。	(12) 法やきまりの意義を理解した上で進んでそれらを守り，自他の権利を大切にし，義務を果たすこと。
公正、公平、社会正義	(11) 自分の好き嫌いにとらわれないで接すること。	(12) 誰に対しても分け隔てをせず，公正，公平な態度で接すること。	(13) 誰に対しても差別をすることや偏見をもつことなく，公正，公平な態度で接し，正義の実現に努めること。
勤労、公共の精神	(12) 働くことのよさを知り，みんなのために働くこと。	(13) 働くことの大切さを知り，進んでみんなのために働くこと。	(14) 働くことや社会に奉仕することの充実感を味わうとともに，その意義を理解し，公共のために役に立つことをすること。
家族愛、家庭生活の充実	(13) 父母，祖父母を敬愛し，進んで家の手伝いなどをして，家族の役に立つこと。	(14) 父母，祖父母を敬愛し，家族みんなで協力し合って楽しい家庭をつくること。	(15) 父母，祖父母を敬愛し，家族の幸せを求めて，進んで役に立つことをすること。
よりよい学校生活、集団生活の充実	(14) 先生を敬愛し，学校の人々に親しんで，学級や学校の生活を楽しくすること。	(15) 先生や学校の人々を敬愛し，みんなで協力し合って楽しい学級や学校をつくること。	(16) 先生や学校の人々を敬愛し，みんなで協力し合ってよりよい学級や学校をつくるとともに，様々な集団の中での自分の役割を自覚して集団生活の充実に努めること。
伝統と文化の尊重、国や郷土を愛する態度	(15) 我が国や郷土の文化と生活に親しみ，愛着をもつこと。	(16) 我が国や郷土の伝統と文化を大切にし，国や郷土を愛する心をもつこと。	(17) 我が国や郷土の伝統と文化を大切にし，先人の努力を知り，国や郷土を愛する心をもつこと。

国際理解、国際親善	⒃　他国の人々や文化に親しむこと。	⒄　他国の人々や文化に親しみ，関心をもつこと。	⒅　他国の人々や文化について理解し，日本人としての自覚をもって国際親善に努めること。
D　主として生命や自然，崇高なものとの関わりに関すること			
生命の尊さ	⒄　生きることのすばらしさを知り，生命を大切にすること。	⒅　生命の尊さを知り，生命あるものを大切にすること。	⒆　生命が多くの生命のつながりの中にあるかけがえのないものであることを理解し，生命を尊重すること。
自然愛護	⒅　身近な自然に親しみ，動植物に優しい心で接すること。	⒆　自然のすばらしさや不思議さを感じ取り，自然や動植物を大切にすること。	⒇　自然の偉大さを知り，自然環境を大切にすること。
感動、畏敬の念	⒆　美しいものに触れ，すがすがしい心をもつこと。	⒇　美しいものや気高いものに感動する心をもつこと。	㉑　美しいものや気高いものに感動する心や人間の力を超えたものに対する畏敬の念をもつこと。
よりよく生きる喜び			㉒　よりよく生きようとする人間の強さや気高さを理解し，人間として生きる喜びを感じること。

（付録）

◆ 社会科／鎌倉時代新仏教

浄土宗	法然	『選択本願念仏集』	専修念仏の教え，「南無阿弥陀仏」
浄土真宗	親鸞	『教行信証』	悪人正機説，弟子唯円の『歎異抄』
日蓮宗	日蓮	『立正安国論』	辻説法によって他宗を攻撃
時宗	一遍		踊念仏をすすめる。遊行上人
臨済宗	栄西	『興禅護国論』	禅宗。幕府の保護をうける（五山）
曹洞宗	道元	『正法眼蔵』	禅宗

◆ 理科／火成岩

でき方	火山岩（急に冷える）	流紋岩	安山岩	玄武岩	斑状
	深成岩（ゆっくり冷える）	花こう岩	閃緑岩	斑れい岩	等粒状
マグマ	SiO_2を含む割合	多い ←→	中間 ←→	少ない	
	全体の色	白っぽい ←→	中間 ←→	黒っぽい	
鉱物をふくむ割合	無色鉱物	石英　カリ長石	斜長石		100　体積（%）　50
	有色鉱物	黒雲母	角閃石	輝石　かんらん石	0

SiO_2多……粘性大

◆ 理科／天気図記号

天気図記号		霧　雨	●キ	霧・氷霧	☉
快　晴	○	雨強し	●ツ	雷	◒
晴　れ	◐	雪	✳	雷強し	◒ツ
曇	◎	にわか雪	✳ニ	あられ	△
雨	●	雪強し	✳ツ	ひょう	▲
にわか雨	●ニ	みぞれ	◓	不　明	⊗

◆ 生活科／内容の階層性

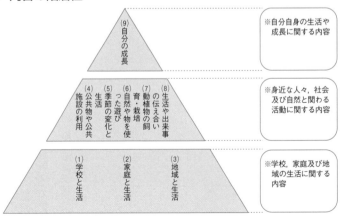

生活科の内容のまとまり

◆音楽科／指導計画の作成と内容の取扱い

　　各学年の〔共通事項〕に示す「音符，休符，記号や用語」については，児童の学習状況を考慮して，次に示すものを音楽における働きと関わらせて理解し，活用できるよう取り扱うこと。

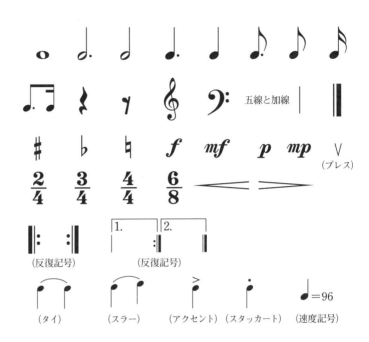

◆音楽科／音符と休符

	全音符	2分音符	4分音符	8分音符	16分音符	付点2分音符	付点4分音符
音符	𝅝	♩	♩	♪	♬	♩.	♩.
♩(𝄿)を1拍とおくと	4	2	1	$\frac{1}{2}$	$\frac{1}{4}$	3 (♩+♩+♩)	$1\frac{1}{2}$ (♩+♪)
休符	𝄻	𝄼	𝄽	𝄾	𝄿		
	全休符	2分休符	4分休符	8分休符	16分休符		

※「・(付点)」は，その音の半分の長さをプラスした長さ。
※n分音符は，全音符をn等分したうちの1つの長さを表す。

2026年度版　小学校全科 新ランナー
（ねんどばん）（しょうがっこうぜんか しん）

（2023年度版　2021年12月24日　初版　第1刷発行）

2024年9月25日　初　版　第1刷発行

編 著 者	東 京 教 友 会	
発 行 者	多　田　敏　男	
発 行 所	T A C 株式会社　出版事業部	
	（T A C 出版）	

〒101-8383
東京都千代田区神田三崎町3-2-18
電 話 03（5276）9492（営業）
FAX 03（5276）9674
https://shuppan.tac-school.co.jp

組　　版	朝日メディアインターナショナル株式会社
印　　刷	日　新　印　刷　株式会社
製　　本	株式会社　常　川　製　本

© Tokyo kyoyukai 2024　　　Printed in Japan　　　ISBN 978-4-300-11237-3
N.D.C. 370

乱丁・落丁による交換，および正誤のお問合せ対応は，該当書籍の改訂版刊行月末日までといたします。なお，交換につきましては，書籍の在庫状況等により，お受けできない場合もございます。
また，各種本試験の実施の延期，中止を理由とした本書の返品はお受けいたしません。返金もいたしかねますので，あらかじめご了承くださいますようお願い申し上げます。

TAC出版 書籍のご案内

TAC出版では、資格の学校TAC各講座の定評ある執筆陣による資格試験の参考書をはじめ、資格取得者の開業法や仕事術、実務書、ビジネス書、一般書などを発行しています！

TAC出版の書籍

*一部書籍は、早稲田経営出版のブランドにて刊行しております。

資格・検定試験の受験対策書籍

- ✪日商簿記検定
- ✪建設業経理士
- ✪全経簿記上級
- ✪税 理 士
- ✪公認会計士
- ✪社会保険労務士
- ✪中小企業診断士
- ✪証券アナリスト

- ✪ファイナンシャルプランナー(FP)
- ✪証券外務員
- ✪貸金業務取扱主任者
- ✪不動産鑑定士
- ✪宅地建物取引士
- ✪賃貸不動産経営管理士
- ✪マンション管理士
- ✪管理業務主任者

- ✪司法書士
- ✪行政書士
- ✪司法試験
- ✪弁理士
- ✪公務員試験(大卒程度・高卒者)
- ✪情報処理試験
- ✪介護福祉士
- ✪ケアマネジャー
- ✪電験三種　ほか

実務書・ビジネス書

- ✪会計実務、税法、税務、経理
- ✪総務、労務、人事
- ✪ビジネススキル、マナー、就職、自己啓発
- ✪資格取得者の開業法、仕事術、営業術

一般書・エンタメ書

- ✪ファッション
- ✪エッセイ、レシピ
- ✪スポーツ
- ✪旅行ガイド (おとな旅プレミアム/旅コン)

書籍のご購入は

1 全国の書店、大学生協、ネット書店で

2 TAC各校の書籍コーナーで

資格の学校TACの校舎は全国に展開！
校舎のご確認はホームページにて

資格の学校TAC ホームページ
https://www.tac-school.co.jp

3 TAC出版書籍販売サイトで

CYBER TAC出版書籍販売サイト
BOOK STORE

TAC 出版 で 検索

24時間
ご注文
受付中

https://bookstore.tac-school.co.jp/

新刊情報を
いち早くチェック！

たっぷり読める
立ち読み機能

学習お役立ちの
特設ページも充実！

TAC出版書籍販売サイト「サイバーブックストア」では、TAC出版および早稲田経営出版から刊行されている、すべての最新書籍をお取り扱いしています。
また、会員登録（無料）をしていただくことで、会員様限定キャンペーンのほか、送料無料サービス、メールマガジン配信サービス、マイページのご利用など、うれしい特典がたくさん受けられます。

サイバーブックストア会員は、特典がいっぱい！（一部抜粋）

通常、1万円（税込）未満のご注文につきましては、送料・手数料として500円（全国一律・税込）頂戴しておりますが、1冊から無料となります。

専用の「マイページ」は、「購入履歴・配送状況の確認」のほか、「ほしいものリスト」や「マイフォルダ」など、便利な機能が満載です。

メールマガジンでは、キャンペーンやおすすめ書籍、新刊情報のほか、「電子ブック版TACNEWS（ダイジェスト版）」をお届けします。

書籍の発売を、販売開始当日にメールにてお知らせします。これなら買い忘れの心配もありません。

(2024年2月現在)

書籍の正誤に関するご確認とお問合せについて

書籍の記載内容に誤りではないかと思われる箇所がございましたら、以下の手順にてご確認とお問合せをしてくださいますよう、お願い申し上げます。

なお、正誤のお問合せ以外の**書籍内容に関する解説および受験指導などは、一切行っておりません。**
そのようなお問合せにつきましては、お答えいたしかねますので、あらかじめご了承ください。

1 「Cyber Book Store」にて正誤表を確認する

TAC出版書籍販売サイト「Cyber Book Store」の
トップページ内「正誤表」コーナーにて、正誤表をご確認ください。

CYBER TAC出版書籍販売サイト
BOOK STORE

URL：https://bookstore.tac-school.co.jp/

2 1の正誤表がない、あるいは正誤表に該当箇所の記載がない
⇒ 下記①、②のどちらかの方法で文書にて問合せをする

★ご注意ください★

お電話でのお問合せは、お受けいたしません。
①、②のどちらの方法でも、お問合せの際には、「お名前」とともに、
「対象の書籍名（○級・第○回対策も含む）およびその版数（第○版・○○年度版など）」
「お問合せ該当箇所の頁数と行数」
「誤りと思われる記載」
「正しいとお考えになる記載とその根拠」
を明記してください。
なお、回答までに1週間前後を要する場合もございます。あらかじめご了承ください。

① ウェブページ「Cyber Book Store」内の「お問合せフォーム」より問合せをする

【お問合せフォームアドレス】

https://bookstore.tac-school.co.jp/inquiry/

② メールにより問合せをする

【メール宛先　TAC出版】

syuppan-h@tac-school.co.jp

※土日祝日はお問合せ対応をおこなっておりません。
※正誤のお問合せ対応は、該当書籍の改訂版刊行月末日までといたします。

乱丁・落丁による交換は、該当書籍の改訂版刊行月末日までといたします。なお、書籍の在庫状況等により、お受けできない場合もございます。
また、各種本試験の実施の延期、中止を理由とした本書の返品はお受けいたしません。返金もいたしかねますので、あらかじめご了承くださいますようお願い申し上げます。

（2022年7月現在）